IAN MCDONALD

黃鴻硯——譯

伊恩・麥克唐納

狼嚎時分

新月球帝國 II

LUNA
WOLF MOON

目錄

人物介紹

【柯塔家】

艾芮兒・柯塔：前克拉維斯法庭律師。

瑪莉娜・卡爾札：艾芮兒・柯塔的私人助理兼保鑣。

羅伯森・柯塔：拉法・柯塔與瑞秋・馬肯齊之子。

露娜・柯塔：拉法・柯塔與露西卡・阿沙默之女。

盧卡斯・柯塔：亞德里安娜・柯塔次子，柯塔氦氣專務。

亞曼達・陽：盧卡斯・柯塔的前歐科伴侶。

路卡辛侯・柯塔：盧卡斯・柯塔與亞曼達・陽之子。

華格納・「小狼」・柯塔：亞德里安娜的第五個孩子，與她無血緣關係。分析師，月狼。

卡羅萊娜・馬卡拉格醫生：亞德里安娜・柯塔的私人專屬醫師。

【教母】

弗拉維亞：代理孕母，生下卡林侯、華格納、路卡辛侯・柯塔。

愛麗絲：代理孕母，生下羅伯森與露娜・柯塔。

【馬肯齊金屬】

羅伯特·馬肯齊：馬肯齊金屬創立者，前任執行長。

婕德·陽—馬肯齊：羅伯特·馬肯齊第二任歐科伴侶。

艾莉莎·馬肯齊：羅伯特·馬肯齊的歐科伴侶（已故）。

鄧肯·馬肯齊：羅伯特·馬肯齊與艾莉莎·馬肯齊的長子，馬肯齊金屬總裁。

安娜塔西亞·沃隆佐夫：鄧肯·馬肯齊的歐科伴侶。

阿波利奈爾·沃隆佐夫：鄧肯·馬肯齊的第二歐科伴侶。

阿德里安·馬肯齊：鄧肯與阿波利奈爾的長子，月之鷹強納森·阿猶德的歐科伴侶。

丹尼·馬肯齊：鄧肯與阿波利奈爾的么子，馬肯齊熱熔（馬肯齊金屬氦－3部門）主任。

【馬肯齊氦氣】

布萊斯·馬肯齊：羅伯特·馬肯齊次子，馬肯齊金屬財務長，有許多「養子」。

熊弘琳：布萊斯·馬肯齊養子，曾與羅伯森·柯塔短暫結為連理。

安妮麗絲·馬肯齊：華格納·柯塔黑暗人格的祕密愛侶。

【阿沙默家】

露西卡·阿沙默：ＡＫＡ科托科的大酋長。

亞別娜·阿沙默：攻讀政治科學的學生，偶爾當路卡辛侯·柯塔的愛侶。

卡喬·阿沙默：路卡辛侯·柯塔的研討班同學，奔月者。

阿德拉加・奧拉得萊：（短暫當過）路卡辛侯・柯塔的愛侶。

阿菲：亞別娜在忒的研討班同學。

【太陽企業】

陽夫人：沙克爾頓的老佛爺，太陽企業總裁的祖母。

陽知遠：太陽企業總裁。

陽將贏：太陽企業營運長（副總裁）。

陽立威：太陽企業財務長。

婕德・陽：鄧肯・馬肯齊的歐科伴侶。

陽黨信：太陽企業法務部長。

達瑞斯・馬肯齊—陽：婕德與羅伯特・馬肯齊之子。

亞曼達・陽：盧卡斯・柯塔的歐科伴侶。

【VTO】

瓦列里・沃隆佐夫：VTO創始人，VTO太空的總裁。

艾夫根尼・沃隆佐夫：VTO月球總裁。

瓦倫蒂娜・沃隆佐夫：VTO地月循環太空船聖彼得與保羅號指揮官。

沃利科娃醫師：盧卡斯・柯塔個人專屬醫師。

格里戈里・沃隆佐夫（無）：路卡辛侯・柯塔前愛侶。

【月球開發法人】

強納森・阿猶德：月之鷹，月球開發法人總裁。

維迪亞・拉歐：經濟學家，數學家，白兔閣與月人社成員，獨立運動支持者。

【現主姊妹會】

弗拉維亞教母：遭博阿維斯塔流放後加入姊妹會。

聖母奧敦拉・阿波賽・艾德科拉：現主姊妹會聖母。

洛亞修女：亞德里安娜・柯塔生前的告解對象。

【梅利迪安／南后】

馬里亞諾・加百列・迪馬里亞：刺殺者訓練校「七鐘院」負責人。

【狼幫】

阿莫爾：梅利迪安藍狼幫領導人。

農民曆的月份是由美洲原住民命名的，他們的居住地位於今日美國東北。

狼月即一月，那是飢餓和想望使狼發出嚎叫的月份，最冰冷、黑暗的月份。

滅亡後：二一〇三年牡羊月

盧卡斯．柯塔從來不賭博，愛好確定性。過去身為柯塔氦氣副總裁，他總是和不確定性談和，將之化為確定性。如今，鐵一般的確定性圍困著他，他唯一的希望就是賭一把。

「帶我到地球。」盧卡斯．柯塔說。工作人員為他鬆開月環乘客艙的安全帶，將缺氧、失溫、脫水的他拖進氣閥。

「柯塔先生，您已登上ＶＴＯ地月循環太空船『聖彼得與保羅號』。」氣閥管理主任封上加壓門。

「避難所。」盧卡斯．柯塔低聲說，然後吐了。過去五個小時，他動彈不得地讓乘客艙載他逃離柯塔氦氣的毀滅。在這五個小時內，目標明確的攻擊行動摧毀了他在月海上的工廠，攻擊程式凍結了他的帳戶，馬肯齊家的刃衛將他的城市開膛剖肚。而他逃跑了，橫越豐饒海，往上飛，離開月球。

請你拯救公司，卡林侯曾說。**你有計畫嗎？**

我總是有計畫。

五小時，爆炸碎片似地飛旋著，遠離柯塔氦氣的毀滅。接著是雙手帶來的撫慰，人聲的溫暖，太空船的穩固環伺著他——**太空船**，不是鋁和塑膠拼成的爛玩意兒。它們舒緩了他緊繃的肌肉，然後他就吐了。ＶＴＯ船塢的工作人員帶著隨身吸淨器湊過來。

「柯塔先生，你面向這邊會比較舒服。」管理主任說，並在盧卡斯肩上披了箔毯，工作人員則協助他打直身體，領他走進電梯。「我們很快就會讓你回到月球重力環境。」

盧卡斯感覺到電梯的移動，循環太空船的旋轉重力使他站穩了腳步。**地球**，他試圖說出口，但血液噎住了字句。破裂的肺泡在他胸中製造出一陣呼嚕。在豐饒海上，試圖刺殺他的亞曼達．陽害他吸入真空，身體在赤裸的月球表面上暴露了七秒。沒太空衣，沒空氣。呼氣，這就是奔月者的第一守則，清空肺部。但他忘了，忘了一切，只知道月環站的氣閥就在眼前。他的肺破裂了。如今，他已是一名奔月者了。他應該要別上別針：月球夫人，半張黑色肌膚的臉，另一半是白骨。盧卡斯．柯塔笑了，一度以為自己會窒息。帶血的痰在電梯地板上聚積成一個小池子。他得把話講清楚，得讓這些沃隆佐夫家的女人聽懂。

「讓我承受地球重力。」他說。

「柯塔先生……」氣閥管理主任開口。

「我要到地球去，」盧卡斯．柯塔說：「我得去地球。」

他躺在醫療中心的診斷床上，脫到只剩一條短褲。他始終痛恨短褲，認為它荒謬又幼稚。穿短褲變成一種風潮時，他還是拒穿。月球上任何時尚風潮都會轉向。裸體還好一點，他會願意穿戴好裸體賦予他的尊嚴。

那女人站在診療床的床尾，受感應臂和注射器環繞，宛如神祇。她是白人，中年，顯露疲態。她徹底掌控著全局。

「我是葛莉娜．伊凡諾夫那．沃利科娃，」女人說：「我將擔任你的個人醫師。」

「我是盧卡斯．柯塔。」盧卡斯以嘶啞的聲音說。

沃利科娃醫師的右眼閃動，讀取著醫療介面的情報。「肺部塌陷，多灶性大腦微出血——再晚十分鐘很有可能就會引發致命的腦血腫。角膜損傷，兩眼都有內出血，肺泡破裂。還有鼓膜穿孔，這已經補救完成了。」

她露出微小、緊繃到極點的微笑，笑中洋溢著陰沉的愉快。盧卡斯立刻就知道他跟這人合得來。

「要多久……」盧卡斯用氣音說，碎玻璃刮磨著他的左肺。

「至少一次循環，我才能讓你離開。」沃利科娃醫師說：「還有，別說話。」一次循環，也就是二十八天。盧卡斯小時候研究過循環太空船的運作機制，它們走最不耗損能源的聰明路徑繞行月球，與之接觸兩次，接著彈射向地球。整個過程叫「後翻運行」。盧卡斯不了解相關數學問題，不過這是柯塔氦氣業務的一部分，因此他不摸透細節也得搞懂大原則。太空船繞行月球與地球的同時，地球與月球也繞行著太陽，太陽和太陽系也繞著銀河中心跳了兩億五千萬年之久的舞。一切都在運動，一切都是壯闊舞蹈的一部分。

新的人聲、新的身影出現在床尾。比沃利科娃醫師更矮、更結實。

「他聽得到我的聲音？」女人的聲音，清晰悅耳。

「聽得到。」

「也能說話。」盧卡斯的聲音像是刮出來的。那身影走到亮處了，是瓦倫蒂娜・瓦列里歐芙娜・沃隆佐夫船長。她的名聲在地月兩界都很響亮，但她還是向盧卡斯・柯塔正式自我介紹。

「柯塔先生，歡迎你登上聖彼得與保羅號。」

瓦倫蒂娜船長身材結實、壯碩，擁有地球人的肌肉，俄國人的顴骨，哈薩克族的眼睛。地月兩界的人也都知道她的雙胞胎姊妹葉卡捷琳娜是「吾輩的卡珊夫人」號船長。兩人是傳奇女子，沃隆佐夫一族的船長。第一個傳奇：她們是不同的代理孕母在不同重力環境下生出的雙胞胎。其中一人在太空出生，另一人在地球。第二個歷久不衰的謠言是，她們天生就有心電感應，不管相隔多遠都會保有相當程度的同一性。第三個謠言是，她們會定期交換工作，輪流開VTO的兩艘地月循環太空船。所有雙胞胎船長的傳言之中，盧卡斯．柯塔只信最後一個。那招可以讓敵人猜個沒完。

「就我所知，還沒人告知你月球上的狀況。」瓦倫蒂娜船長說。

「我做好心理準備了。」

「我不認為你準備好了。盧卡斯，我捎來的是糟到不能再糟的消息。你已經失去你所熟知的一切了。你的弟弟卡林侯在神之若望保衛戰中喪命，博阿維斯塔毀了，拉法爾死在減壓過程中。」

五個小時，獨自移動在月環轉運軌道上，與太空艙壁大眼瞪小眼：而盧卡斯的想像已移動到更黑暗的地方，讓他目睹家人的死亡、城市的崩解、帝國的傾圮。瓦倫蒂娜．沃隆佐夫捎來的消息在他預期之中，但它仍重擊了他，感覺它空虛如真空。

「減壓？」

「柯塔先生，你最好別說話。」沃利科娃醫師說。

「馬肯齊金屬的刃衛炸了地表氣閥。」瓦倫蒂娜船長說：「拉法爾把所有人都帶到避難所去了，我們相信住居地是在他尋找落單者時減壓的。」

「很像他會做的事，高貴又愚蠢的事。露娜呢？羅伯森呢？」

「阿沙默一族已救出生還者，帶他們到忒去了。布萊斯．馬肯齊已向克拉維斯法庭提出正式領養羅伯森的申請。」

「路卡辛侯呢？」如今他鐵了心，取回了身體控制權，終於說出他一開始就想喊出口的名字。如果路卡辛侯死了，他就要下床，走出氣閥。

「他在忒，很安全。」

「阿沙默一族永遠值得信賴。」路卡辛侯安全無虞的消息帶來熾熱如太陽的喜悅，那就像是核融合高熱下的氦氣。

「艾芮兒的保鑣協助她逃進上城區了，她目前潛伏著。你弟華格納也是，梅利迪安幫在罩他。」

「只剩下狼和殘廢。」盧卡斯低聲說：「公司呢？」

「羅伯特．馬肯齊已經接收柯塔氦氣的設施了，還跟你的前任員工簽約。」

「蠢蛋才不接收他們。」

「他們已經在接收了。他已宣布要成立新的子公司，馬肯齊熱熔，由他的孩子由里．馬肯齊擔任總裁。」

「兩、三杯下肚後，所有澳洲人看起來都長一個樣。」盧卡斯說完陰沉的笑話，自己咯咯笑了，聲音發自身體深處，染滿血。開玩笑就等於是當著地位較高者的面放屁。「你們都知道元凶是陽家，他們設局讓我們反目成仇。」

「柯塔先生。」沃利科娃醫師又說了一遍。

「在他們的誘使下，我們開開心心地互抹脖子。他們計畫好幾十年了，那些姓陽的。」

「太陽企業有好幾筆赤道不動產的優先購買權，目前正要行使。」瓦倫蒂娜船長說。

「他們打算把整條赤道帶變成太陽能板陣列。」盧卡斯用氣音說。他的肺部碎塊在血糊中剝落，使他咳出新鮮的血液。機械手臂移動過來，吸取紅色液體。

「夠了，船長。」沃利科娃醫師說。

瓦倫蒂娜船長聚攏指尖，點了一下頭；月球式的行禮，儘管她是地球人。

「我很遺憾，盧卡斯。」

「幫幫我。」盧卡斯．柯塔說。

「VTO太空、VTO地球都和VTO月球保持距離。」瓦倫蒂娜船長說：「我們有獨特的弱點。保護拉格朗日點質量投射器和地球上的發射設施，是我們的要務。我們被夾在俄國人、中國人、印度人之間，飽受嫉妒。」

機器手臂再度移動，盧卡斯的右耳下方突然感受到一片針扎般的噴霧。

「船長，我得讓月球人以為我已經死了。」

接著船長、醫師、緩慢移動而虔誠的醫療機械手臂化為一片白色的霧。

他說不出自己是在哪一刻注意到音樂的。總之他浮現到裡頭，宛如突破彎液面的泳者。音樂像空氣、像羊水般包圍著他，而他滿足地躺在裡頭，閉著眼睛，呼吸，毫無痛苦。音樂高雅、理智、有序，盧卡斯認為是某種爵士樂。不是他的心頭好，他不理解也不欣賞，但他辨識出它的邏輯，它在時間中畫出的紋樣。他躺在那裡許久，試著把所有的注意力都放到音樂上。

「比爾．艾文斯。」一個女性嗓音說。

盧卡斯．柯塔睜開眼。他還是躺在同一張床上，身旁是同一組醫療機器人，燈光依舊渙散而柔和。空調和電力系統持續發出嗡嗡聲，讓他知道自己是在船上，而不是置身在某一個世界當中。同一個醫生沿著他的視野邊緣移動。

「我一直在監測你的神經活動。」沃利科娃醫生說：「你對調式爵士的反應很好。」

「我聽得很開心，」盧卡斯說：「妳什麼時候想放都可以放。」

「喔，真的嗎？」沃利科娃醫生說，盧卡斯再度聽出她話語中的欣喜。

「我的狀況如何，醫生？」

「你昏迷了四十八小時，我已經把最嚴重的損傷修復好了。」

「謝謝妳，醫生。」盧卡斯．柯塔說，他以手肘撐起身體。他體內的血肉撕裂了，沃利科娃醫師在同一時間發出小音量的驚呼，衝到床邊，扶著盧卡斯．柯塔躺回柔軟床面。

「柯塔先生，你還需要療養。」

「我得工作，醫生，我不能永遠待在這裡。我需要重建我的事業，而且資金有限。我得前往地球。」

「你出生在月球，不可能前往地球。」

「並非不可能，醫生。前往地球簡單極了，只是會要我的命罷了。不過，反正一切都在向我索命。」

「你不能去地球。」

「我也不能回月球，馬肯齊一族會殺了我。我更不能待在這裡，沃隆佐夫家的善意並非無止境。請妳遷就我一下吧，醫生，妳精通低重力醫學。給我一些假說。」

新旋律來了，大步躍動，模式化。鋼琴，大提琴，低喃的鼓組。多麼小的力量，多麼大的效果。

「理論上，接受高密度訓練和醫療輔助的月球原生人類，也許可在地球環境生存兩個月。」

「有沒有可能拉長到四個月？」

「那得花好幾個月接受體能調整。」

「理論上要幾個月呢，醫生？」

他看到沃利科娃醫師聳聳肩，聽到她發出惱怒的輕嘆。

「至少一年，十四、五個月。就算花了那麼多時間，離地升空時的存活率也不會高於百分之五十。」

盧卡斯．柯塔從來不賭博，愛好確定性。過去身為柯塔氦氣副總裁，他總是和不確定性談和，將之化為確定性。如今，鐵一般的確定性圍困著他，他唯一的希望就是賭一把。

「那麼沃利科娃醫師，我有個計畫。」

1　二一〇五年處女月

他無法想像自己的死。

他能想像自己受傷，能想像所有人低頭看著死去的他，為悲劇落淚。他喜歡那場面，但不包含死亡。死亡就是空無，它甚至沒有空無之外的性質。

男孩從城市頂端墜落。

他又瘦又輕，電纜似的。銅色肌膚，散布著黑色雀斑。他的眼睛是綠色的，嘴唇飽滿豐厚，萊姆綠的頭帶箍起一束束鐵鏽色的髒辮，兩段白線分別凸顯兩邊顴骨，另一段垂直的白線通過嘴唇中央。身穿橘色低腰運動緊身褲，還有刻意搭的大尺碼白色T恤，上頭寫著幾個字：**法蘭奇說……**

南后位於一個巨大的熔岩管內，頂端到地面的距離是三公里。

那幾個孩子原本奔跑在城市頂端，自由穿梭在老舊的自動化工業樓層，利用世界的暗索擺盪著，優雅度和技巧都令人屏息。從欄杆和柵柱往外彈，在牆壁與牆壁與牆壁之間踢蹬，飛躍，翻身，下墜，躍過深淵，一路往上，彷彿以自身重量為脫離重力的燃料。

男孩是隊伍中最年輕的一個，十三歲，英勇，敏捷，魯莽，愛好高處。他和其他跑酷玩家一起在森林茂密的南后地表上暖身，但眼睛已被雄偉的高塔吸引，視線飄向它們和陽光線的交會之處。拉筋，手腳套上防滑手套，練跳幾次放鬆身體，踩上凳子再轉個念就離地十公尺了。一百公尺，一千公尺，沿著長長的矮牆舞動，做幾次五公尺遠的彈跳後躍上電梯台架。前往城市之頂，城市之頂。

一個微乎其微的失誤就能招來毀滅：反應慢半拍；手沒攀住東西，就差幾公釐；抓握時，一根手指頭施力過輕。他的手溜過電纜，整個人墜向空無。沒大喊，只發出小小的驚呼。

男孩下墜。背部朝下，手腳撈向南后屋頂繁複管線與導管間探出的其他雙戴手套的手。其他跑酷玩家察覺事態時先是吃了一驚，接著便從窩身處彈射而出，狂奔於屋頂上，朝最近的高塔移動。他們再怎麼快也贏不了重力。

墜落時的規矩。男孩學習跳躍、攀爬、翻躍前，先學習了墜落之道。

規矩一：一定要翻身。如果你看不到自己下方有什麼，最幸運的情況下還是會受重傷，運氣差就會送命。他轉頭，俯瞰南后數百座高塔間的寬敞空間。他扭動上半身，接著大喊一聲，絞擰腹肌，將下半身也轉向地面。下方是天橋、纜車路線、狹窄通道、光纖管路於南后摩天樓間交織出的致命柵網，他得通過它們才行。

規矩二：要將空氣阻力提升到最大，他於是張開雙手雙腳。月球住居地中的大氣壓力是一千零六十千帕，而月球表面的重力加速度是每平方秒一點六二五公尺。大氣中墜落物件的終端速度是時速六十公里。若以時速六十公里撞擊南后地面，他的死亡機率高達八成。速度若降至時速五十公里，他則會有八成的存活率。他的潮T在強風中劈啪響。法蘭奇說：這就是你的活路。

規矩三：求救。「鬼牌。」他說。男孩的副靈在他右眼鏡片、左耳助聽器內冒了出來。真正的玩家不會借助人工智慧之力，因為副靈輕輕鬆鬆就能為使用者規畫出最佳路徑、找出隱藏的抓握處，還會根據局部地區天候狀況給予建議。跑酷的重點是，在徹底人造的世界中體驗本真。鬼牌分析了狀況：**你現在的處境非常危險，我已經向救援和醫療小隊發出警報。**

規矩四：認清時間是你的朋友。「鬼牌，還有多少時間？」

四分鐘。

男孩現在湊齊存活所需條件了。

拉傷的腹肌痛得要命。脫下T恤時，左肩還被某物劃傷了。他一時無法維持大字形姿勢，幾秒鐘內加速墜落，險象環生。風撕扯著他手中的T恤，如果他抓握不住，失去T恤，就只有死路一條了。他此刻以終端速度墜落著，必須打好三個結。七十七樓天橋就在那裡了，在眼前！他展開四肢，運用習得的知識：上半身前傾，收起雙手，讓重力中心高於前傾身體的中段。平移姿勢。他整個人往前滑，以幾公尺之差與橋擦肩而過。好幾張臉抬頭望他，接著又看了一眼。他們都看過飛天人。但這男孩不是飛天人，他在下墜。

他綁起頸口和袖子，得到一個鬆垮的布袋。

「時間。」

兩分鐘，我預估你撞擊時的速度……

「閉嘴，鬼牌。」

他以雙手將T恤揉成一團。時機很重要：如果太早攤開，就會缺乏機動性，難以閃避高塔間的天橋、導管之網；太慢攤開，這湊合著用的降落傘就沒辦法讓他以安全速度著地。他希望著陸速度遠慢於時速五十公里。

「鬼牌，剩下一分鐘時通知我。」

我會的。

減速的力道很野蠻，也許會害T恤脫手。

那他就死定了。

他無法想像自己的死。

他能想像自己受傷，能想像所有人低頭看著死去的他，為悲劇落淚。他喜歡那場面，但不包含死亡。死亡就是空無，它甚至沒有空無之外的性質。

他再度收起雙手，鑽過二十三樓的電纜線路。

就是現在。

他使力打直雙手，T恤在狂風中嘩噠、劈啪響。他把頭鑽到雙臂之間，然後將手往上伸。綁好的T恤化為氣球。突如其來的減速非常威猛，擰轉他關節內的肩骨，而他痛得叫出聲來。抓好抓好抓好。神啊神啊神啊，地面好近。降落傘不斷受到抽動、拉扯，彷彿有人在跟他搶那塊布，彷彿有人要殺了他。他的手臂繃得死緊，手腕承受著劇痛。如果他現在鬆手就會重摔在地，而且角度奇差：他的腳會先觸地，臀部和大腿碎裂後會被推進他內臟中。抓好抓好。他哭了，努力和挫折感使他大口喘氣。

「鬼牌。」他氣喘吁吁：「多快……」

我只能根據……

「鬼牌！」

時速五十八公里。

還是太快了。他看得到自己的著陸點，幾秒鐘後就會到那了。那是幾棵樹木之間的空地，公園。有些人沿著與其平行的道路移動，有些人遠離，有些人則朝他們預估的墜落地點逼近。

醫療機器人已部署，鬼牌宣告。那亮亮的、又大又笨重的東西是什麼？各種平面，突出物。有個大帳篷，也許是音樂演奏或賣涼水的攤子，帳篷是布製的，也許可以讓他減緩至所需的墜落速度。它同時也是個突出物，有各種支柱和桿子。如果他以現在的速度撞上去，它們就會像長矛般刺穿他。如果他以現在的速度撞上去，可能只有死路一條。他得算準時機。他拉動T恤降落傘的一側，試圖緩和一些抬升力，讓自己滑向帳篷。這好難這好難。他大喊出聲，扭動劇痛的肩膀，試圖讓自己再水平移動些許。地面衝向他。

他在最後一秒鬆開T恤，試著前傾身體，張開手腳，增加接觸面積。太遲了，太低了。他撞上帳篷屋頂。好硬，太硬了。駭人的疼痛襲來，下一個瞬間他就撞穿了屋頂。衝力拉著他橫掃帳篷內的所有事物。他抬手護臉，迎接地面的撞擊。

他從來沒承受過如此猛烈的撞擊力道。大如月亮的拳頭甩來，砸上他，奪走他每一口氣、所有知覺、所有想法。眼前一黑。然後意識又回來了，他想大口吸氣，身體卻動彈不得。一圈圈圍觀人群，機器，臉孔，他的跑酷夥伴從中距離外奔來。

他吸氣。好痛，每一根肋骨都刮磨著，每一條肌肉都在哀嚎。他側身。醫療機器人靠導管風扇升空，顫動著。他試圖撐起自己的身體。

「不，孩子，不要。」一圈圈人群中傳出呼喚，不過沒有人伸手阻止他或協助他。他是破碎的奇觀。他發出嚎叫，調整成跪姿，接著強迫自己起身。他站得起來的，他身上沒有斷裂、破損之處。面黃肌瘦、穿橘色緊身褲的他，跨出了一步。

「鬼牌。」他低聲說：「我最後的墜落速度是？」

時速三十八公里。

他握緊拳頭，擺出勝利的手勢。接著他腳一軟，往前踉蹌了幾步。一雙雙手和機器人湧上前接住他——羅伯森．馬肯齊，從世界之巔墜落的孩子。

「好啦，成名的感覺如何？」

熊弘琳靠著門。羅伯森忙著爬梳自己突如其來的名氣，沒注意到對方來了。送醫途中，風聲已繞月球兩圈。那男孩掉到地球去了。他沒掉到地球去，這裡不是地球，他只是掉到地上。但那樣說起來不順口。他也不是掉，是滑了一跤。其餘的部分就是「駕馭得當的降落」罷了。他們還說他離開了現場。但他只走了一步，確實有那麼一步。儘管消息大錯特錯，全月球的人還是不停地在討論他。他要求鬼牌上網搜尋和他有關的報導和照片，很快就發現巨大的流量不過是同一批報導和照片反覆傳輸得來的。有些照片非常舊，是他年幼時，他仍是柯塔一族時拍的。

「半小時後就膩了。」

「會痛嗎？」

「完全不會，他們給了我一大堆藥。不過原本很痛，痛得見鬼。」

熊抬起一邊眉毛。他無法接受羅伯森從跑酷同好那裡學來的低俗用語。

羅伯森十一歲、熊二十九歲那年，兩人結婚過幾天。艾芮兒姑姑利用她的法律超能力解除了這段婚姻關係，不過他們共度的那一夜非常好玩。熊會烹飪（煮的都是很特別的料理），還教羅伯森撲克牌戲法。兩人都不想結婚。這段婚姻不過是王朝聯姻，為的是將一個柯塔家成員綁在馬肯齊氏族的核心。光榮的人質。後來柯塔家垮了，成員四散，徹底潰敗，死滅。如今羅伯森有了新的家族身分——布萊斯．馬肯齊的養子之一。熊於是成了他的哥哥，不是歐科伴侶。是哥哥，叔叔，監護人。

羅伯森仍然是個人質。

「那就跟我來吧。」

羅伯森的表情彷彿在說：**什麼**？

「我們要去坩堝，你忘了嗎？」

羅伯森忘了。恐懼繃緊他的卵蛋和會陰。坩堝。熊當初將羅伯森帶到南后來，以免他被布萊斯吃掉，或被捲入馬肯齊的家族政治中。羅伯森最害怕的事情是，他和熊有一天會被強制拉回馬肯齊家的要塞。

「派對啊。」熊說。

羅伯森倒回床上。熊說的是羅伯特．馬肯齊一百五十歲生日派對，馬肯齊一族的聚會。熊和鬼牌貼了十、二十、五十個行程提示，但羅伯森的眼裡只容得下登高的抓握處和防滑鞋跟，只留意跑酷玩家的時尚，只想知道他第一次自由奔跑該怎麼打扮，如何將身體狀況提升到最完美的程度，如何調整到適切的體重。

「該死。」

「我已經列印了一些東西要給你穿。」

熊將西裝收納袋甩到床上，羅伯森打開它。剛列印好的纖維散發出特有的氣味。淺灰藍色的馬可．卡洛塔西裝外套，黑色V領T恤，平跟船鞋。沒襪子。

「八○年代風！」羅伯森開心地說。這是繼二○一○風、一九一○風、一九五○風之後的最新潮流，熊露出羞怯的笑容。

「你換衣服需要幫忙嗎？」

「不，我可以。」羅伯森甩開被單，旋身下床。診療機器人退開，羅伯森踩上地板。臉色發白，發出慘叫。他的膝蓋軟了，連忙扶著床緣穩住自己。熊在一旁攙扶他。「也許其實不太行。」

「你從頭到腳都發紫了。」

「真的？」

鬼牌連上房間攝影機，讓羅伯森看自己的棕色肌膚。上頭有黑一塊、黃一塊的瘀青，像是滲透彼此的花叢。熊將羅伯森的手塞進西裝外套時，羅伯森皺起眉頭。穿平跟船鞋時，疼痛像刀子插在他身上。最後的修飾：最後的小樂趣，是西裝收納袋底的一副雷朋托爾蒂飛行員太陽眼鏡。「喔，棒呆了。」羅伯森讓眼鏡滑上鼻子，以食指敲擊鏡框中央，調整位置。「喔，連這樣都會痛。」

還有一個最後修飾。羅伯森將馬可．卡洛塔西裝的袖子捲到手肘的位置。

耀眼光線在地平線上燃燒：坩堝的鏡子正將陽光聚焦到這輛十公里長的列車上，送入熔爐。羅伯森小時候很愛那道光，因為它代表坩堝只在幾分鐘的車程外了。他會衝到列車的觀景罩去，雙手貼上玻璃，期待自己通過坩堝陰影的那刻——他會仰望數萬噸計的住居地、熔爐、處理器。

羅伯森現在非常痛恨它。

VTO救援隊鑿穿並深入冰封、黑暗空洞的博阿維斯塔時，避難所內的空氣已變得汙濁——充滿二氧化碳和水蒸氣。空間人數上限為二十，但裡頭擠著三十二個人。大家呼吸短淺，每一刻都在節省氧氣。凝結的冰水從每一個邊流下，所有表面上都結滿水珠。**爸比呢？**VTO救援小隊將他塞進轉運艙時，他對著他們大叫。**爸比呢？**他在月球飛船的貨艙內問路卡辛侯。路卡辛侯望著艙內另一頭的亞別娜．阿沙默，接著帶羅伯森到廁所去。這些話非得私下講不可。**華格納躲起來了，艾芮兒失蹤，盧卡斯下落不明，大概死了。卡林侯被倒掛在聖塞巴斯蒂昂方樓的天橋上，拉法死了。**

他父親死了。

接下來的法庭攻防戰很激烈，而且（就月球標準而言）在極短時間內就有了定論。不到一個月，羅伯森便坐上馬肯齊金屬的列車，奔馳於風暴洋之上。熊弘琳坐在他對面的座位上，還有一票刀衛部署在不起眼的角落，除了具現馬肯齊金屬的實力之外，別無目的。克拉維斯法庭已做出判決：羅伯森・柯塔如今已是馬肯齊家的成員了。十一歲又幾個月的羅伯森還看不出熊臉上的表情有何意義，十三歲那年，他便知道那代表「曾經被迫背叛所愛之物」。接著他看到了地平線上的明亮星子，無盡正午中閃耀的坩堝——發現它從歡欣之星變成了地獄之星。羅伯森想起博阿維斯塔的奧里莎，想起天然岩石上雕刻出的寬闊面孔。它們是永恆的存在，也擔保生命得以對抗月球的冰冷殘暴。奧薩拉，葉瑪亞，贊果，奧旬，奧貢，奧索希，雙胞胎伊貝基，奧莫露，伊安莎，娜娜。他仍叫得出他們對應的天主教聖人之名，也能列出他們的特質。柯塔一族獨有的宗教沒什麼神性，更沒有體系，也不主張人死後必定上天堂或下地獄。永遠回歸現世。查巴林回收棄置遺體身上的碳、水、礦物的同時，靈也會進入新的循環，這才是比較自然的看法。地獄毫無意義，殘酷又反常。羅伯森還是不懂，神為什麼會想永遠懲罰某人，這懲罰明明不可能帶來任何好處。

「歡迎回來。」埋在維生裝置深處的羅伯特・馬肯齊說，喉嚨內的呼吸管線脈動著。「你現在是我們的一員了。」他左肩上飄著副靈「赤犬」，右方站著妻子婕德・陽，她的副靈是符合太陽企業慣例的易經卦象「噬嗑」。羅伯特・馬肯齊張開雙臂，舒展鉤子般的手指。「我們會好好照顧你。」雙臂環住羅伯森時，少年別過頭去。乾燥的嘴唇擦拂羅伯森的臉頰。

接著是婕德・陽，完美的頭髮，完美的皮膚，完美的嘴唇。

然後是布萊斯・馬肯齊。

「歡迎回來，兒子。」

熊跟家族達成了什麼協議，才把羅伯森從坩堝中接出來，安置到南后皇家堡壘的舊公寓去？他從來沒提過，不過羅伯森很確定他為此付出昂貴的代價。羅伯森在南后可以玩跑酷，可以做自己，可以交想交的朋友。在南后，他可以忘記自己永遠是人質的事實。

如今他又來到坩堝了。巨大列車的熔煉鏡發出強光，光不斷腫脹直至使人盲目的程度，就算透過觀景罩的光色玻璃看也一樣刺眼。羅伯森的手舉到眼前遮光，接著就被黑暗籠罩了。他不斷眨眼，眨掉眼中的殘影。他的左右兩側聳立著轉向架，坩堝就是在它們的支撐下奔馳於赤道一的主軌道。前方也還有數以千計的轉向架，順著月球的弧面向不遠處的地平線延伸，並翻越過去。牽引馬達，電纜線，維修平台，起重架，爬梯，一部維修機器人一溜煙地攀上桁架，羅伯森的視線追了過去。這片天空的星子是頭上的工廠和居住單位的燈火。

身為第三代月球人，年幼的羅伯森不知幽閉空間恐懼症為何物（狹窄空間代表舒適、安全），不過這一天，他覺得坩堝的窗戶、聚光燈、警告燈號如巨掌般壓向他，而且他忘不掉一個事實：這些微弱光線的上方有熔煉鏡的白熱焦點，還有裝著熔融金屬的坩堝。列車減速了，抓鉤從坩堝腹部垂降下來。金屬抓具固定列車，將之抬起，送進停放庫中，過程中只製造出一丁點晃動。

有人碰了他肩膀一下，是熊弘琳。

「走吧，羅伯森。」

他來了，他來了！

電車氣閥開啟，外頭的一張張臉全轉向他。羅伯森走不到五步，就被穿派對禮服的年輕女子團團包圍了。她們的衣服短而緊，啦啦隊感，圓滾如馬勃菌，襪子浮誇，鞋跟高得要命，頭髮後梳盤成光暈。唇色仿燈籠海棠，眼線令眼睛生翅，直抹的胭脂凸顯顴骨。

「喔。」有人戳了他一下。「對，我會痛。」笑聲四起，女孩子們將羅伯森領至年輕人聚集的最後一節車廂。溫室（馬肯齊一族所謂的「蕨溝」）夠寬敞，裡頭蜿蜒的小徑和種植區也夠複雜，足以容納十來組次要的小派對。服務生端著滿托盤的「一七八八」，也就是馬肯齊家的特調雞尾酒，不斷彎腰穿過蕨葉形成的拱門。突然間，一只玻璃杯就被塞到羅伯森手中了。他喝下肚，將湧上口中的苦澀推回去，享受體內擴散開來的溫暖。蕨葉窸窣作響，空調攪動著潮溼的空氣。活鳥啄著葉片，飛掠於苞葉間的身影若隱若現。

二十個馬肯齊一族的年輕男女圍著羅伯森。

「我可以看你的瘀青嗎？」一名女孩問，她不斷將緋紅色長窄裙往下拉，不斷測試自己有無在危險的高跟鞋上保持平衡。

「好，可以啊。」羅伯森脫下西裝外套，撩起T恤。「這裡和這裡，深度組織創傷。」

「範圍多大？」

羅伯森將T恤拉到頭頂，男男女女伸出的手蓋滿他身體，一雙雙眼睛瞪得大大的，望著背部延伸到腹部的黃色瘀青，那就像月海地圖。他們每碰一下，他就痛得皺一次眉頭。冰涼的塗鴉橫跨他的腹部：有個女孩用粉紅色唇蜜在他的腹肌上畫了一張笑臉。下個瞬間，男孩女孩便拿出他們的化妝品，對羅伯森發動粉紅、紫紅、白色、萊姆綠、螢光黃的攻勢。笑聲，笑聲完全不停歇。

「天啊，你好瘦。」臉上長著雀斑的紅髮馬肯齊男孩說。

「你為什麼沒摔成碎片？」

「這樣會痛嗎？這樣呢？這樣呢？這樣是什麼感覺？」

羅伯森瑟縮身體，背向唇膏的戳刺，雙手抱頭。

有人用白金魔杖似的電子菸點了一下他的肩膀。

「好啦，好啦。」

「放了他。」

一雙雙手收了回去。

「穿好衣服吧，親愛的。我們要去見一些人。」

達瑞斯．馬肯齊只比羅伯森大一歲，但其他孩子都聽話退開了。達瑞斯是婕德．陽僅存的子嗣，在第三代月球人之中算是矮子，膚色深，五官較有陽家，而非馬肯齊一族的韻味。坩堝上沒人相信他是羅伯特．馬肯齊冷凍精子的產物，但他發號施令的模樣神似他們年邁的主子。

羅伯森拉好T恤，穿回西裝外套。

他始終不解達瑞斯為何對自己抱持好感，他的血親明明在克拉維斯法庭手刃了達瑞斯的哥哥哈德利。不過對他而言，達瑞斯確實是坩堝當中最接近「朋友」的存在。當羅伯森從南后回來（參加慶生會，或熊心照不宣地聽從布萊斯的命令）時，達瑞斯總是會掌握羅伯森抵達的消息，幾分鐘內就找上他。兩人只在坩堝內來往，不過羅伯森還是很感謝達瑞斯的幫助。他懷疑連布萊斯都畏懼達瑞斯。

這就是羅伯森憎恨坩堝的原因：恐懼。赤裸、顫動的恐懼寄生在所有舉動與字句，所有想法與氣息之中。坩堝是恐懼的引擎，恐懼的鐵道與十公里長的坩堝脊髓並行，抽動、低語，且以鉤子抽拉巨大列車上每個工作人員皮膚下的祕密與罪行。

「他們其實在嫉妒你。」達瑞斯吸了一大口電子菸，手環上羅伯森的腰。「好啦，跟我來。我們得跑個好幾回合，大家都想見你。你成為名人了。你住院期間真的沒有其他跑酷玩家去看你？」

達瑞斯自己知道問題的答案，但羅伯森還是答了「對」。他知道達瑞斯．馬肯齊為什麼要問這個。恐懼的鐵道一路從坩堝延伸到南后的老舊方樓了，就連玩跑酷的小鬼都聽過「馬肯齊三倍奉還」的傳奇。

「小羅伯！」

羅伯森討厭那澳洲味濃厚又肉麻的小名。他並不認得這幾個走在潮流尖端、頂著蓬鬆頭髮的年輕白人女性，不過她們似乎預期他會表現出一些親暱感。她們的頭髮太嚇人了。

「小羅伯，你的西裝，馬可．卡洛塔的，很經典。衣袖也翻得對味。聽說你出了點意外。」

這小團體發出輕蔑的鬼叫，笑個不停。羅伯森重述了整個狀況，得到讚賞的「喔」也被翻了白眼，不過達瑞斯已經盯上下一個小團體，向眼前的女孩告辭後領著羅伯森前進。

在蕨葉的華蓋下，麥森．馬肯齊正在和一群年輕男子討論手球，自在地端著一七八八雞尾酒。馬肯齊家的規矩是，女人跟女人聚在一起說話，男人則和男人廝混。麥森是神之若望美洲豹隊的新老闆，他挖角了忒全明星隊的喬喬．奎伊，現正向朋友吹噓自己是如何在忒弄瞎迪亞哥．夸泰的雙眼。羅伯森討厭聽麥森吹捧自己的球隊。問題不是出在球員身上，從來就不是。他們不是美洲豹隊，在他心目中永遠不會是（美洲豹到底是什麼？）。他們是青年隊。大男孩，大女孩。你可以偷走一支隊伍，但不能偷走他們的名字。名字銘刻在人心上。他還記得老爸會抱他起來，讓他坐上董事包廂的欄杆，遞球給他。球自然地安放在他手中，比他想像的還重。**丟進去吧**。所有的球員，盧斯球場的所有球迷和訪客都看著他。一時之間，他差點哭出來，好想要爸比把他從欄杆上抱走，遠離那些視線。接著他高舉球，使盡全力扔向球場。它往前飛，飛行距離比他料想的還要遠上許多，越過下方露台一張張仰望的面孔，朝那方綠地旋去。

「青年隊不會為你贏球的。」他插話打斷了男人們的對話。他們惱怒了幾秒，接著認出他是從世界頂端墜落的小鬼。

達瑞斯再度勾起羅伯森的手。

「好，夠啦。」達瑞斯發現蕨葉陰影下有更大咖的人物。「反正運動都是屁。」表親、堂親、更遠的遠親經過他們，讚許羅伯森的衣服、名氣，為他保住一條命感到開心。沒人要求他展示塗滿唇蜜的瘀青。有組現場樂團在演奏巴莎諾瓦。柯塔氦氣滅亡後，這音樂類型又變得更受歡迎了，全月球人都在聽。吉他，木貝斯，低喃的鼓組。

羅伯森定在原地。樂團與酒吧之間擠了一群人：鄧肯．馬肯齊與他的歐科伴侶——安娜塔西亞及阿波利奈爾、馬肯齊熱熔總裁由里．馬肯齊、由里同父異母的兄弟丹尼、阿德里安以及阿德里安的歐科伴侶——月之鷹強納森．阿猶德。達瑞斯輕拉羅伯森的手。

「會一會大家吧。」

安娜塔西亞和阿波利奈爾聽了羅伯森的冒險故事非常開心，而且是熱情過了頭。擁抱、親吻，還要他站起來轉啊轉的，讓她們檢查傷勢——**他的氣色比妳還好呢，安娜塔西亞**。由里微笑，沒什麼特別的感覺，鄧肯很不爽（從世界屋頂墜落是公然置家族於險境），不過他的不屑無足輕重。自從羅伯特．馬肯齊重掌馬肯齊金屬後，鄧肯．馬肯齊就沒有權威可言了。馬肯齊金屬從柯塔氦氣遺骸中搜括資源成立的氦-3公司由由里擔任總裁。丹尼是凝鍊、牙關緊咬的一股能量，就跟核融合箍縮場的氦氣一樣侷促。丹尼是復仇連鎖的一環：卡林侯在克拉維斯法庭殺了他的叔叔哈德利，丹尼便在攻陷神之若望時劃開卡林侯的喉嚨。以其人之道還治其人之身。

月之鷹想知道羅伯森的祕密。**你從離地三公里的地方摔下來，還拍拍屁股走人？**羅伯森被眼前的大明星迷昏了，他從沒見過月之鷹本人。他比羅伯森想的還高，幾乎跟第三代月球人一樣高，不過身形像是一座山。他為正式場合穿的阿格巴達袍只強化了他的重力。

祕密？達瑞斯替舌頭打結的羅伯森回答，**試著不要撞到地面嘍**。

「很穩當的建議。」

那嗓音沉靜、文雅，音調低而輕柔，但所有人都為之噤聲，就連月之鷹也不例外。馬肯齊家的男人低下頭去，月之鷹接下出聲之人的手，一吻。

「陽夫人。」

「強納森，鄧肯，阿德里安。」

已經沒人記得陽夫人在何時成為太陽企業老佛爺了，那是好久好久以前的事。沒人知道陽慈禧的歲數，沒人敢問。她存活在世的時間甚至跟羅伯特．馬肯齊有得比。陽夫人並不走一九八〇復古風，而是穿一九三五年的仿羊毛日間套裝，裙長過膝，寬翻領、下襬及臀的西裝外套，單排釦。軟呢帽，寬腰帶。經典造型永不退流行。以第一代月球人的標準來看，她仍算矮小，在帥氣、笑臉迎人的陽家男女保鑣旁宛如侏儒。後者穿著粉末藍色的亞曼尼西裝外套以及迷死人的山本耀司大衣，貼身又英挺。她吸走了所有目光，一舉一動都傳達著她的意志與信念。沒有未經斟酌這回事。她泰然自若，氣場強烈，權威滿溢而出。

她伸出手，一只雞尾酒杯就乘了上去。琴酒馬丁尼，裡頭飄著淡如霧的苦艾酒。

「我帶了自己的酒來。」陽夫人說，並啜飲一口。杯子上完全沒殘留口紅。「對，這很失禮，但我實在喝不了你們稱為『一七八八』的爛酒。」她瞇起眼睛望向羅伯森。

「聽說你就是從南后高處掉下來的男孩，我猜大家都當著你的面說：你能活下來真是太棒了。但我要說，你根本就不該掉下來，掉下來就是個該死的蠢蛋。如果我有兒子像你這樣，我會取消他的繼承權……一、兩個月。你是柯塔家的人對吧？」

「千歲，我叫羅伯森．馬肯齊。」羅伯森說。

「千歲。柯塔一族還算達禮，你們這些巴西人一向圓滑，澳洲人就毫無手腕可言了。保重啊，羅伯森．柯塔。世上沒幾個姓柯塔的了。」

羅伯森依照愛麗絲教母教他的方式行禮：聚攏右手手指，低下頭去。陽夫人朝這個彬彬有禮的柯塔族人微笑。一隻手環上羅伯森的肩膀，他痛得皺起眉頭。達瑞斯又拖著他繼續在派對會場內前進。

「他們現在要開始聊政治了。」達瑞斯說。

羅伯森見到羅伯特．馬肯齊之前，先聞到了他。消毒劑和抗菌劑幾乎掩蓋不住屎尿味，新上陣的醫療器材聞起來油油的，帶香草味。頭髮的油脂、結塊的汗水、十幾種真菌感染和十幾種對抗它們的治療藥物的味道，羅伯森都聞到了。

羅伯特．馬肯齊嵌在他的環境裝置內，全身插滿管線，就這樣居住在花園中心，上方是呢喃的綠色蕨葉形成的棚子。鳥兒發出啁啾，飛快地穿梭於蕨類植物間——一抹抹稍縱即逝的色彩。明亮，美麗。羅伯特．馬肯齊老到不能再老，已跨越了生物學的極限。他腳下的王座是幫浦和淨化器、電線和螢幕、電源供應器和營養點滴。鐵管和電線纏繞、搏動，中心地帶擺放著一具男性皮囊。羅伯森無法直視他。

羅伯特．馬肯齊的身後，是站在王座陰影處的婕德．陽—馬肯齊。

「達瑞斯。」

「媽。」

「達瑞斯，那電子菸。不行。」

那椅子上的活物發出粗啞的聲音，因乾笑而抽搐著。

「羅伯森。」

「陽千歲。」

「我討厭你這樣叫我，像在叫我姑姥姥似的。」

那王座上的活物開始說話了，速度緩慢，音質尖細，羅伯森起先沒發現他是在對自己說話。

「幹得好，小羅伯。」

「謝謝你，公。生日快樂，公。」

「沒什麼好快樂的，孩子。還有，你現在是馬肯齊家的人了，你他媽的給我好好講正常的話。」

「抱歉，爺。」

「不過你那招還是很棒：從三公里高的地方墜落，拍拍屁股走人。我就知道你體內流著我族的血，我一直都知道。有沒有到手啊？」

「到手？」

「屄，屌，或兩者皆非，任何你感興趣的東西。」

「我才……」

「你絕不會太年輕。不管做什麼都要獲利，這就是馬肯齊的處世之道。」

「爺，我可以拜託你一件事嗎？」

「今天是我的生日，我應該要表現出氣度。你要什麼？」

「那些跑酷玩家——花式跑者……你不會找他們算帳吧？」

羅伯特．馬肯齊露出真心感到訝異的表情。

「為什麼我要找他們算帳？」

「因為他們在場，一個馬肯齊家的人原本可能會死在那。三倍奉還是馬肯齊家的做事方法。」

「確實是，小羅伯，確實是。我對你的運動同好不感興趣，但你如果要正式聲明，我可以給你：我絕對不會動你那些花式跑者。赤犬，作證。」

羅伯特．馬肯齊的副靈之名取自西澳的城鎮，他發財的地方。它原本使用的是狗的外型模組，但經過反覆使用和數十年歲月的銷磨後，已像主人那樣面目全非，化為一個個三角形組成的圖樣：耳朵，像是口鼻部的幾何圖形，脖子，眼睛是斜線。抽象化的狗頭。赤犬標記羅伯森．馬肯齊的發言，傳送給羅伯森的副靈鬼牌。

「謝謝你，爺。」

「小羅伯，別發音發得像嘴巴出了毛病。然後給你爺一個慶生之吻吧。」

羅伯森知道，當他以雙唇擦過羅伯特．馬肯齊那鱗片狀、脆如紙的臉頰時，對方將會發現他閉著眼。

「喔，對了，小羅伯。布萊斯想見你。」

羅伯森的胃縮成一團，繃緊的肌肉帶來疼痛。他的胃彷彿通往空無。他望向達瑞斯求助。

「達瑞斯，陪你媽五分鐘。」婕德．陽說：「我最近根本見不到你幾面。」

我會去找你的，達瑞斯傳訊給鬼牌。羅伯森一度考慮躲進蕨溝的小徑迷宮中，停下腳步，不過這都在布萊斯預料之中——鬼牌在羅伯森鏡片上標出一條路徑，帶領他穿過短禮服、大墊肩西裝外套和體積更大的頭髮們。

布萊斯正在和羅伯森不認得的女人對話。不過就她的身高、對月球重力的不適應、服裝剪裁來看，他猜她應該是來自地球。自信十足又有傳統權威者的氣息，因此他認定她來自中華人民共和國。女人告退了，布萊斯向她鞠躬。他是個巨漢，身形龐大到不行，移動起來卻很輕盈、溫雅。

「你想見我？」

布萊斯有八個養子，年紀最大的是三十三歲的拜倫，他在財務部的手下，最年輕的是伊利亞，史瓦西隕石坑的住居地毀壞後就成了孤兒。他在避難槽內熬了八小時，屍體和石塊堆在他的面罩上。羅伯森明白那感受。難民、窮人、棄子、孤兒，全都被網羅到布萊斯．馬肯齊的家庭當中。塔德．馬肯齊甚至已經結婚了，對象還是女人。不過，若將坩堝看作一具因強烈日曬而褪色的骨骼，那麼羅伯森認為神經般依附其上的那股力量，也縫入了每個養子的皮膚中。一牽動，所有人都會被拉在一塊。

「羅伯森。」

全名。他亮出臉頰，子嗣之吻。

「是這樣的，我非常非常火大，可能要過很久才會原諒你。」

「我沒事，身上有點瘀青罷了。」

布萊斯上下打量他，羅伯森覺得對方的視線在剝除他的衣衫。

「是，男孩是恢復力異常強大的生物，能夠吸收極大的傷害。」

「我沒抓到該抓的地方，犯了一個失誤。」

「是，運動非常重要，但羅伯森，我說真的。熊非常負責任，我才讓他管你。但不行了，我不能再冒一次險。你待在坩堝比較安全。」

羅伯森以為自己的心跳要停了。

「我帶了一個禮物要給你。」羅伯森聽出布萊斯的興奮之情，恐懼和憎恨令他作嘔。

「我的生日在天秤月。」羅伯森說。

「不是生日禮物。羅伯森，這位是米凱拉。」

說話說到一半的米凱拉轉過身來，她是一名矮個子、肌肉緊實、皮膚白皙的月光菜鳥。她在月球期間學會了馬肯齊家的禮儀，輕點了個頭。

「羅伯森，她是你的私人健身教練。」

「我不要私人健身教練。」

「但我要這樣安排。你需要鍛鍊身體，我喜歡看兒子們練壯身體。你明天就開始上課。」

布萊斯話說到一半打住，抬頭看。羅伯森也看到了，光線照射的角度產生了變化。

光線永遠不會動的，這就是坩堝的強項所在：毫不消退的正午光線聚焦在頭頂的熔爐。

光線動了，而且還在動。

「羅伯森，想活命的話就跟我來。」

布萊斯腳步輕盈，動作也很快。他一把抓住羅伯森的手，接著幾乎是用飛的離開——月球重力下的大步躍進有如騰空翱翔。在同一時間，每個人的鏡片上都跳出了危急警報。全面撤離，全面撤離。

陽光觸及鄧肯．馬肯齊的臉龐，他抬頭仰望。蕨溝內的每一個馬肯齊家族成員都向上看了，突然間，他們的臉上都冒出一條條蕨葉的影子。陽夫人挑起一邊眉毛。

「鄧肯？」

她說話的同時，鄧肯的副靈艾斯佩蘭斯也在他耳邊輕聲說出他畏懼了一輩子的詞語。

降鐵。

馬肯齊金屬的末日神話：熔爐中數以噸計的熔融稀土傾倒而下的那一天，就是終結之日。坩堝上的每個人都不相信它會成真，但每個人都聽過那個詞。

「陽夫人，我們得撤……」鄧肯．馬肯齊話說到一半，太陽企業老佛爺的隨從已在她四周組成一個方陣，毫不猶豫地帶著她穿過受驚的派對賓客。他們把強納森．阿猶德也撞開了。月之鷹的護衛也排成緊密的陣形，手伸向劍鞘內的劍。

「別管了，帶我們離開這裡！」阿德里安．馬肯齊大吼。眾人湧向通往下一節車廂的氣閥，人流從漩渦變成洪水，吼叫變成了尖叫。「不是那邊，你們這些蠢蛋！要往投放艙去！」

「阿德里安，發生什麼事了？」月之鷹問。

「我不知道。」阿德里安．馬肯齊回答，在一圈圈保鑣形成的庇蔭內壓低身子。保鑣抽刀，將茫然、迷途的派對賓客推開。「不是減壓。」接著他的副靈在耳邊輕聲念出同一個字，令他瞪大眼睛：**降鐵**。

「馬肯齊先生，」鄧肯．馬肯齊的刃衛隊長是個矮小的坦尚尼亞籍月光菜鳥肌肉男。「熔煉鏡失控了。」

「幾面？」

「全部。」

「什麼？」

「先生，室溫將在幾分鐘內升高到兩千開爾文。」

穿過蕨葉的光線明亮又熾熱，像是剛鍛造好的刀。蕨葉林內的所有鳥類、昆蟲都安靜下來，空氣灼燒著鄧肯的鼻孔。

「我父親……」

「先生，我負責保護你的安危。」

「我父親在哪？我父親在哪？」

布萊斯的抓力牢如鋼，巨大的肉體下埋著肌肉。他撥開派對男女（他們的妝花了，鞋跟斷了），拖著羅伯森朝閃動的綠圈移動，投放艙就在那裡。

「那是什麼？發生什麼事了？」四周的人也出聲問同樣的問題，隨著不確定變成恐懼、再變成驚慌，人群的喧鬧也越來越響亮。

「孩子，降鐵。」

「不可能的，我是說……」

光線變強了，影子再度變短。

「當然不可能。這不是意外，是某人發動的攻擊。」

熊，鬼牌輕聲說，熊的臉接著在羅伯森的鏡片上冒出來。

「羅伯森，你在哪？你還好嗎？」

「我跟布萊斯在一起。」羅伯森大吼。現在人群喧鬧得可怕，一隻隻手拉扯著他，試圖將他從布萊斯身邊拖開，好取代他進入投放艙。布萊斯．馬肯齊拖著男孩穿過一雙雙撈抓的手。「你還好嗎？」

「我出來了，我出來了。羅伯森，我會找到你的，我保證。我會找到你。」熊的臉爆開，化為一陣像素的輕煙。**網路斷線**，鬼牌宣告。短暫、駭人的沉默籠罩蕨溝。所有副靈都消失了，所有人都斷線了。所有人都化為孤伶伶的個體，與他人格格不入。真正的尖叫爆發開了。

「布萊斯！」羅伯森大喊，緊拉著布萊斯的手，彷彿要推動月球本身似的。

一票墊底的刃衛部隊守護著氣閥。他們排成兩列，刀子在手。

「布萊斯，達瑞斯在哪？」

刃衛退往兩旁，放布萊斯和羅伯森入內，接著將洶湧、惶恐的派對人潮推回去。外氣閥打開了，光環明滅著綠光。

「布萊斯！」羅伯森試圖掙脫對方的抓握。布萊斯停下腳步，轉身，瞪大的眼睛內寫滿驚愕。

「愚蠢、不知感恩的搗蛋鬼。」

一巴掌呼來，打得羅伯森傻住了。他的下顎發出啵一聲，眼冒金星。他感覺到血液從鼻孔噴出，身上所有瘀青都發出尖叫。羅伯森轉了幾圈，接著那雙手抓住羅伯森的西裝外套，拖著他穿過氣閥，進入投放艙。

「來，快來啊。」布萊斯大吼。被打到耳鳴的羅伯森跌到軟墊板凳上，另外六名刃衛蹣跚地進入艙內，接著兩片艙門闔上了。

投放艙將於十秒內脫離，人工智慧說。布萊斯擠到羅伯森身旁，男孩於是成了他和另一個烏克蘭裔壯漢刃衛的夾心餅。**九**。

「小羅伯，羅比，羅伯森。」

羅伯森搖搖頭，試圖讓視力恢復清晰。達瑞斯就坐在他正對面，身上繫著安全帶，眼睛瞪得大大的，恐懼使他臉色發白。他的拳頭緊箍著電子菸。

「達瑞斯。」

二，一，**脫離**。

地面陷落，落向世界之外。

內氣閥密封，外氣閥開啟。婕德・陽在投放艙內正襟危坐。羅伯特・馬肯齊的維生裝置在狹小的氣閥內運作著。內氣閥門不斷發出敲擊聲，有如慶典中的鼓：拳頭，拳頭，拳頭。馬肯齊的建設能抵禦月球，人手根本對它無可奈何，數量再怎麼多、再怎麼絕望都一樣。幾秒鐘內，熔煉鏡就會將焦點移到蕨溝，移到坩堝的數千輛列車上。一萬兩千面鏡子，一萬兩千個太陽。馬肯齊的設施無法抵禦一萬兩千個太陽。

到時候，捶門聲就會停止了。

五十秒後降鐵，婕德・陽的副靈提醒她。網路已經中斷了，不過羅伯特・馬肯齊的赤犬將會給他同樣的情報。「婕德，幫幫我，我沒辦法讓這該死的東西動起來。」

投放艙宛如聖殿，婕德・陽—馬肯齊倚著加墊長凳的椅背。

「婕德。」那是命令，不是請求。

婕德・陽—馬肯齊已繫上安全帶。氣閥內的羅伯特・馬肯齊扭動身體，擠出所有疲弱、細小的力氣往前撲，彷彿以為能靠麻雀般的體重推動龐大的維生裝置。

「為什麼這該死的玩意兒不會動。」

「羅伯特，因為我不要它動。」

固定器鬆開，投放艙落下，鄧肯．馬肯齊的肚子產生一陣搔癢感，坐對面的強納森．阿猶德緊盯著他。月之鷹因恐懼而臉色發白，手指緊扣著歐科伴侶的手。沒半個保鏢跟他一起進入投放艙。連接纜線的投放艙自由落體了一陣子，接著煞住。突如其來的減速令月之鷹發出恐懼的哀嚎。投放艙輕柔落地，穩固地壓在自己的輪子上。爆炸螺栓脫離鐵軌，製造出一個一個小震動。引擎尖嘯，投放艙加速駛離垂死的坩堝。那串巨大的列車是貼著弧形地平線的一道刺眼強光，是爬上天空的新星。

「我爸平安嗎？」鄧肯．馬肯齊逼問：「他安全了嗎？」

椅子一動也不動。羅伯特．馬肯齊搖晃著殘破的身體，同時以意志力對維生裝置下令。他的眼睛、保有他最後一絲駭人意志的下顎肌肉、喉嚨上的血管、手腕、太陽穴全都繃緊並脹大了。王座公然違抗他。

「羅伯特，我們駭進了你的維生裝置。」婕德．陽說：「很久很久以前就完成了。我們遲早會關掉它。」投放艙震動著，其他投放艙鑽出逃生氣閥，帶來輕柔的震盪。「鏡子不是我們搞的鬼，但我要是不把握機會，還配當陽家人嗎？」

羅伯特的手伸向連接他脖子的管線，口水像粗繩般從他嘴角垂下。

「羅伯特，你不可能解開管線的，你跟它相連太久了。我現在要關上氣閥了。」

婕德．陽吸入的每一口氣都非常灼熱。坩堝內的氣溫是四百六十開爾文，噬嗑說。氣閥門發出的敲擊聲止息了。

「我，並沒有打算，解開管線。」羅伯特．馬肯齊說。勾起的手指扯了一下衣領，某物一閃。防衝擊軟墊椅上的婕德．陽往後一抖——一個嗡嗡響的小玩意兒刺中了她。她的脖子突然傳來針扎似的疼痛，手伸向痛處，但半路上就癱到身側了。她的臉部肌肉鬆弛，眼睛和嘴巴都張開了。AKA的神經毒素快速又有效。婕德．陽癱軟在座位上，被安全帶撐著。刺殺蠅在她的脖子上發出嗡鳴。

「妳不該在氣閥附近等待的，臭屄。」羅伯特．馬肯齊用氣音說：「該死的陽家人就是信不得。」接著，他嘶啞的蔑視之語變成了可怕的尖叫。熔煉鏡將焦點轉向他，將這老人，以及蕨溝內的所有人、所有事物照成一團火球。鈦金屬、鋼鐵、鋁、塑膠建材紛紛在高熱中彎曲、融化、流淌，接著這些熔融金屬在坩堝爆炸性減壓時，向上、向外潑濺。

羅伯森．馬肯齊從南后頂端墜落時非常害怕，這輩子從來不曾那麼害怕過。不過他能想像更巨大的恐懼，更巨大的恐懼是存在的。此時他就和那份恐懼綁在一塊，而坩堝在他頭上融化著。在他漫長的墜落過程中，生死由他的選擇和技巧而定；但此刻的他是無助的，採取不了任何自救行動。

羅伯森的身體往前飛，繃緊了座位安全帶。他的肚子泛起一陣搔癢感。自由落體片刻後，投放艙重重落地。它動起來了，試圖移動到安全範圍內，羅伯森完全不知道它要往哪裡去、速度多快、何時能脫險。某物使他往左彈，接著又往右。震動，傾斜，啪嘰聲，咻咻響。羅伯森不知道自己身在何方，不知道四周狀況。噪音，撞擊。他想看外面，非看外面不可。但他只看得到四周的臉龐，它們不斷瞥看彼此，但從來不四目相接。因為一對上眼，恐懼就會叫你嘔吐。

投放艙停下來了，接著是長長一陣低沉的刮磨聲。它再度開始移動，速度非常緩慢。

羅伯森的思緒飄回博阿維斯塔的終結。那時電力已中斷，燈光熄滅，避難所內沒什麼好看的，只有綠色緊急生化燈照耀下窺視彼此的一張張臉。噪音。羅伯森還記得炸藥的劈啪響，記得每次一有爆炸大家就會閉上眼，擔心下一波攻擊會砸中避難所，使它碎得像落地的茶杯。後來有一波大規模的爆炸，可怕的咻咻聲緊隨在後，彷彿是世界被撕成了兩半。避難所在避震器上搖擺、晃動，所有人都嚇到叫不出聲。奔流的巨響漸弱，化為沉默，羅伯森由此得知：博阿維斯塔已與真空連通。他也知道父親死了。

我們很安全。愛麗絲教母將露娜緊擁在懷中，不斷對她說這句話。**妳很安全，避難所不會被炸開的**。羅伯森心想，**他們炸開了博阿維斯塔**，但沒說出口，因為他知道一丁點火星就會在擁擠的避難所內釀成恐懼的大火，瞬間燒盡所有氧氣。

避難所不會被炸開，投放艙可以抵禦任何狀況。

手電筒的燈光在黑暗中擺動時，他並不知道來者是援軍還是殺手。

羅伯森用力拍下胸口上的解釦鈕，把自己拖到觀景窗去。

他不想死在鐵球內。他要看外面，非看不可。

坩堝在緩慢的噴發中死滅，化為一道熔融的光。列車末端落在地平線另一頭，不過淚珠般發光的融化金屬映入羅伯森眼簾，每一顆都大如投放艙，畫著數公里高的弧，飛旋，墜落，裂解。他伸手護目。鏡子還在追蹤目標，還在移動，將兩千開爾文之刀劈向支柱和轉向架。底部結構受破壞的蒸餾器紛紛故障，構架彎曲，轉化爐扭曲、倒塌。降鐵。稀土濺出，奔流。發光的鑭河，鈰與鐠的洪水，釹發光、層疊、延展得極長。氣穴爆破，複雜、美麗的機器炸開。熔融金屬雨降落在風暴洋上。

如今，熔煉鏡自己也故障了。它們的支柱嚴重受損，一根接一根扭曲、倒塌，使光刃劃過天空和月海，在風暴洋上勾出一道道弧狀玻璃。羅伯森親眼見證其中一個投放艙的末路：光切出一個致命的開口，一面熔煉鏡的焦點投去，接著又一個，乘客無從遁逃。坩堝的一萬兩千面鏡子一一倒下，黑暗隨之加深。如今唯一的光源是熔化金屬的微光和逃生艙的緊急照明。

羅伯森發現自己在哭，淚水滿盈、無助。他的胸膛起伏，呼吸顫抖。悲傷的表徵。他恨坩堝，恨它的算計、祕密、四竄的恐懼，恨它上演的政治劇，在這裡遇見的每個人彷彿都要將他捲入自己的陰謀中，當他是獵物。但它也是一個家。跟博阿維斯塔不同（任何地方都跟博阿維斯塔沒得比，他再也回不去那裡了），但它確實是個家。如今它毀了，死了，如博阿維斯塔般一去不復返。死了，遇害了。他有兩個家，兩個都遭到了謀殺。共同因素是什麼？羅伯森．施洗者若望．博阿維斯塔．柯塔。他身上一定有什麼問題。不能擁有家的男孩，家總是被奪走。像爸、媽、熊那樣被奪走。爸比送他到南后，到坩堝（哈德利在這裡試圖把他變成一個扈衛）。他回到博阿維斯塔後，爸拿手球，拿硬到能傷人、使人瘀青的球砸他，激發他的恨。一切，總是，被奪走。

鐵雨止息了，投放艙奔馳在金屬四濺的地表上，和廣袤風暴洋內散布的救援中心、採礦基地、住居地溝通協調。熔煉鏡在它們最後倒臥之處瞪著灼燒的眼睛。坩堝毀滅的過程明亮到連地球人都看得見。位移的星叢照亮天際，羅伯森知道那些光點是運作中的火箭推進器。VTO出動了月球上每一部搜索、救援太空船。沒什麼好找，也沒什麼好救的。你要不活著，要不就被月球殺死。

羅伯森注意到自己手中握著一件東西：邊緣方方的，圓角，厚厚的，有些重量。他低頭一看，發現是他的撲克牌，熊和他還是歐科伴侶時給他的那一副，他一直留在身邊。他緩慢、慎重地洗牌，手指對紙牌的操控帶給他慰藉和確定感。這是他能夠駕馭的事物，他控制得了紙牌。

2　二〇五年處女月至天秤月

接著，減速來得突然又粗魯，跟發射時沒兩樣。整個程序重複了一次，又一次，又一次。震撼、頭痛、噁心感以及加以抑制的自律都令他心懷感激，因為它們掩蓋了她已死的事實。他的媽咪已經死了。

每個房間、每條隧道、每條走廊、每個氣閥內都有一具具肉體。肉體或坐或蹲，也有躺著、雙腳交叉、低著頭、依偎彼此的。它們穿著派對禮服：香奈兒、D&G、費路琪、魏斯伍德。省話，動作少，靜待著。節省空氣的肉體。蘭茨貝格的房間、隧道、走廊、氣閥內都有倖存者同步進行短淺呼吸形成的哼聲。每過幾分鐘就會有新的氣閥打開，更多身穿派對禮服的避難者走出來，深吸一口潮溼、帶異味的回收空氣，接著他們的眼幕便調節成緊急應變模式，將呼吸反射切換成細微的低喃。他們發出哮喘聲，努力大口吸氣，在一團團、一隊隊倖存者中找出坐下等待的空間。

蘭茨貝格是VTO的赤道一中風暴洋幹線補給站，蘭茨貝格隕石坑開挖出的地下堡壘，機器人、維修車、每兩個月輪班一次的追蹤小隊駐守於此。設計上，其環境設備可在緊急狀況時收容五十人。結果有二十倍的人擠在它陰冷的房間內。降鐵的八小時後，仍有投放艙靠預存電力爬向氣閥，嘔出缺氧、脫水、受驚的倖存者。蘭茨貝格的工程師正在列印淨二氧化碳器，不過水循環系統如今已失靈。廁所幾個小時前就不堪用了。設施內沒有食物。

達瑞斯．馬肯齊沮喪地吁了一口氣，將撲克牌撒到走廊上。**我搞不懂**，他透過副靈「阿得雷德」說。羅伯森撿起牌，整理好，慢動作為達瑞斯再示範一次。拇指輕彈，牌滑入掌中，展示手，張開手指。看吧？要精準的使出天海藏牌，就得注意手與牌的相對角度，才不會讓任何一張牌穿幫。這是難度較高的戲法之一，他在攝影機鏡頭前練了許久，一個小時，再一個小時。身體記憶不鮮明，而且建立得很慢，只有反覆排練才能將動作、態勢、時間刻到肌肉纖維的記憶中。撲克牌戲法是最需要排練的表演藝術，魔術師每學一招都會練習一萬次才面對觀眾。

布萊斯花了一小段時間確認羅伯森毫髮無傷，才強徵一艘VTO月球飛船，飛到南后去。坩堝翻了，馬肯齊金屬得撐下去才行。那是五小時前的事。第一個小時，羅伯森和達瑞斯擁抱彼此，大規模的毀滅令他們失了魂。接著羅伯森鼓起勇氣連上網，可怕的消息如潮水般湧來。數字，名字。他聽過的名字，名字的主人曾向他微笑，與他聊天，天真地戳他的瘀青，用唇膏在他的肋骨上寫下自己的名字。他們留著蓬鬆的髮型，穿著派對華服。八十人死亡，一百人失蹤。他坐著，掂著狹窄胸膛當中每一口呼吸的重量，無法理解自己聽到的消息。三小時後，他聽了新聞報導。之後，他拿出撲克牌。

我想教你藏牌的手法，他低聲說。**藏牌就像是魔術的心臟，它存在，但當著所有人的面隱匿身形，只要我想，就能把它叫回來。**

他陸續向達瑞斯示範了經典、杭加、天海式的藏牌法，新來的難民跨過他們打直的雙腿，VTO供水與醫療小組不斷在走廊穿梭。

你再試一次。

達瑞斯接過牌組，以食指和中指夾起第一張牌，作勢一扔，實際上彎曲手指，使牌停留在拇指的指間和根部之間。某物吸走了他的目光，戲法沒完成。牌掉了一地。羅伯森瞇眼望向潮溼、灰塵密布的迷宮，發現陽夫人和她的隨從到了。一行人小心翼翼地跨過屈身伏首的難民。她自在、大口地透過面罩呼吸，其中一名保鑣為她提著氧氣筒。她取下面罩。

「達瑞斯，起來，起來。」

她揮動手指，要他起身。達瑞斯搖搖擺擺地站起來，兩名保鑣湊上前去，從兩旁攙扶他。呼吸減量似乎沒對他們造成任何影響。陽夫人擁抱他，瘦巴巴的手臂、嶙峋的指節環住他，羅伯森看得牙根緊咬。

「喔我親愛的孩子，我親愛的孩子，真是太抱歉了。」

「媽……」達瑞斯說。陽夫人豎起長長的食指，抵在唇上。

「別說了。」她將呼吸面罩按到自己臉上，然後再按到達瑞斯臉上。「有輛列車在等我們。你到恆光宮就安全了。」

俊俏的男孩女孩在達瑞斯周圍築起人牆，而他回望了一眼羅伯森。陽夫人這時才終於注意到羅伯森。

「柯塔先生，您安全無恙真是太好了。」

羅伯森行他的家族禮：聚攏手指，低下頭去。他使出魔術師快手，塞了半副牌給達瑞斯，達瑞斯讓牌滑入外套內側。保鑣已開始驅策他前進，把偷聽到「列車」一字的馬肯齊族人推開、擠走，在走廊上為他開道。達瑞斯最後又回望了一眼，接著便在陽夫人隨從的催促下穿過氣閥，進入車站通道。

我再也見不到你了，對不對？羅伯森低聲說。

蘭茨貝格內的肉體一具一具消失，羅伯森的肺隨之擴張，吸入的空氣一口比一口多。列車廣播響起，眾人起身離去。VTO工作人員問：你要走了嗎？不走，在等人。你在等誰？如今走廊上就只剩羅伯森了，不過他待在這裡是有原因的。這裡是進出車站的必經之地。那個人一定會來。最後他睡著了，因為等待是一種令人煩亂的隱隱作痛，像是靈魂的耳鳴。

有人踢了一下他的鞋跟。又一下。

「嘿。」

熊蹲在他面前，如假包換的熊弘琳。

「喔天啊，喔你……喔……」羅伯森撲向熊，兩人一同在空盪盪的走廊上躺成大字形。「你剛剛在哪？在哪？」

「我搭上一輛開往梅利迪安的列車，之後花了好久的時間才找到開往蘭茨貝格的車。太久了。」熊緊擁羅伯森，愛意濃到快讓他脫臼了。舊瘀青上又疊了新的。

「我好怕。」羅伯森在熊耳邊低語。「每個人……」語言不足以承載他的感受。

「來吧，」熊說：「去洗個身體。你上一餐吃什麼？」

語言有所不足時，物質能彌補之。

老女人就該坐在陽光下。桌前擺放的每張椅子，都被高處投下的陽光照亮，灰塵飄浮於光線中。這遊戲古老，但有可玩性。從此地倒推，連向一面又一面鏡子，再接到沙克爾頓盆地永恆陰影中亮如日光的點點鏡子，最後是高處恆光閣的刺眼燈塔。鏡之恭維，明白這招背後機關的人會感到歡快，不過鏡子在黑暗中移動、受光、燃燒時，她還是感覺到舊創傷的刺痛。

鏡子移動時，太陽企業董事會正在開會。

「陽夫人？」

十二張臉轉向她，每張都受到專屬的小太陽照耀。

「我們要搞垮他們。」

你們以為我沒在聽，以為我是個蠢老太婆，老到受人敬重的年紀才獲准坐在這裡。臉上敷著溫暖陽光的老嫗。

「伯祖母，能請妳再說一次嗎？」陽立秋說。

「那對兄弟始終厭惡彼此，關係只靠公司和他們的父親維繫著。如今羅伯特死了，坩堝變成風暴洋上的熔融金屬池。這是我們為赤道帶搶生意的完美機會。」

「布萊斯已經用馬肯齊熱熔的L5預備存量當籌碼開啟協商了。」太陽企業營運長陽將贏說。高處的強光在每一張臉上都打出深邃、無情的陰影。

「喔，我們不能接受。」陽夫人說：「得讓布萊斯欠我們人情才行。」

「欠債者都是乖寶寶。」太陽企業法務部長陽黨信說。陽夫人非常敬佩她千錘百鍊的智慧和野心，也對她不信任。

「任何安排都很妥當。」陽立威說：「任何帳都不可能算到我們頭上。」

「大家會猜是我們。」亞曼達．陽說。照在她身上的陽光是所有董事當中最熾烈的，她眼中、顴骨下方的陰影都寫著「殺人凶手」四個字。幹得好，陽夫人心想。我不信任妳，妳沒有殺盧卡斯．柯塔的能耐和本領。不，不，小殺手，妳真正想殺的人是我，總是希望我死。我殘忍地強迫妳簽署尼卡赫婚約，把妳跟盧卡斯．柯塔銬在一起，而妳從來不曾原諒我。

「讓他們猜。」陽夫人說。

如今，所有人都轉頭去看太陽企業首席陽知遠了。

「我同意祖母的看法。離間之，征服之，就像我們對付馬肯齊和柯塔那樣。」

柯塔一族很有才華，當初不該為了「利潤」這種粗鄙的事物毀掉他們，陽夫人後悔地想。

亞別娜．曼努．阿沙默不肯接他語音電話，不肯回訊息，不肯在任何社交平台上和他互動。不承認路卡辛侯．柯塔跟自己存在於同一個宇宙。他聯絡朋友，聯絡朋友的朋友，請求她家人幫助，用工匠製作的香信紙寫親筆信，寄到她公寓去。其實是付錢請他堂妹寫的，因為他不會手寫字。他發表道歉文，貼出各種可愛圖文和顏文字。他寄鮮花和香蝶過去，耍憂鬱，耍廢，梳出蓋眼睛的劉海，稍微噘起豐厚的嘴唇（知道什麼角度會令人無法抗拒）。他發火。

最後他前往她的公寓。

忒是月球上最古怪、最缺乏建設、最有機、最混沌的城市，其根基是深入馬斯基林隕石坑的大片農業筒田，數十年間延伸出隧道、電線、管路，它們穿過岩層，連結、交會，催生出新的住居地，驅使新豎井和汽缸朝太陽探去。城內充斥的幽閉甬道通向高聳、明亮的筒田，反光鏡將陽光照向一層又一層、一階又一階的作物。一天當中的某些時刻，迷途的光束也會深入忒的迷宮，照到牆上，射進公寓和樓梯井。漫長的月球夜晚降臨後，LED燈列的洋紅色光芒也會滲出筒田，映入走道與隧道形成的迷宮。路卡辛侯喜歡那骯髒、性感的粉紅色，它會把每一條隧道、每一道豎井都變成催情區。

這裡公共空間很少，擠滿攤販、小吃店、列印店和酒吧。忒的隧道和街道太過狹小，無法騎三輪摩托，因此塞滿電動滑板車和踏板車，十分危險。所有人都在按喇叭、搖鈴、吼叫。忒是一團不和諧音，一道彩虹，一束花朵。塗鴉、警句、阿丁克拉、聖經摘文裝飾著每一個平面。路卡辛侯喜愛忒的喧囂，無目的性，故意轉錯一個彎就能來到新天地、碰到新面孔。而他最愛的莫過於這裡的氣味。溼氣，黴菌，作物，腐敗物，汗水和深水域。魚，塑膠。受強光照射的空氣特有的味道。香氣與水果味。

路卡辛侯來到忒的這十八個月一直過著流亡王子的生活，享受阿沙默一族提供的庇護與協助。路卡辛侯愛忒，但今天，忒並不愛路卡辛侯．柯塔。朋友別過頭去，不願和他四目相接。他靠向哪群人，那群人就會鳥獸散，消失在更大的人群中，或者翻好電動滑板車掉頭離去。

可見每個人都知道阿德拉加．奧拉得萊的事了。

亞別娜的研討班公寓位於塞康第住居地二十樓。這住居地是半公里深的筒狀建築，環繞著一座垂直的杏仁、石榴、無花果園。玻璃屋頂下方成排鏡子投出的細長光線穿過葉隙。亞別娜加入忒頂級的政治科學研討班——夸梅．恩克魯瑪[1]研討班後就搬到這裡來了，不過路卡辛侯比較喜歡她之前的住處，隱私性較高，住的人較少，那些人碰到他也不會一直批評他的意識形態、政治方面有缺陷、掌握特權。

他在那個老地方更常找人做愛。

大門不肯回應我，副靈金吉說。路卡辛侯檢視了自己在鏡頭中的模樣，撥撥頭髮，調整白領結在黑襯衫領口的位置。他所有的穿環都穿在恰當的開孔中，她喜歡這些環。他用指節叩了幾下門。

裡頭有動靜，他們一定知道外頭長廊上的人是誰。

他又敲了一陣，又一陣。

「亞別娜！」

再敲。

「亞別娜，我知道妳在裡面。」

「亞別娜……」

「亞別娜，跟我談談。」

「亞別娜，我只是想跟妳談談，就這樣。談一談而已。」

此時他已靠在門上，臉頰貼住木頭，持續以右手中指輕敲門。

「亞別娜……」

門開了一小縫，剛好讓一雙眼睛露出。那不是亞別娜的眼睛。

「路卡，她不想跟你談。」阿菲是她的研討班同學中最瞧得起路卡辛侯的一位。算是有進展了，路卡辛侯想。

「我很抱歉，真的，我只是想彌補所有過錯。」

「呃，也許你應該要在上阿德拉加．奧拉得萊之前三思。」

「我沒上阿德拉加．奧拉得萊。」

「喔？你在三小時內射了五次。那是怎麼回事？」

「他一直踩煞車，妳要知道他非常、非常會算時機，簡直有病。」

「也就是說，踩煞車就不是在和他搞。」

總覺得是亞別娜在向阿菲提詞？

「踩煞車不是打炮，踩煞車就是踩煞車。打打手槍，並不親密，不像打炮。」

---

1 Kwame Nkrumah，迦納政治家，非洲獨立運動領袖。

「阿德的手握住你的屌三小時，那還不叫親密？」

路卡辛侯不得不承認，阿德拉加．奧拉得萊有天使之手。三小時，五次高潮。

「就只是……玩玩。男生之間的小把戲。」

「男生之間的小把戲，很好。」

路卡辛侯不能辯贏她，得脫身，同時把傷害降到最小。

「我又不是——」

「不是怎樣？」

「愛上他之類的。」

「而你愛我……她，愛她。」

「我不愛阿德拉加．奧拉得萊。」

公寓內傳出啜泣聲，阿菲轉過頭去。

「路卡，滾就是了。」

「我滾。」

我本來可以教你幾招的，金吉對瞪著門板的路卡辛侯說。

「你是人工智慧，」路卡辛侯說：「你怎麼會懂女孩子？」

顯然比你還懂，副靈說。

不過路卡辛侯自有打算，他想了一個完美無瑕的計畫。抵達十二樓聯絡隧道時，他已全力狂奔著，亞曼尼西裝外套下襬飛揚。金吉訂了個租約，一輛電動滑板車便在八樓下行口與他會合。他壓低身體、張開雙臂保持平衡，上衣打褶在他自己的滑流中劈啪翻飛。滑板舞動著，鑽過行人人流和各種機器間的縫隙，停在露西卡伯母公寓門口。他雙手盤在胸前，亞曼尼西裝包裹著冷靜的身影。

廚房空間展開時，他已經脫得一絲不掛了。

「露娜，我們去吃雪酪。」愛麗絲教母說。露西卡伯母反對路卡辛侯的裸體狂熱，但她現在幾乎不在家——身為盡忠職守的新一任金凳大酋長，她大部分的時間都待在梅利迪安。露娜和她的堂親看著路卡辛侯的裸體長大，覺得沒什麼，她和教母是因為他進了廚房才出門的。廚房裡的他有公主病。

裸體的路卡辛侯走向工作檯。他有食譜、材料，還有才華。他深呼吸，按揉自己結實的腹肌、堅挺屁股的凹面、脊椎下緣的發達肌肉。這一定會降伏妳，亞別娜．曼努．阿沙默。他彎曲上臂擠出二頭肌，將指節按得喀喀響。用塑膠篩子篩麵粉，看它像降雪般緩慢地飄到調理盆中。奇蹟產物。路卡辛侯知道這有多昂貴、多稀少。這是愛的工夫，比手工還了不得的藝術。路卡辛侯將手插入碗中，為麵粉的絲質流動感到開懷。它們幾乎像是液體，繞著他的手指打旋。他撈起一把麵粉，看著它飄降。粉末凝成的雲朵滴著涓流和珠粒。

路卡辛侯用食指蘸了一下還在沉降的麵粉，在兩側顴骨各畫一條線，然後在額頭中央也畫了一條。接著在兩邊乳頭上都沾上一些麵粉，最後在生殖輪的棕色肌膚上畫了個白圈。創造，性愛，熱情，欲望。互動，關係，性愛記憶。他準備好了。

「來烤蛋糕吧。」

他用奶油妝點她。喉嚨、兩邊乳頭、肚子、肚臍各抹一小團。負載奶油的手指從蛋糕的殘骸移向她的陰部，半路上就被她制止了。

「你在幫我的脈輪塗奶油嗎？」亞別娜．曼努．阿沙默說。路卡辛侯湊上前，將一丁點奶油放到她的陰蒂包皮上。

奶油的冰涼和他的放肆令她倒抽一口氣。她逮住路卡辛侯的手，吸吮上頭殘餘的奶油。

「現在我該吃什麼？」路卡辛侯說。亞別娜發出低沉又低級的咯咯笑聲，扭動身體向他呈上自己的胸部。他舔她乳頭，她的喉嚨發出微弱的嚎叫。

「心輪，臍輪，生殖輪。」亞別娜說，一隻手輕而穩地按在路卡辛侯的後腦勺，推向自己張開的雙腿間。「海底輪。然後去個幾秒洗手間。」

他在外頭等了十五分鐘，垂直果園的水合系統噴出的小水花為他鍍上一層銀光。他手中拿的蛋糕盒上結出水珠，滾落。水氣壓低他高高梳起的鬈髮，沾溼他的三宅一生西裝外套，鑽入衣服的皺褶中。他身上穿的每一個銀環都在淌水。門開了，亞別娜在門後。

「你最好在得什麼病前進來。」

她在忍笑嗎？

她試圖無視他放到一旁躺椅上的蛋糕。

她的研討班同學全都不見了，他要自己別多心。

「我做了個蛋糕給妳。」

「你認為那就是一切的答案？你跑回去做了一個蛋糕，然後就能搞定所有事？」

「能搞定大多數的事。」

「你為什麼要上阿德拉加．奧拉得萊？」

「我沒上他。」

「他只是幫你打手……」

「踩煞車……」

「對，他踩煞車的技術很棒，大家都這麼說。」

「那是個傳奇，大家都說不該錯過。然後妳……」

「我怎樣？」

「呃，妳一直都很忙……」

「別，扯，到，我。不要說你和阿德拉加．奧拉得萊做愛是因為我太忙，想都，別想。」

「好。不過我們達成協議了，妳同意了。我們的關係並不是獨占性的，我們都可以和其他人約會。」

「因為你堅持如此。」

「我就是這樣的人，我們交往前妳就知道了。」

「你可以先問問我，」亞別娜說：「『我可以和阿德做嗎？』我搞不好會說我想看。就那個嘛，男生和男生做。」

亞別娜發言的意外性總是令路卡辛侯感到驚訝。奔月派對上（有人試圖刺殺拉法前），她穿了一個特別的環到他的耳垂上，還品味了他的血。婚禮前，他行使了那個穿環的誓約，向阿沙默一族尋求庇護，拒絕面對他和丹尼．馬肯齊的婚姻；結果亞別娜在忒車站的強化玻璃後方等他。博阿維斯塔淪陷時，她毫不猶豫地穿上太空衣，和他一起到地表等VTO月球飛船，而且一路上都牽著他的手。她還和他一起下去那無光、空洞的地獄，他曾經的家。

她是英雌，女神，巨星。他只是烤蛋糕的蠢蛋。

「我可以脫掉這些溼答答的衣服嗎？」

「還不行，你還有得等呢，先生。我很了解你。一亮出腹肌，你就會以為我已經原諒你了。不過我也許會吃一口蛋糕。」

路卡辛侯打開蛋糕盒。

「這是莓果鮮奶油蛋糕。」

「哪一種莓果？」

「我只知道葡萄牙文。」

「說吧。」

他照辦了。亞別娜愉悅地閉上眼睛，她好愛柯塔家葡萄牙文的音樂性。

「草莓，我愛草莓，你做的草莓蛋糕我一定會想吃。」

「還有奶油。」

「路卡辛侯，少得寸進尺了。」

他在食物處理區（比露西卡伯母家的還要大上許多，但設備齊全度大輸）切蛋糕，而且是切成許多小塊，對自己的蛋糕很有信心。他還泡了薄荷茶。

「你在發抖嗎？」

路卡辛侯點點頭，潑濺到他身上的水極冰，寒氣已滲入他的骨子裡。

「來幫你換個衣服吧。」

就在這時，他想到鮮奶油可以拿來玩什麼妙招了。

吃蛋糕，嬉戲，做愛完了。亞別娜緊偎著路卡辛侯，將他骨髓裡的最後一絲寒冷逼出。她離去後留下的冰涼讓他醒來。

她帶走了蛋糕。

路卡辛侯發現她盤腿坐在公用空間的地板上，弓著背，神情專注。她已穿上一件寬鬆的T恤和熱褲，以綠色織帶綁起頭髮。路卡辛侯觀察她純粹、凝鍊的集中力。如果他讓金吉與她的副靈連線，他就會看到滿屋子的鬼魂與政治家；她的研討班。她向他解釋過，說這一群人埋頭苦幹，在為所有人探索新的未來。路卡辛侯無法思考未來。從他躺著的地方望向四方，看起來都一個樣，荒涼如寧靜海。研討班之外的時間，亞別娜似乎都拿來跟其他對政治感興趣的朋友嚼舌根。她說：有些狀況在醞釀，**在下頭，地球上**。

柯塔家不過問政治。他們試過一次，結果就害死了自己。

他伸出一隻手，按到亞別娜的兩片肩胛骨之間，另一隻手碰觸她的腰部後方，調整她脊椎的彎度。亞別娜發出驚呼。

「妳的姿勢糟透了。」

「路卡……」

他喜歡她呼喚那個名字，最親密的家族小名。

「回床上吧。」

「事情還在發展。」

「坩堝啊。」

「死亡人數已經攀升到一百八十八了。羅伯特·馬肯齊與婕德·陽下落不明。」

「他們都燒死了，真開心。」

「各論壇都發狂了，市場也瘋了。我正在追蹤恐慌造成的氦氣收購狀況。」這時亞別娜才意識到剛剛路卡辛侯說了什麼。「你很開心？有人喪命啊，路卡。」

「他們害拉法死於解壓中，他們倒掛卡林侯的屍首，他們打斷艾芮兒的脊椎。華格納躲起來了，我爸是死是活沒人知道。他還派刃衛來追殺我，記得這些嗎？他們燒死了，我無法為他們感到遺憾。妳看到博阿維斯塔的慘狀了，妳也看到拉法了，就在那裡。」

「他沒事。」

牛頭不對馬嘴的回覆令路卡辛侯搖搖頭，情感世界的裂縫絆了他一跤。

「什麼？誰？」

「你堂弟，羅伯森。」

「羅伯森在南后。」

「他去參加羅伯特・馬肯齊的派對。他平安無事，路卡，但你並不知情。」

路卡辛侯倒回躺椅上，亞別娜關掉她那些論壇。

「路卡，他是你的家人。」

老調重彈了。這對話的走向有跡可循，情緒轉折都標得一清二楚。

「妳以為我不知道嗎？妳以為我不想阻止布萊斯・馬肯齊帶走他？我辦不到。我十九歲，我是繼承人，是柯塔家最後一個成員，我甚至無法把他留在身邊，保障他的安全。」

「路卡，你不是律師。」

「亞別娜，閉嘴，妳說的話永遠都對。你們阿沙默一族說的話都對，你們頭腦聰明，有所有問題的解答：轟砰。閉嘴聽我說話。我很害怕。馬肯齊追究責任時會先把矛頭指向誰？柯塔家。我隨時都很害怕，亞別娜。我和阿德拉加廝混的重點不是性愛，是免於恐懼的三小時時間。妳知道成天擔心受怕是什麼感覺嗎？」

亞別娜知道自己居住的世界是她可碰觸、形塑的，她的語言與思考在這裡有力量也有作用。路卡辛侯所在的世界施加責任給他，但他無力改變，別人怪罪他，但也不是基於他本人的行為。這落差將會逐漸擴大，最終分隔兩人——亞別娜看得一清二楚。她同時也看到一個精神殘廢的脆弱男孩，他經歷過的事情超乎她想像。她無法幫助，也無法同理，因為這一切她也有責任，而且她無力應對。

亞別娜擁抱路卡辛侯。

阿菲參加完雞尾酒會，進門找茶想清清心時撞見了兩人。也發現了比茶更棒的玩意兒：蛋糕。她切了一小塊來吃。肯定是那男孩做的，他們一起躺在躺椅上、依偎彼此入睡的模樣真可愛。他非常美，而且帶有巴西人的忸怩氣質，但她不會投資損害那麼嚴重的標的。

無論如何，他的蛋糕超棒的。

馬肯齊金屬的專屬調酒員製作著紀念雞尾酒：老式工廠生產的伏特加、木槿糖漿、萊姆、合歡的小枝、一球肉桂、桃金孃口味的膠狀物，在粉紅色的液體中緩慢地釋放出橘色卷鬚。杯中物紀念著羅伯特·馬肯齊波瀾壯闊的一生。端托盤的服務生潛伏在門邊，不斷將杯子塞到賓客手中。

「這是？」

「夫人，是赤犬。」

陽夫人接過杯子，嗅聞，啜飲，然後遞給其中一名隨從。從杯子到內容物到名字都沒品味。其中一名保鑣倒了一小杯她的私家琴酒給她，大約是可裝滿頂針的量。黃湯下肚，她大搖大擺地走入會客室，和其他人一同守靈。

那陵墓令她吃了一驚。馬肯齊一族從來不曾表現出任何宗教方面的取向，不過南后的舊宮殿——皇家堡壘的中心容納了一座神殿：純白的房間，完美的立方體，邊長三公尺。鄧肯先單獨入內，接著邀請家人與賓客進去致敬。陽夫人在好奇心驅使下入內。這斗室很小，一次頂多容納三個人，內部也是白色的，牆上掛著一個個直徑十公分的彩色圓盤。陽夫人站在充斥圓點的空間內。每個圓盤都是馬肯齊家死者的副靈，封存於陶瓷電路元件當中。肉體遭到回收，不過電子靈魂存續下來。羅伯特．馬肯齊在此——他是對面牆上正中央的紅碟。陽夫人想起來了，赤犬是他的副靈。她觸碰它，多少期待一陣情報的顫動，過去那滾燙憤怒與野心的餘波。結果它只是一片攙了染劑的玻璃，起絨處理使它摸起來像天鵝絨，就這樣，沒什麼特別的了。

葬禮結束後，重頭戲來了：宴會。陽夫人搭有軌電車從恆光宮出發，路上開始思考她該開啟哪些對話。輩分順序是很重要的。

途中碰上的第一個人是艾夫根尼．沃隆佐夫，女兒環伺他身邊。骨骼健壯，但是是近親通婚生出來的，笨頭笨腦。他們的DNA裡織進太多輻射了。

「艾夫根尼．格里戈洛維奇。」

VTO月球執行長是個巨漢，留長髮，鬍鬚茂密，服裝和儀態打點得完美無瑕。陽夫人特別喜歡他襯衫的織花紋。他單手端著一杯不攙水的伏特加。兩人握手。有人曾向陽夫人密告：艾夫根尼長期有酗酒問題，VTO的指揮權已轉移給更年輕、更努力的世代。交出去了，被接走了。

「陽夫人，我為您的損失感到遺憾。」

「謝謝你這麼說。每家人似乎都遭到這場悲劇的波及呀。」

「陽夫人，我們也蒙受了一些損失。」

婕德．陽工作了一輩子，結果數十年來的謹慎盤算與操弄在墜落的閃耀太陽中毀於一旦。婕德是拋磨過的刀具，亞曼達的鋒利度、細膩、耐心完全不如她姊姊。就各方面而言，盧卡斯．柯塔還比她靈光。她當初應該讓亞曼達嫁給拉法才對，就算當第三歐科伴侶也無妨。不過三皇堅信盧卡斯．柯塔有天會坐上柯塔氦氣的大位。

「這段時間很難熬啊，艾夫根尼。」

別人想打發走自己時，艾夫根尼．格里戈洛維奇．沃隆佐夫都聽得出來。

接著輪到露西卡．阿沙默了，克勞德．蒙坦拿設計款禮服令她顯得優雅、充滿危險性。陽夫人無法理解ＡＫＡ的政治制度，不過她知道露西卡是現任科托科的大酋長。科托科就像是某種董事會，裡頭的職位由成員輪流擔任，而成員也不斷來來去去。在陽夫人看來，這制度複雜得可怕又缺乏效率。阿沙默為所有人守密，這是陽夫人唯一需要知道的一點。

「亞多庫娜娜。」副靈告訴她，這是大酋長預期的稱呼方式。

「陽夫人。」

她們聊家族、小孩、曾孫，聊月球如何擴大一個個世代間的異質性。

「妳女兒在忒。」陽夫人說。

「是的，露娜在那，跟她教母在一起。」

「我從來就搞不定柯塔家的傳統，更不懂妳為何要把那一整套搬到忒去施行。請原諒我，我年紀大了，講話比較直接。」

「她習慣那一套。」

「我想也是。我看得出來，育兒工作者在妳離開忒時能幫上很大的忙，而妳坐上金凳後就一天到晚離家了。妳讓另一個女人懷妳的種，還讓她生下、養育孩子。妳對此有何感想？說來聽聽。」

露西卡・阿沙默那張徹底平靜、妝容完美的臉龐露出了一絲惱怒，陽夫人逮到了。她令對方的內心淌了幾滴血，為此感到愉快。阿沙默一族守著祕密，而我挖出它們。若有必要（也許永遠不會有必要），將來某天她會鑽開那小傷口，撕碎露西卡・阿沙默。

陽夫人剛剛已經由露西卡・阿沙默引導到布萊斯・馬肯齊附近，毫不費力就切換了社交軌道。陽夫人已經好幾年沒跟布萊斯・馬肯齊見面了，幾乎掩飾不住對眼前這人的厭惡。他可怕極了，猥褻的存在。她只能把他的軀體視為某種墮落的身體藝術形式，才能容忍它近在咫尺。他今天只帶了兩個孌童來，都打扮得很得體。較高的那個對布萊斯來說，年紀肯定已經太大了。

「布萊斯。」她將手放到他掌中，還好有戴手套。「我無話可說，完全無法表達我的遺憾。你們的損失實在太可怕了，太可怕了。」

「我也為你們感到遺憾。」

「謝謝你這麼說。我還是不太能相信自己就在案發現場——我們都在。那是悲劇，是暴行。某人搞出來的鬼，不是意外。」

「我們的工程師正在調查。實物證據難以取得，而且VTO又想盡快重啟赤道一。」

「不過馬肯齊金屬會存續下去，它總是熬得過難關。令尊和我，可是最早的月球人啊。你們至少還有氦氣事業。別人該怎麼做生意輪不到我嘍嗦，不過有時候呢，你要是迅速發一份權威性十足的聲明，就能安撫神經緊繃的市場，之後的事就等到令尊遺囑確認完畢後吧。」

「陽夫人，馬肯齊家務事，就是馬肯齊家務事。」

「當然了，布萊斯。不過我們兩家往來這麼久了，來恆光宮不用客氣。」

「恆光宮。」布萊斯說：「妳就是帶達瑞斯到那去嗎？」

「對，他也會繼續待在那。」陽夫人說：「我不會讓那孩子淪落成你的另一隻小狗。」布萊斯的養子不自在地調整了一下身體重心，客套的笑容僵硬了。

「他是馬肯齊家的人，陽夫人。」

「達瑞斯是陽家長子，永遠都會是陽家人。不過關於這點，我們也許可以準備一些賠償金。」

布萊斯低下頭去，淺得不能再淺地鞠了個躬。接著陽夫人朝她的最後一個目標前進，鄧肯・馬肯齊。他倚靠著陽台，裝赤犬的雞尾酒杯擺在欄杆上，保持平衡。旗子、各種色彩、橫布條、氣球、神話生物妝點著南后的高塔，民眾已準備盛大慶祝中秋。降鐵以及隨後的餘波帶來一連串的混亂，陽夫人都忘記中秋將近了。恆光宮舉辦的傳統月餅節冰雕比賽將有雷射競舞。

「我總是很嫉妒你有皇家堡壘。」陽夫人說：「我們把中心讓給了你父親，當初我應該要力爭才對。」

「陽夫人，我無意冒犯，不過我父親有什麼就拿什麼。」

她還記得羅伯特・馬肯齊站在石頭地面上，宣布要將總部設在此地的模樣。當他派建築工過去興建皇家堡壘第一層時，熔岩管甚至還沒密封。以南后作為扎根月球的根據地，是合乎邏輯的選擇。那是五公里長、三公里高的熔岩管，周遭是沙克爾頓隕石坑內的寒冰。馬肯齊一族的動作很快，他們在哈德利建造第一座熔爐，接著實現了坩堝這個背離常理的願景——不斷繞行月球，接受陽光搥打的列車。皇家堡壘仍是馬肯齊一族的子宮：子嗣在此出生，接受扶養，王朝的規畫也都在此進行。數十年來，陽夫人看著它不斷增長，直到頂住天花板。如今它成了一片森林，或說是柱之聖殿的中央脊柱。

「我感到很遺憾，鄧肯。」

鄧肯．馬肯齊依照他的習慣穿了一身灰，他的副靈艾斯佩蘭斯也是灰色的，不過在陽夫人看來，它的彩度似乎又變得更低了，像是靈魂乾涸、精神麻木後的顏色。

「敬羅伯特．馬肯齊。」鄧肯放下雞尾酒。「我不能用這爛酒敬我爸。」

陽夫人透過副靈召了一個年輕的女保鑣過來，拿出兩個頂針大小的酒杯。陽夫人從皮包中掏出小酒瓶。

「我想，那就配得上了。」

兩只凝結小水珠的酒杯輕敲在一塊，他們仰頭乾了琴酒。

「我看得出來，儘管大難臨頭，馬肯齊金屬仍正常營運著。令尊一定會以你為榮。布萊斯已經減緩了地球氦－3市場的波動幅度，非常精明。稀土部門還要一些時間才能開始生產，靠氦氣賺錢是聰明的一步。」

「布萊斯一直是積極主動的財務長。」鄧肯說，陽夫人又倒了一杯酒。

「方向盤握得很緊。只要方向盤上有手，地球人就開心了。他們以為我們是一窩無政府主義暴民、罪犯、反社會者。市場確實厭惡不確定性，而繼承人尚未敲定。我們都知道月球法律之輪轉得多慢，我們太清楚了。」她遞給鄧肯第二杯琴酒原液。

「我是馬肯齊金屬的繼承人。」

「你當然是，這不成問題。」陽夫人舉杯。「問題是，鄧肯，誰會掌握實權？你或是你弟？」

陽夫人繞啊繞的，回到會客室。這邊問問好，那邊讚賞個幾句，有人冷落，有人嘆氣回應。和其他人拉開距離後，她飄向陽知遠。

「奶奶，滿意嗎？」

「當然不滿意，這裡充滿老外的臭味。」

「飲料爛透了。」

「悲哀。」陽夫人湊近她孫子。「我倒好油了，換你放火。」

皇家堡壘內的馬肯齊一族將會在這會客室內舉辦盛宴。天花板垂下的紙糊偶內裝滿禮物，酒吧設置完畢，還有一個供樂團使用的舞台。幾天後就是中秋了，穿蓬蓬裙的女孩、墊大墊肩的男孩、穿優雅袍子的無性戀者將在這房間內痛飲、熱舞、嗑藥、纏綿。散布在月球各地的馬肯齊家族成員將於接下來的幾天內齊聚，向亡者致意，然後來到酒吧。記憶是短暫的，死者由死者埋葬。

布萊斯．馬肯齊盤算著。他召來了四個馬肯齊金屬的主管，他們有權力、經驗、權威，全是男性。同一時間的下方二十樓處，羅伯特．馬肯齊追思會展演著敬意和偽善的疊積。

「我了解、信任你們，所以才把你們找來。」布萊斯．馬肯齊說：「有企業出價要我們的L5氦-3存量。」布萊斯在L5天平動點的重力中點處偷偷儲放了氦氣，提防價格波動。

「要多少？」馬肯齊熱熔的財務長阿馮索．佩瑞茲特喬說。

「全部。」

「這會壓低價格。」阿馮索．佩瑞茲特喬提出警告。

「正合我意。」布萊斯．馬肯齊說：「我不希望地球的氦-3精煉廠獲利，因為我們無法跟他們競爭。我們的產量仍只有原本的三成。」

「豐饒海、危海、蛇海目前還無法生產。」賈米・赫南德茲—馬肯齊說。他是馬肯齊金屬的營運主管，經驗老到的羊夫，吸了幾十年的月塵，肺部幾乎要變成石頭了。稀土，氦氣，有機物，水——他可以拿起月亮，擰出利益。「柯塔氦氣過去的心臟地帶，有人為破壞的跡象。那些巴西人還有怨氣。」

「那我要你馴服神之若望。」布萊斯・馬肯齊說。「不管要付出多少代價。我要ＭＨ在兩個月內恢復完整的生產力。」

「ＭＨ？」羅文・佐法伊格—馬肯齊說，他是馬肯齊金屬的主任分析師，年輕、聰明、有野心，資本家美德的典範。

「我父親死了。」布萊斯・馬肯齊說：「馬肯齊金屬……我爸打造出來的，我們所知的那一個馬肯齊金屬已經死了。家族企業的時代結束了，金屬沒戲唱了。我們現在是氦氣公司了。」

「看來繼承人已經確定嘍。」羅文・佐法伊格—馬肯齊冷冷地說。

「如果我們等到律師搞定才行動，這間公司就死定了。」布萊斯說。

「我無意冒犯，不過在繼承人不確定的情況下，我們無法再融資。」鄧波・阿米契說。他是企業安全長，少話，在這之前都沒開口。「沒有高階主管可以簽約。」

「我有財源。」布萊斯說：「陽知遠已經跟我談過了。」

「外部資金。」賈米說。

「布萊斯，你爸從來不曾……」鄧波說。

「偏偏還拿陽家的錢。」羅文補了一句。

「我爸去死啦！」布萊斯暴怒，挫敗而激動地顫抖著。「ＭＨ，馬肯齊氦氣。你們加入還是不加入？」

「處理合約前，」鄧波．阿米契說：「我有件事要先報告。我掌握熔煉鏡故障的相關情報了。」

沒人漏聽他對**故障**一字的強調。

「有人駭進我們的系統。」鄧波說。

「想也知道。」布萊斯．馬肯齊說。

「那是一段聰明的程式碼，整合在我們的作業系統內，隱藏真面目，安全檢測掃不到。我們升級，它也跟著升級。」

「你還要上陽家的床？」賈米對布萊斯咆哮：「太陽企業的影子籠罩這整件事。」

「有一點不尋常。」鄧波說：「那段程式碼存在很久了，窩在那裡等了老半天。」

「多久？」布萊斯．馬肯齊說。

「三十、三十五年左右。」

「東風暴洋。」布萊斯．馬肯齊低聲說。

柯塔家對坩堝發動攻擊時，布萊斯已經八歲了。鄧肯在醜陋、高熱的哈德利長大，布萊斯則對皇家堡壘的陰謀和政治活動耳濡目染。羅伯特．馬肯齊讓他的繼承人分隔兩地，這是他的方針。如此一來，馬肯齊金屬就不會毀於單一災難。某天他母親艾莉莎說：**都準備好了，我們要去新家了**。他們從南后出發搭了好長一段的列車，接著從梅利迪安出發那段更長。不過後來母親把他叫到有軌機動車窗邊時，他目睹了地平線上燃燒的星星，感受到未曾有的情緒。敬畏與恐懼——他的家族，他父親有能耐撈下天上的星星，銬在月亮上。那是八歲小孩無法想像的力量。他仰頭凝望那一排排鏡子，裡頭充滿捕來的太陽。一切都是新的，剛列印好，散發出塑膠與有機物的氣味。新車味，瀰漫在整座城市內。**我就要住到那裡去了，全宇宙最巨大的機器。**

就在這時，柯塔家發動了攻擊，截斷坩堝前方與後方的鐵軌。布萊斯看著陽光照在永遠燦亮的坩堝上，又感受到新的情緒：輕蔑與羞辱。柯塔家汙衊了他們無法觸及的純粹與美麗。他們永遠無法得到這種力量與奇觀，心胸狹窄又嫉妒地發動了這波攻擊。布萊斯跟兄長不同，不曾見識過不受柯塔家陰影籠罩的世界。他的人格特質也跟兄長不同，小時候長得難看，動作不協調又笨拙，不擅長父親和叔叔伯伯們熱愛的運動。不過他對家族事業很感興趣，因為幼年期住過那不斷拔尖的皇家堡壘。七歲時，他已理解稀土萃取、精煉、行銷的法則。坩堝是他身體的延伸，就像是第三隻手。它受辱會帶給他肉體上的痛苦。

那段程式碼在坩堝的人工智慧當中潛伏了三十五年，成長、適應、擴張。

「初步調查結果顯示，它是受遙控啟動的。」鄧波說。

「姓柯塔的幹的。」布萊斯．馬肯齊說：「我們當初應該要讓他們絕子絕孫才對。」

「我們是生意人，不是刃衛。」羅文說：「柯塔家還剩三個孩子，其中一個是所謂的狼，還有一個是職業生涯畫下句點的前律師。好，柯塔一族毀了我們的家，但我們更上一層樓：我們接管他們的機器、他們的市場、他們的城市、他們的人馬、他們曾擁有並珍視的一切，五年內就不會有人記得柯塔這名號了。布萊斯，還記得你爸把哪句話掛在嘴邊嗎？『壟斷是壞事。』」

「『輪到你壟斷就不是』。」布萊斯接話。

羅伯森尖叫醒來。有東西，他的臉上有東西，他無法伸手撥開它。堅固死硬的表面圍繞著他，還有敲擊聲，叩叩叩叩。他死了，人在狹窄的空間內，等待回收處理。叩叩聲是查巴林發出來的，它們在走廊上滾動他的棺木，邊角的接合點不斷撞擊地面。它們將會用刀子割下所有堪用的物質，接著會將他掛在烤爐內烘出他體內每一滴水分，以管狀的嘴巴吸得一乾二淨。剩下的渣滓和皮囊就扔進磨碎機內。他動不了、說不了話，完全無法阻止它們。

「羅伯森。」

燈亮了，羅伯森眨眨眼。他現在知道自己在哪了，VTO蘭茨貝格宿舍的睡眠膠囊。

「羅伯森。」光線中有一張臉，是熊。「你沒事，羅伯森，是我。你能動嗎？你得動一動。」

羅伯森抓住扶手，將自己抬出膠囊外。宿舍內有一排排膠囊、梯子、電線，熱燙的床鋪以及體味溫熱過的膠囊。

「現在幾點？」羅伯森還沒完全擺脫噩夢的糾纏，反應遲鈍。

「喔，四點。」熊說：「那不重要。羅伯森，我們得走了。」

「什麼？」

「我們得走了。布萊斯認為是你們家的人毀了坩堝。」

「我們家的人什麼？」

熊伸手進膠囊，從網子內拉起一團皺巴巴的衣服。羅伯森的馬可・卡洛塔西裝外套。

「穿好衣服。太陽熔爐是因為被駭才出事，程式碼似乎是柯塔氦氣埋下的。」

羅伯森穿上西裝外套，它的味道幾乎跟他本人一樣糟。他彎腰進膠囊，將半副牌放到心臟附近的口袋。

「柯塔家的程式碼？」

「沒時間解釋了。」熊以食指碰觸額頭，意思是**關掉副靈**。「走吧。」

蘭茨貝格車站熙來攘往，擠滿乘客與行囊。來自梅利迪安、南后、偉大的ＶＴＯ編組站（位於聖奧爾嘉轉運站）的鐵路工作人員與降鐵的倖存者在列車上擠成一團。

「我已經幫你訂了往梅利迪安的車票，但你別在那下車。」熊邊說邊領著羅伯森前往氣閥。「你要在索莫林下車，那是ＶＴＯ的據點。有人會在那裡見你。」

「為什麼不在梅利迪安下？」

「因為布萊斯會派刃衛查看每一輛列車。」

羅伯森突然愣住。

「布萊斯不能殺我，我是馬肯齊家的人。」

「對布萊斯來說，你是距離他最近的柯塔家成員。他不會殺你，會先享用你再說。到時候你就會生不如死了。跟我來。」熊伸手，ＶＴＯ的女性鐵路工作人員從他們身邊狂奔而過，地表活動衣裝在沉甸甸的背包內，頭盔夾在腋下。

「上次我逃離布萊斯的時候……」羅伯森說。

他沒看到母親的死狀。**別回頭**，她說，**不管發生什麼事都別回頭**。他那時乖乖照做，因此沒看到機器人的刀刃切斷母親的腳筋，鑽子嘰嘰嘰地穿過她的頭盔面罩。**卡門尼，發射太空艙！讓他離開這裡！**她的遺言。最後他還是沒回頭。彈運艙密封了，他伸手撈抓安全帶，接著加速運動暈開他體內每一滴血液。他眼前一黑，無重力狀態。他對抗著暈眩，無重力狀態下吐在頭盔裡就只有死路一條。接著，減速來得突然又粗魯，跟發射時沒兩樣。整個程序重複了一次，一次，又一次。震撼、頭痛、噁心感以及加以抑制的自律都令他心懷感激，因為它們掩蓋了她已死的事實。他的媽咪已經死了。

「別離我太遠，羅伯森。」搭乘氣閥湧出人潮，熊又推又擠鑽出一條路。站方廣播了，幾乎完全被群眾的咆哮掩蓋過去。什麼什麼三十七，各站停車，各站停車。

「那你呢？」羅伯森對熊說。

「我搭晚點的車。」

熊將羅伯森一把撈起，他的擁抱寬闊如天空。臉頰貼上臉頰。

「你在哭。」羅伯森說。

「對，我一直都很愛你，羅伯森．柯塔。」

接著熊將羅伯森推入氣閥內。

「誰會來接我？」氣閥旋入列車時，羅伯森大吼。

「你叔叔！」熊喊道：「狼！」

3 二一〇三年牡羊月至二一〇五年雙子月

「……人類這種生物太自私了，我們以為自己是丈量萬物的基準。時間將會抹殺我們的身分，帶走我們擁有過、建造過的一切。把思考範圍放到有生之年之外，是一件好事。也許我的森林會存續一百萬年，甚至十億年。也許它會在太陽開始燃燒時一併著火。我死後，構成我身體的元素會通過樹根、枝幹、葉片，和森林融為一體。這想法帶給我莫大的慰藉。」

清潔機器人發現他倒在最外圍走道（地球重力環）上，距離電梯門三公尺。

「要是再拖五分鐘，你就要被自己的體重悶死了。」沃利科娃醫師說。她跟著盧卡斯・柯塔的摺疊床一起穿過重力減半的中間環，來到月球重力層。

「我得去感受一下。」

「感覺如何？」

感覺像是每條肌肉都變得軟弱無力，開始融化。每個關節都被塞入碎玻璃，骨頭裡的每個空洞都被灌入融化的鉛。吸入的每口氣都像是石肺裡的鐵，每拍心跳都著火。電梯帶他通過疼痛之井，他的手幾乎無法抬離扶手。門開啟了，外頭是G環的和緩弧度，劇痛之丘。他得跨出去。才第二步，他就感覺到臀部晃啊晃的。第五步，他的關節彎曲了，無法讓他挺直身體。離心重力將他釘在這輪狀空間內，每吸一口氣他就變得更加破碎。重力是嚴苛的主宰，永遠不會減弱，不會中斷，不會緩解。他試圖將身體從地面上撐起來，感覺到血液在他的雙手、臉龐內聚積，使他貼著地面的臉頰腫脹起來。

「我們之前談的是假設性問題。」盧卡斯．柯塔說，這時摺疊床與人工智慧連線了，機械診斷手臂展開。「我現在要談可行性，我是一個實際的人。妳說我得花上十四個月才能做好因應地球環境的準備。十四個月內，我就要搭太空梭前往地球。我已經訂好票了。十四個月內我就會登船，醫師，不管妳會不會跟著我去。」

「盧卡斯，別威脅我。」

她直呼了他的名字，小小的勝利。

「我已經威脅妳了，醫師。妳是VTO微重力藥學的傑出專家，如果妳說這理論上可行，那就等於物理上可行，葛莉娜．伊凡諾夫那。」當她站在這張床床腳自我介紹，說是她私人醫師時，他便記住了她的名字和父名。

「也別拍我馬屁。」沃利科娃醫師說：「你跟地球人的生理差異有數千項，在他們眼中等於是外星人。」

「我得在地球上待三個月，要是時間能拉長到四個月更好。給我訓練方案，我就會嚴謹地執行。我得走了，葛莉娜．伊凡諾夫那。如果我沒做好犧牲自己的準備，誰回想幫助我奪回公司？」

「這比你過去做的任何嘗試都還要困難。」

會比我兄弟死亡、城市燃燒、家族分崩離析還要難熬嗎？盧卡斯．柯塔心想。

「我也無法保證你一定會成功。」沃利科娃醫師補了一句。

「我沒問妳成功率，責任在我。葛莉娜．伊凡諾夫那，妳會幫我嗎？」

「我會。」

床鋪的診斷臂移向盧卡斯的脖子和手臂，他緩慢地舉起灌了鉛似的手臂想斥退它們，但機械手臂的動作極快，注射針即刻帶來銳利、純粹的疼痛。

「那是什麼？」

「我再度濫用了職權。」沃利科娃醫師透過鏡片讀取盧卡斯的生理狀態。「幫你跨出第一步。你有約要赴。」

強光灼燒盧卡斯．柯塔的動脈，探入他腦中。他跳下床，彷彿床鋪通了電似的。他的雙腳踩上甲板。不痛，一點也不痛。

「我得列印一套西裝。」盧卡斯．柯塔宣告。

「你打扮得很得體。」沃利科娃醫師說。

「短褲和T恤。」盧卡斯．柯塔的語氣帶著陰鬱的厭惡。

「你要是換衣服，就會打扮得比東道主還正式了。瓦列里．沃隆佐夫的穿搭品味很奇特。」

你會需要這些，電梯工作人員說。**請練習，實際上並沒有看起來那麼簡單**。

盧卡斯．柯塔戴上有蹼的襪子和手套，扒抓、踩踏空氣。沃隆佐夫一族，總是輕蔑地看待受困在地月兩界的人，嘲笑他們的無能和無力。盧卡斯討厭當個無能之人。他從電梯內撲向中心部。這裡的重力很微小，就連月球人的腿部肌肉都顯得很強健。盧卡斯張開雙手，蹼撥動空氣，逆著前進方向划。他收縮腳趾，張開腳蹼當作減速板。這很簡單，靠本能就辦得到。他來到圓筒內的中心，太空船的旋轉軸。零重力。盧卡斯緩慢旋轉，儼然是顆人肉星球。

他朝空氣踢啊推的，結果身體一動也不動。他抖動身體，彷彿單靠抽搐之力就能擺脫重力的網羅。電梯門傳來笑聲，盧卡斯都聽到了。他又抖了一次，狀況完全沒改變。一道道發光的輕盈身影從更遠處的氣閥潛向他，動作優雅。是兩名身穿緊身飛行衣的年輕女子，一絲不苟地戴著髮網。她們圍住盧卡斯，突然定在原地。

「柯塔先生，需要幫助嗎？」

「我應付得來。」

「柯塔先生，抓住這條繩子。」

穿粉紅色飛行衣的女子將繩索綁到工作腰帶上，往前一躍。瞬間繃緊的力道差點使繩索掙脫盧卡斯的抓握。他動起來了，他在飛。他感覺空氣拂過他的臉，他的頭髮。真刺激。第二名太空船女孩在他身旁游著，他注意到她腰帶上的吸塵器。

在通往瓦列里．沃隆佐夫私人房的氣閥內，他感謝這兩名年輕女性為他帶來刺激的體驗。

「小心樹枝。」這是她們唯一的建議。

瓦列里．沃隆佐夫的接見室位於聖彼得與保羅號的中心，儼然是一片圓柱狀森林。盧卡斯飄進枝葉形成的隧道中，樹幹細密交錯，他根本看不到牆面。下方肯定有樹幹、樹根，以相應的無土種植法維繫這片無重力森林的生命。這溼氣，作物與腐敗物的氣味，盧卡斯都感到熟悉（是忒宜人的香氣），不過另外還有些氣味元素是他只能透過客製琴酒辨識出來：杜松，松木，花草，植物藥材。根部深處的光源照亮整座森林，不過樹上也掛了數萬盞生化燈。上方是星子，兩側是星子，下方也是星子。盧卡斯花了幾秒鐘才漸漸適應這片微光，發現葉片形成的篷蓋被形塑出起伏、螺旋、浪峰、波形。林木造景。偶爾會有落單的枝幹探到造景上方，朝特定方向生長，結出樹瘤，獻祭似地托著修剪整齊的葉片之筏。盧卡斯的眼睛完全適應室內亮度後，發現無重力森林中央有道影子。某物半掩在樹葉後方，若隱若現，緩慢運動，不慌不忙。

圓柱狀空間的中央有條線。盧卡斯飄向那影子，靠近到一個程度後才發現那是一個人——像人的玩意兒，人變成的玩意兒。他背對盧卡斯，勤奮地以手持修枝剪剪短樹枝，喀嚓喀嚓地塑形。針葉形成的光環圍繞著他。松香與葉片味當中攙著新鮮的穢物味，是尿液。真菌感染。

「瓦列里．米哈伊洛維奇。」

那個人形活物轉過頭來，面對打斷自己幹活的來客。無重力環境對他身體的影響，就跟他對這片森林的形塑一樣確實、不可逆。他的雙腳是纏繞的紡錘，肌肉萎縮成的緞帶。他胸腔的寬度、周長都很雄偉，不過就撐開壓縮衣的幅度來看，盧卡斯認為它沒有深度，也沒有力氣。肋骨延展緊身衣料，胸骨銳利如刀。他的手臂極長，而且加裝金屬線支架。他的頭碩大無比，臉像是透過退火處理黏著到人皮氣球上。頭骨底部的銀色毛髮宛如飾帶，凸顯出頭部的巨大。一根雙插管連接他的枕骨和飄浮的幫浦，第二組管子從他的身體左側連接到一串滿滿的人工肛門袋，它們正在無重力狀態下旋轉著。

在無重力環境下待半個世紀，人體就會產生這種變化。

「盧卡斯．柯塔。」

「先生，很榮幸見到你。」

「是嗎？榮幸嗎？」瓦列里．沃隆佐夫從工具腰帶取出一台吸塵器，以多年練就的熟練手法吸淨飄浮的枝葉。「我從來沒見過其他五龍的成員，你知道嗎？」

「我們已經不是龍了，先生。」

「我聽說了。全無道理可言，當然了。基因決定一切。這對我而言是個新奇的體驗，對你來說也是。」

「瓦列里．米哈伊洛維奇，我得問你……」

「喔，先不要提出你可怕的問題，我知道你要什麼。我們得看宇宙要不要給你。不過問題總是在這裡，對吧？總是要問跟宇宙有關的問題。盧卡斯．柯塔，你看過這樣的景象嗎？」

瓦列里．沃隆佐夫的修枝剪朝星光照亮的森林揮了幾下。

「先生，我不認為有誰看過。」

「大家都沒看過。你知道這是什麼嗎？這是我向宇宙提出的問題。一片森林該如何在空中生長？這就是我的問題。答案在此。它從未停止生長，從未停止變化。我影響它，根據我的意志塑造它。這是緩慢的雕塑，這件作品會比我還長命。我喜歡這樣。人類這種生物太自私了，我們以為自己是丈量萬物的基準。時間將會抹殺我們的身分，帶走我們擁有過、建造過的一切。把思考範圍放到有生之年之外，是一件好事。也許我的森林會存續一百萬年，甚至十億年。也許它會在太陽開始燃燒時一併著火。我死後，構成我身體的元素會通過樹根、枝幹、葉片，和森林融為一體。這想法帶給我莫大的慰藉。」

瓦列里．沃隆佐夫取下吸塵器的集塵袋，拋向圓柱空間的下方。一部查巴林機器人從樹頂衝過去，一把抓住那包廢料，送到氣閥去。

「我媽曾經資助現主姊妹會。」盧卡斯說：「她們的任務規模就橫跨好幾十年，甚至好幾世紀。」

「我知道姊妹會在做什麼。盧卡斯．柯塔，你不信她們對吧？」

「超自然力量牽涉其中，我不可能信那種東西。」

「嗯。我聽說你想去地球。那是欲望，不是問題。宇宙不欠我們欲望，但它說不定會允許我們問一個好問題。你的問題是？」

「有人從我家裡偷走許多東西，我該如何奪回來？」

「嗯。」瓦列里．沃隆佐夫剪下一截枝幹的尖端，嗅聞了一下，再遞給盧卡斯。「有什麼看法？活生生的杜松，你只聞過合成的。我知道那些姓阿沙默的有什麼能耐。操作DNA，讓基因在各處混合。幼稚。我可以創造一個環境，然後讓生命應對它。我在人類史上最人工的環境種植真正的杜松。不不不，盧卡斯．柯塔，你的問題完全行不通。正確的問題是：月球出生的人該**如何**前往地球，並在那裡存活下來。」

「沃利科娃醫師正在幫我研發訓練方案。」

「如果你在重返大氣層的途中沒斷氣，如果你的心臟沒在環境適應衣內停止跳動，如果你沒死於曬傷，如果上百萬種過敏反應沒讓你整個人腫得像人工肛門袋，如果地球的內臟細菌沒害你拉到腸子外翻，如果環境汙染沒撕碎你柔軟的小肺，如果你在那重力孔內睡覺不會每隔五分鐘就因呼吸暫停醒來，如果入睡時不會噩夢連連……」

「如果我們把如果放在心上，就成不了龍了。」盧卡斯說。這兩個男人巧妙、無意識地調整各自的飄浮角度，正面面對彼此。

「你剛剛也說了，你已經不是龍的一員了。你在地球上的地位會更低下。月球不是國家，是邊境的工業前哨基地。你沒有任何文件，不屬於任何國家，沒有身分。你不是合法的存在。你不懂地球的規則、習俗、法律。那裡有法律，法律適用於你，但你對它一無所知。它們就像重力，支配著你。你無法跟它們協商，你沒有權力。

「沒人知道你是誰，沒人在乎你是月球來的人。你是他們眼中的怪胎，十天內就無人聞問的奇觀。沒人會尊敬你，沒人會把你當回事。沒人需要你提供什麼，沒人會想要你擁有的事物。你是個聽明人，你還在乘客艙時就想通這一切了。然而你卻跑到這裡來，帶著計畫求我幫忙，帶著另外某樣用來說服我提供援助的事物，儘管我不知道那是什麼。」

瓦列里．沃隆佐夫的每一個駁斥都像釘子，穿過他的手指、腳掌、手掌、膝蓋、肩膀。羞辱。盧卡斯．柯塔從來就不懂什麼叫罪惡感或悔恨，自大是他的美德。自大拉扯那些釘子，助他掙脫。這份疼痛跟他失去的事物比起來，根本不算什麼。

「我沒辦法跟你辯，瓦列里．米哈伊洛維奇。我什麼也沒帶，也無法跟你討價還價。我需要你的支援、你的太空船、你的質量投射器，而我只能靠嚼舌根說服你。」

「宇宙中充滿言談，言談和氫氣。」

「阿沙默家認為你們是近親繁殖的畸形人；馬肯齊和你們通婚，取得使用太空船的權利，但透過生物工程排除你們的基因，不傳給下一代；我們家的人認為你們是醉醺醺的小丑；陽家根本不把你們當人看。」

「我們不需要他人的敬重。」

「尊敬不能拿來買空氣，我會獻上更實際的東西。」

「你有東西要給我？失去事業、家人、財富、名聲的盧卡斯．柯塔，有東西要給我？」

「一座帝國。」

「願聞其詳，盧卡斯．柯塔。」

「走完？」沃利科娃醫師說。

「走完。」盧卡斯．柯塔說。他眼前的弧形走廊陡峭地向上延伸，天花板就像是低矮、近在咫尺的地平線。「跟我一起走。」

沃利科娃醫師伸手要盧卡斯扶她，盧卡斯推開。

「盧卡斯，你不該站著。」

「跟我一起走。」

「走完。」

「我這人很有條理。」盧卡斯．柯塔說。儘管身處最內層的月球重力圈，他跨出的每一步仍為腳踝至喉嚨之間帶來絞痛。「我沒什麼想像力，非得照著計畫走才行。小孩子要先會走路，才能跑。我先在月球環走，然後跑。接著我在中間環走，然後跑。最後我在地球環走，然後跑。」

如今，盧卡斯的腳步變得篤定、果斷了。沃利科娃醫師在伸手就能觸及他的距離內。盧卡斯發現她的眼睛露出閃爍的光芒，她正透過鏡片讀取情報。

「妳在監控我嗎，葛莉娜．伊凡諾夫那？」

「盧卡斯，我隨時都盯著你。」

「然後呢？」

「繼續走。」

盧卡斯板著臉，不為自己的小勝利露出微笑。

「妳聽我給你的歌單了嗎？」他問。

「聽了。」

「感想如何？」

「比我想得還細膩。」

「希望妳別說聽起來像購物中心放的音樂。」

「我聽得出懷舊的感覺，但我不太明白你所謂的『薩烏達德式哀愁』。」

「薩烏達德式哀愁比鄉愁濃烈，是愛的一種形式，是失落也是喜悅。濃稠的憂鬱與歡喜。」

「我想你對此有很充分的了解，盧卡斯。」

「人甚至可能為未來感到薩烏達德式哀愁。」

「放棄從來就不是你的選項，對吧？」

「不，我從來不放棄，葛莉娜．伊凡諾夫那。」

關節的緊繃感減弱，疼痛舒緩，僵硬逐漸解除。

「你的心跳速率和血壓上升了，盧卡斯。」

他仰望彎曲的廊道。

「我要走完。」

「好。」

又一個小小的勝利。

盧卡斯停下腳步。

然後又繼續前進，沿著世界的弧面移動。盧卡斯的肺部緊縮，氣喘吁吁，心臟痛得像是被誰緊捏著。距離醫療中心的門還剩二十公尺，十公尺，五公尺。走完，要走完啊。

「聽音樂……」盧卡斯上氣不接下氣，吐出的每個字都是短而急促的喘息。他倚靠門楣，回頭仰望彎曲的廊道。「的人有個習慣。收到清單……」他幾乎說不出話來。不過是在從前生活的月球重力環境下走了一百公尺，他就緊攀著牆面，氣喘吁吁，身體發痛。損害比他想的還嚴重，十四個月的密集訓練恐怕也無法克服。「就要提供自己的，交換。」

「你是指比爾．艾文斯？」沃利科娃醫師說。

「給我更多那種樂風的，我認為那叫調式爵士。幫我排歌，帶我展開爵士之旅。我需要一點幫助，才能熬過訓練。」

他在膠囊中醒來，點亮燈。嘎吱，砰咚。睡眠艙晃動著，太空船晃動著。船艙一傾，盧卡斯緊抓扶手，緊到自己的指甲都陷進手掌肉裡了。船艙再度傾斜，盧卡斯叫出聲來。他覺得腳下的世界就要塌陷了，沒有事物供他攀附。這也不是一個世界，而是一艘太空船，鋁與碳建材構成的陀螺。他人在一艘小船的輪狀結構的船艙內，位於遠端月面的外太空。

「托基尼奧。」他低聲說：「發生什麼事了？」

船再度往下沉降，盧卡斯緊抓著堅固但沒用處的扶手。他耳機內傳來的嗓音陌生，還有古怪的口音。聖彼得與保羅號太小了，功能完整的網路無法運作。

我正在發動火箭引擎，進行一連串航道修正，托基尼奧說，**我航行的軌道穩定，十一年內都是可預測的。每航行十圈左右進行軌道微調，就能將可預測期拉長。而進行修正的位置，是雙叉軌道的第二近月點附近。本過程完全在掌控之中，而且是高例行性作業。如果你需要，我可以提供概要說明給你。**

「不用了。」盧卡斯說。晃動、震顫，以及在空無中不斷墜落的可怕感受都止息了。聖彼得與保羅號繞過月亮，月球將它拋向藍寶石般的地球。

托基尼奧發出叮一聲，沃利科娃醫師傳了檔案過來。盧卡斯打開檔案，是夠他聽整整好幾個月的音樂。爵士之旅。

頭三個月，盧卡斯探索硬咆勃的世界，了解它的語言、手法、特性、音調，領會三人組合的和諧與變拍。他記下該領域英雄人物的大名：明格斯、戴維斯、孟克、布雷基，他們是他的傳教士。他研究重要錄音——那是他們的福音和使徒行傳。他學會了硬咆勃的聽法，知道該聽什麼，什麼時候聽。他追溯該樂風在咆勃中的根基，了解它如何反抗該運動，同時試圖改良之。他接著勇闖異端領域：放克爵士與靈魂爵士的差異，以及西岸冷爵士和東岸硬咆勃的分家在此形成音樂宇宙的分裂。這是最不可能拿來搭配訓練的音樂。盧卡斯愛它，痛恨訓練。訓練困難又無聊。卡林侯過去成天宣揚肌肉燃燒、多巴胺分泌、釋放壓力的荷爾蒙。這些事物令卡林侯進入超人領域，但讓盧卡斯精神衰弱又震怒。

他走出健身房時總是怒火沖天，誰瞄他一眼就會被凶。全身疼痛、急躁不安地上床，畏懼著隔天的訓練方案。睡五小時後，六件事實又把他推回健身房，繼續聽亞特．布雷基：卡林侯和他的腦內啡死了，拉法死了，艾芮兒隱匿行蹤，路卡辛侯在接受AKA的保護，博阿維斯塔如今是無空氣的廢墟，而這輛太空船，聖彼得與保羅號要將馬肯齊一族偷走的柯塔氦－3罐運往地球的核融合反應爐。於是他繼續受訓。咆勃是無盡跑步機履帶、重複性惱人的重訓、無尊嚴肌肉鍛鍊彼方的世界。時間一天一天過，累積成一個又一個月；不過硬咆勃是平行的另一段時間軸。一年訓練就跟永遠一樣長，得分割成一段段時間才行。不是訓練、睡眠、日期、軌道，而是一次又一次行動。構想，著手進行，走完整個過程，完成。接著是下一個行動，然後再一個。量子化。不要以越來越陡的重量曲線、越來越優異的個人最佳成績，也不要以身體肌力與耐力的成長來測量一年多的時間，而是要以接受了多少新音樂來衡量。咆勃之後，他要研究調式爵士，然後通過自由爵士，來到非裔古巴爵士和巴西爵士，這將會帶他回到心愛的巴莎諾瓦。下一次聽巴莎諾瓦時，他將會站在地球上，面對敞開的天空。不過在他上太空船的頭幾次循環中，咆勃就像是一道又高又清晰的地平線，在月球上的任何角落都看不到那麼遠、那麼寬的大地盡頭。

半個月後，他開始在最內圈跑步，跑一整圈。一個月後，他開始在中間環走路，那裡的重力是地球的一半，月球的三倍。過程不接受任何幫助、輔助，也不停頓，花了他整整一個小時。兩個月後，他在中間環跑步；三個月後開始在那睡覺。第一晚，他覺得有一隻銅身惡魔蹲在他胸口上，拉融化的鉛到他的心臟和肺中。第二、第三、第四個晚上過去了。十五天後，他開始可以睡一整晚，只是會做噩夢，夢到自己受困於鋼海的鐵冰層下方。往後他每天都睡在月球重力三倍的中間環。

接下來的三個月，盧卡斯．柯塔探索調式爵士——沃利科娃醫師熱愛的樂風。他跨入這世界的腳步變得更穩了，因為他已從其他國度一窺它的地形，知道其山脈立於何方，河流流向何處。地理名詞的譬喻如今對他產生意義了，因為跨入調式爵士的同時，他也將注意力轉向地球。這裡有個主題夠他研究一生。地理學，地質學，地球物理學，海洋學，氣候學，還有從中分支出的氣象學。水、熱、溫度、自轉的相互關係，熱力學，還有基礎元素衍生出的美妙又混沌的系統使他陶醉。豐富，無法預測，危機四伏。他好愛讀氣象預報，好愛看面前藍色行星之眼上畫著白色與灰色的預測。盧卡斯．柯塔是熱情的地球觀察者。他觀察海洋上旋轉的風暴與颶風。雨水掃過，暗褐色平原變幻化成綠地，花朵使沙漠黯淡，溼地和蘇達班消失在閃亮的洪水中。繞行地球期間，他觀察季節從兩極悄悄溜向低緯度地區，月復一月。他看著雪降下又消失，雨季帶來的豐饒暗影擴散到乾渴的億萬群眾頭上。

有一樣東西他不看，那就是太空船與地球端交會——雙方透過軌道繫鏈交換人員乘坐艙，以及太空船經過計算後投下貨艙。在客艙內，他會感覺到乘客艙與貨艙釋放時的晃動，以及轉乘艙入庫時的晃動，不過他從來不去觀測罩跟其他人一起旁觀。他不允許自己分心，也從來不曾回望月球。

軌道年年初，沃利科娃醫師轉運到地球，前往聖彼得堡。代替她的醫生是葉夫根尼．切斯諾科夫，自信氾濫的三十幾歲老兄，搞不懂盧卡斯為何討厭他。他實在太不知好歹了，進神之若望的任何咖啡館要那種調調都會被人拿刀捅。他的音樂品味更是低劣。節奏無法構成音樂，節奏太單調了。就連功能無法完全啟用的托基尼奧都能寫出新的節奏。盧卡斯已習慣他副靈的死板新性格。一艘船，一個嗓音，一個介面。儘管托基尼奧如今以擬人版聖彼得與保羅號自居，它的猶豫和停頓仍削弱了它的全知角度。光速產生的延遲使他難以與地球圖書館建立即時連線，不過循環太空船自己的系統已能提供充足的情報給盧卡斯，幫助他擴充研究。他讓地球物理學與氣候學知識帶領他進入地緣政治的領域。地球正在經歷氣候變遷，從薩赫爾和美國西部長達數十年的乾旱，到不斷襲擊歐洲西北部的風暴都是血淋淋的例子，洪水接二連三地來；這暗中影響著星球上的所有政治面向。生活在人類無法完全控制的世界是什麼樣的愚行？盧卡斯無法理解。

氦氣為他的家族創造了鉅富，而他明白其力量何在了。乾淨的電力，不會產生輻射，沒有碳排放，可嚴密控制。核融合反應爐稀少又昂貴，每個國家都會凶狠地保衛自家的電廠——提防其他國家、準國家和自由軍隊等非典型勢力，也抵禦因乾旱、歉收、饑饉、內戰而遷徙的軍閥。盧卡斯讀到的資料指出：在過去五十年，地球表面隨時有超過兩百個微型戰爭。他花了很久的時間研究，試圖了解每個國家，以及無數個挑戰它們的敵對團體。月球人拒絕賦予群體與派系力量，才得以存活下來。月球上有個人，有家族。五龍（是四龍才對，他糾正自己，感受揪心的酸楚，懲罰自己的多愁善感）是家族企業，月球開發法人是無能的跨國企業董事會，設計上就是要它永久內部失和。

國家涉及認同、一組組權利義務和地理疆界，這概念在盧卡斯・柯塔看來既獨斷又無效率。向一條河的河岸效忠，將另一岸的人視為痛恨的仇敵——這實在太荒唐了。河流流在兩岸之間，盧卡斯・柯塔已習得這知識。這一切根本都沒有合意的成分。他不明白人民為何會容忍自身的無權力。法律宣稱會平等地保護、壓迫所有人，但大略研究一下泉湧的新聞（盧卡斯已變成地球時事的重度消費者，從宗教戰爭到名人八卦他都看），就能揭穿那老舊的謊言。有錢有勢者碰到法律攻防，可砸錢買來光明前景。跟月球沒什麼差別。盧卡斯不是律師，但他知道月球法有三大原則；細節訂太多，法律就會成為惡法。一切都有協商空間，包括法律本身。在克拉維斯法庭內，一切都可接受審問，包括克拉維斯法庭本身。地球法律保護人民，但有什麼能保護人民不受法律侵害呢？一切都是強加的，任何事都沒有協調空間。政府根據意識形態強迫施行以一概全的政策，不依據證據行事。政策若帶給公民負面影響，政府如何提案補償？謎團包覆著謎團。

盧卡斯接受切斯諾科夫定時檢查時，趁對方透過醫療監測螢幕檢閱資料的期間提出這類問題。你愛莫斯科中央陸軍足球俱樂部，也愛俄羅斯，但你愛哪一個比較多？你繳稅，但法律不允許你對稅金的使用方式置喙，你也不能透過不繳稅的方式影響政府政策。這怎麼會是好合約？教育、法律系統、軍隊、警察都受國家控制；醫療和交通則否。這怎麼會是資本主義社會的堅實樣貌？盧卡斯問起俄國政府與其政策的相關問題時，切斯諾科夫醫師就不發一語，簡直像是擔心隔牆有耳。

不久後，切斯諾科夫醫師回到地球，沃利科娃回來值勤。她看到進辦公室的盧卡斯・柯塔時嚇了一大跳。

「你是野獸，」她說：「一頭熊。」

他已忘記她待在地球的這兩個月內，自己產生了莫大的變化。他的身體寬了十公分，與脖子相連的肩膀肌肉形成小坡，胸口是兩片結實的肌肉，雙腿出現肌肉的弧度與突起，站立時大腿並未完全密合，二頭肌和小腿上的血管有如月球紋溝般立起。就連他的臉也變方、變寬了。他討厭自己的新臉，它令自己顯得像塵工，顯得很蠢。

「憎恨和比爾．艾文斯帶我走到這一步。」盧卡斯說：「我想去第三環走路了。」

「我跟你一起去。」

「不，不用了，葛莉娜。」

「那我會監控你。」

新重力環境，新音樂。他在電梯內命令托基尼奧叫出自由爵士代表性作品的播放清單，樂器在他頭部四周擊打，音符騷動、衝突著，小號與薩克斯風拔尖、刮擦。他的內心退卻了，挑戰當前。歐涅．柯曼召喚出三連音的暴風雨，而盧卡斯巨大而野蠻的身軀感受到重力的掌握、拉扯、測試、折磨。

電梯門開了，盧卡斯跨出門外。疼痛衝擊他兩邊腳踝，膝蓋彷彿被熾熱的白金條貫穿。韌帶位移、扭曲，隨時可能彎折。他咬緊牙根。混沌的音樂是狂熱宗師的手，是噪音。動起來，二、三、四、五步。他要找出行走於地球重力下的節奏，那跟月球上的鬆垮屁股搖擺不同。抬腿，推進，放下重量。他要是在月球上做出這動作，就會飛上天。在聖彼得與保羅號的外環，這動作只讓他免於貼地。十步，二十步。他已經走得比當初第一次貿然進入地球重力環境時還要遠了。如今他回望，發現自己倒地的位置已消失到外環的地平線另一頭。循環太空船目前走的是軌道外圈，最外環擠滿了月光菜鳥、遠端月面的研究者、少數來出公差的商務人士、公司代理人、政客、旅客。幾天內，他們將搬到中間環，接著再移動到內環，也就是月球重力環。旋轉、低重力、新運動方式對內耳的影響將會造成動暈症，撂倒他們當中八成的人。他跨出大步從他們身旁經過，手臂晃動，意志堅定地板著一張臉，而他們向他點頭致意。鐵環束著他腫脹的心臟；血液隨著每一下心跳脈動，染紅他的視野，眼睛彷彿在眼窩中萎縮了。

他辦得到，他正在做了。會成功的。

外環弧形牆面上的電梯門映入眼簾了。他計算著步伐數。小小的喜悅在心中漲起，而喜悅令他疏忽，小心維持的步行節奏瓦解了。他失去平衡，重力攫走了他。他撞上艙面，衝擊力擠出他肺中所有空氣和腦中所有想法，只留下一個念頭：這輩子從來沒跌過這麼重的一跤。疼痛使他癱倒在地。他側躺，動彈不得。重力將他釘在艙面，地球人在他身旁圍成一圈。他還好嗎？發生什麼事了？他拍開那些援手。

「別管我。」

一部醫療機器人沿著走廊奔來，發出拔尖的聲響。他不會承受那種屈辱的。他顫巍巍的雙手撐起軀幹，伸出下方雙腿。要從蹲姿切換成站姿簡直像是不可能的任務。右大腿肌肉發抖著，他不確定膝蓋有沒有辦法撐起他。機器人的紅眼對他提出控訴。

「去你的。」他說，痛徹心扉的疼痛從他口中擰出慘叫。盧卡斯．柯塔站起來了。機器人繞到他後方，像是想引起主人注意的寵物雪貂。他真想踹開它。這次沒辦法，改天吧。他跨出一步，尖銳的疼痛從右腿延伸到右肩。他倒抽一口氣。

那一步很穩，純然的疼痛。

盧卡斯走完最後十幾公尺回到電梯，機器人一路尾隨。

「沒摔斷什麼地方算你走運。」沃利科娃醫師說：「你的一切努力原本有可能在那裡畫下句點。」

「骨頭會痊癒。」

「地球人的骨頭會，月光菜鳥的骨頭會。至於月球出生且有地球型骨質密度的人？我們沒有相關文獻。」

「妳可以拿我的經歷寫一篇論文。」

「我正在寫。」沃利科娃醫師說。

「不過我的骨質密度是地球型的。」

「接近得了骨質疏鬆症的七十歲老人。我接下來又得提高你的鈣質攝取量了。」

盧卡斯已經打造了「地球型」這三個字為基礎的訓練計畫。走路走到腳抓到感覺，臀部習慣那搖擺。然後再走遠一點。接著走三分鐘，跑一分鐘。不斷重複，直到疼痛變得可承受。走兩分鐘，跑兩分鐘。走一分鐘，跑三分鐘。跑。

「你現在對自由爵士有什麼看法？」沃利科娃醫師問。

「它要求你跟上。」盧卡斯說：「它從不妥協。」

「我接近不了，對我來說濃度太高了。」

「妳得設法聽出它的美。」

盧卡斯不喜歡那樂風，但確實很欣賞它。他現在有非做不可的事，而它是最理想的配樂。非做不可的艱難任務，他做得很好、始終擅長之事，他的天賦、才能之所在——算計。

政府永遠是最難搞的，所以要先從他們下手。當然要找中國，因為中國是中國，也因為他們正跟陽家長年交戰。然後是美利堅合眾國，因為他們坐擁財富，對中國抱持歷史性的敵意，也因為腐敗的帝國最急於維護榮譽。迦納，不是要角，但他見識過它的一小群公民在月球上建立了何等榮景，也希望分一杯羹。阿克拉，他們一直想壓過規模更大、實力更強的鄰近城市，拉哥斯。印度，他們錯過月球熱潮，仍在為失敗懊惱。俄國，因為他和VTO達成協議，也因為有天他也許得背叛沃隆佐夫家。對這些國家的政府而言，柯塔氦氣的滅亡只是地方性的紛擾，唯一的重要性是影響了氦-3的售價。他得教他們聽他的。找上某些管道、人名談談，他們又會引介其他人名給他。姓名的連鎖，緩慢地爬上政治階級。困難又有樂趣，因此歐涅．柯曼是這項工作的最佳背景音樂。

探索約翰．柯川遺留下來的錄音時，盧卡斯也設法和地球企業搭上線。機器人工學，成了，但沒什麼賺頭，他也希望企業了解他提案的短程與長程效益。銀行業務與投機活動——這方面他步步為營。儘管他懂金錢和錢的性質，但他從來沒搞懂複雜到近乎瘋狂的金融工具，以及它們在全球市場的錯綜複雜。會面很容易就約成了，跟他談的人對他的大膽謀略表現出真誠的興趣，有的人甚至欣喜萬分。他們都查過他的身家，知道他已垮台。柯塔氦氣的滅亡將會觸動他們的內心。若有男人花一年的時間賭上健康做準備，從天而降去跟他們談生意，他們一定會聽他說話。

聖彼得與保羅號繞行月球的每一天，他都跟強權們對話。找上一個又一個大人物開會，一對一互動。在鋪位上，他挑撥投資客和投機者，離間兩國政府。該相信誰，信到什麼程度，何時停止。該背叛誰，何時行動，如何行動。誰會收受賄賂，黑函該寄給誰。誰的虛榮心可以迎合，誰的神經兮兮可以利用。會議一場又一場敲定了，他至少得在地球上待三個月。

「我更想待四個月。」他又對沃利科娃醫師說。現在他每天都會在第三環跑步。年屆中年，他的體力顛峰期已過，但接受的體能挑戰非常艱難。叫年紀不到他一半的人照辦，他們也會猶豫。這可能會害死他，或使他殘廢到月球醫學也無法醫治的程度。

「那就得再訓練一個月，」沃利科娃醫師說：「兩個月更理想。」

「兩個月太久了。我記得我告訴過妳，我會在十四個月後前往地球。有一段空窗期，一扇小小的窗戶。」

「一個月。」

「一個地球月後，我就會搭太空船下去。最後我還是無法搞懂歐涅．柯曼。」

根據它的規畫，最後一個月他要放鬆地聽非裔古巴爵士，這樂風裡有暖心、令他微笑的聲音與節奏。他可以從那裡伸出手，與巴莎諾瓦十指交扣。他很享受播放清單內那些歌曲的無憂無慮，但很快就覺得那些節奏太制式、太直截了當了。在外環健身房運動時，音樂強迫他配合其節奏，而他痛恨這點。他最後幾天投入自我認同與人身安全的工作，非裔古巴爵士似乎顯得有點太輕浮了。瓦列里．沃隆佐夫將他列為VTO太空的員工，VTO地球精明地行賄，幫他弄來哈薩克的護照。僅存的一點財富轉換成他可快速、輕易取得的形式。地球對金錢的流動疑神疑鬼，每走一步都會有檢查、發問、調查，以防範洗錢。盧卡斯覺得自己受到冒犯，他不是什麼低劣的毒品大亨或粗鄙又不見經傳的暴君。他只想要奪回自己的公司。瑣碎、惱人的文書處理永遠沒完沒了，他們似乎總要他提出更多身分證明和澄清。

「我媽就是搭這艘船上月球的。」接受飛行前最終評量時，盧卡斯對沃利科娃醫師說。

「五十年前。」沃利科娃說：「後來有了很多改變。」

「只是加上了一些東西，改建。你們沒有捨棄任何一部分。」

「盧卡斯，你想做什麼？」

「我想睡在我媽睡過的鋪位。」

「精神病學方面的討論，我連開啟都不想。」

「遷就我吧。」

「它已經不是原本的模樣了。」

「我知道，遷就我吧。」

「某處會有記錄的，沃隆佐夫從來不遺忘過去。」

第三環，藍區，右側三十四號。沃利科娃醫師打開私人客艙，它只比盧卡斯登上循環太空船時搭的乘客艙還要大一些。他擠進裡頭，穿著衣服躺上床墊，因為現在脫掉衣服太費勁了。床墊柔軟有彈性，客艙內的設備一應俱全，而他現在每一分每一秒都想著重力。他花了好幾個月才來到今天這步。在船上，重力若強到難以忍受，他大可逃到中間環，甚至可以溜到內側的月球重力環去。地球上無路可逃，這事實無比駭人。客艙密閉，舒適。盧卡斯生來就習慣小空間、巢穴、斗室，他一輩子都生活在屋頂之下。下方的世界有天空，天空通向太空。曠野恐懼症觸發他的恐懼，所有事物都令他害怕。他還沒做好準備，永遠都無法做好準備。換作別人也一樣。他只能相信自己的才能了，在它引導下，他才走到今天這一步，柯塔氦氣滅亡時才沒丟掉性命。

那就夠了。

陷入艱難的睡眠前，他回想一張張臉。路卡辛侯，好俊俏，好迷惘。艾芮兒，躺在醫療中心的摺疊床上，先前差點遭殺害。卡林侯，背景是路卡辛侯的奔月派對，他的身體壯碩、寬闊如天空，大步跨過草坪走來，衝著他微笑，腋下夾著地表活動衣的頭盔。金童拉法，永遠耀眼，豪氣大笑，子嗣圍在他身邊，歐科伴侶站在他身旁，都在笑。亞德里安娜，盧卡斯只想得起她一段距離外的身影：托兒所入口旁；博阿維斯塔奧里莎石面環繞的，她最愛的涼亭內；董事會會議桌的另一頭。然後他在這老舊的客艙內入睡，接下來四晚也是。他的夢境是沉重、甜蜜的消耗，令人驚叫。睡在陌生的重力環境總會如此。

第五天早上，他下地球去了。

氣閥工作人員看到他的領帶，畏怯了一下。它會飄起來，會使他窒息，會危害其他乘客。盧卡斯將領結綁得又挺又緊，它就像指著他喉嚨的刀尖，二〇一〇年代晚期的流行。單排釦中灰色的湯姆・斯威尼西裝外套，剪裁貼身，三公分翻邊。

「我可不希望抵達地球時像上城區跑出來的邊緣人。」他宣告，並解開背心下半部的釦子。

「你如果吐得全身都是就會很像了。」

氣閥密封了，氣壓彷彿花了一萬年調節才與轉運艙相等。恐懼在盧卡斯的胸廓中跳動。西裝外套是幫助他分心的裝置，幫助他確立自我，對抗恐懼。讓他重新成為盧卡斯・柯塔。他在地月兩界之間生活了十三個月（比他預計的還少了一個月），研究了十三個月的地緣政治學、全球經濟學，跟人談判、精準操作下行賄，辨識出敵對關係加以利用，接受無盡的訓練，全都凝縮到它上頭了：刀尖般的領結。太空船轉乘客艙，乘客艙搭到繫鏈，繫鏈接單段式太空運輸機，單段式太空運輸機前往地球，不到四小時就結束了。但這事實也無法帶來慰藉。

氣閥開啟了。盧卡斯抓住扶手，蹬向乘客艙。

再見了尊嚴、機能衣、二十世紀中期爵士。

轉運艙是直徑二十公尺的圓筒，無窗，完全自動駕駛，共有十排座位。沃利科娃醫師抓住把手，坐到他身旁的位置，扣上安全帶。

「你會需要私人醫生同行的。」

「謝謝妳。」

稍後又來了五名乘客，接著氣閥便密封了。下去的人永遠比上來少。呼籲乘客注意安全的廣播響起，可說是多餘或徒勞的安排。托基尼奧與乘客艙的人工智慧連線，然後向盧卡斯展示艙外攝影機捕捉到的畫面。他瞄了下方那巨大的藍色世界一眼，便關掉畫面。他叫出編排許久的巴莎諾瓦經典曲目歌單，都是他熟悉、喜愛的歌曲，他曾要求荷西在地月兩界最頂級的音響室內為他演奏的音樂。

一系列碰撞聲傳來，船身傾斜，沉默。乘客艙脫離聖彼得與保羅號了，它化為承載生命的小子彈，墜落，劃過藍色世界的表面。他做過功課，知道原理。這是控制範圍內的墜落。他要求托基尼奧叫出轉運繫鏈的模型，那是繞行行星外緣的裝置。圖表帶給他慰藉。

盧卡斯意識漸漸模糊、打起瞌睡時，透過船身傳來的震動喚醒了他。繫鏈和乘客艙結合了。他感覺肚子一癢。繫鏈加速將乘客艙推入與單段式太空運輸機會合的軌道，G力箝住他。盧卡斯逃離月球時曾經利用過繫鏈轉運，月環攫走塔頂乘客艙，將它甩到與循環太空船會合的軌道上，加速度產生的最大G力達到三、四倍月球重力。但此刻他承受的力遠大於月環帶給他的。他感覺到自己的嘴唇被往後剝，裸露出牙齒，眼球壓平於眼窩內，血液聚集到頭骨後方。他無法呼吸。

接著他又進入無重力狀態了。繫鏈鬆開乘客艙，盧卡斯正落向與單段式太空運輸機的會合點。托基尼奧在他眼前叫出運輸機的影像：機翼美得像不存在於世上之物，流線宛如生物。盧卡斯對「只在真空中運作的機器」自有一套設計美學，而這運輸機完全獨立於那系統之外。它打開貨艙口。姿態推力器的脈衝推進乘客艙。盧卡斯看著操控臂從運輸機上張開，拴住停泊環。操控臂將盧卡斯拉入船內，而他感覺到小小的加速，輕柔如家用電梯。觸覺在太空旅行當中是最顯著的知覺：喀啦、砰咚，輕柔的晃動，短暫的顛簸。震動透過扶手傳來。

盧卡斯在腦中召喚出各種數字。一百五十公里，是單段式太空運輸機軌道的高度。三十七分鐘後，脫離軌道引擎就會點火。攝氏一千五百度，運輸機重返地球的過程中，陶瓷船身將達到的溫度。時速三百五十公里，是運輸機著陸時的速度。如果過程出了什麼錯，能力挽狂瀾的機組人員數是零。

乘客艙搖了一下，又一下，接著晃了好長一段時間。脫離軌道引擎點火了。重力箍住盧卡斯的頭，試圖將他拉向天花板。減速力道也很野蠻，船身猛震。盧卡斯．柯塔的手指勾住扶手，但並沒有抓住東西的感覺，真實、堅定不移的事物彷彿不存在於此地。他的心臟想一死了之。他承受不了的，自始至終都不該走這步棋。他是自大的蠢貨。月球人不該前往地球，地球會殺人。出於最深沉恐懼的喊叫在他喉間顫動，無法突破壓頂的重力。

搖晃的力道變強了。躍動和衝刺令盧卡斯進入暫時性的無重力狀態，接著又使他整個人摔向安全帶，力道足以留下瘀青。接著是高頻的振動，整艘船和上頭所有靈魂彷彿都要被磨成粉了。

他發現一隻手，緊抓住它，感覺對方的骨骼在他的抓握中位移。他緊抓著，彷彿那是晃動、咆哮的世界當中唯一穩固的事物。

接著震動停了，他感覺到重力，真正的重力，在他腳下。

我們飛行於大氣層中，托基尼奧說。

「讓我看畫面。」盧卡斯嘶啞地說。座位後移，一扇小窗戶疊映到灰色乘客艙的警告標誌上。他的高度夠高，看得見行星的弧度。它無限延伸，若隱若現又寬闊，像是生命。他頭上的天空變深了，現在是靛藍色。下方是一層又一層的雲朵，融合成一片晦暗的黃色薄霧。他瞄到了一片灰濛的藍色。**那就是海洋**，他心想。它比他想像的還要巨大、浩瀚、冷漠許多。單段式太空運輸機如飛箭般射穿最高的雲層，盧卡斯的呼吸急促了起來。是陸地，棕色線段在雲層內若隱若現。

盧卡斯做過功課，知道自己會橫越祕魯海岸，距離著地點還有兩千三百公里。棕色海岸沙漠再過去，會有深色的群山冒出來，那是縱貫大陸的脊椎，安地斯山脈。積雪反射陽光，盧卡斯．柯塔的內心雀躍了起來。山脈再過去，有那片廣大森林僅存的林地，深綠色塊攙雜於淺綠、金色作物，以及暗黃、暗褐色的死亡土地之間。那些羽狀物是煙，不是揚塵，在他眼裡顯得異常低矮、短小。日光烘烤的土地上，沸騰的雲朵高聳入天。下方是最後一層雲了。盧卡斯屏息，看著運輸船下傾，鑽入它。灰濛，盲目。船晃了一下。空氣中的孔洞。接著運輸船穿出去了，盧卡斯上氣不接下氣。陽光先是銀色的，接著轉金。巨河內漂著黃色淤泥。運輸船沿著河流往東飛，通過一條一條又一條支流形成的網絡。盧卡斯看得出神，試圖從次要水體的繞行、迂迴中辨識出模式。托基尼奧發出了警告。它說什麼？他沒在聽。距離降落還有幾分鐘？

又一條巨河，黑色與金色交會，人煙在匯流處依稀可見。運輸機通過時，數以萬計的反光映入眼簾。盧卡斯意識到，那是一座城市。他的呼吸急促了起來。一座城市，夾在兩條河流之間，上方沒有加蓋，連通宇宙，橫亙在土地上。大到超乎他想像。雲朵並未遮掩地球時，這座行星上的城市也沒有被那些光網洩漏蹤跡，你想不到下方有如此蔓生、駭人的壯麗景觀。

太空船傾斜了。G力擺弄著盧卡斯，他咬緊牙根。單段式太空運輸機開始繞圈，減速準備著陸。他聽得到外頭的空氣，那像是捧著機身的一雙手。他瞄了一眼運輸機預定著陸的跑道，城市（它們以危險的角度傾斜著），河流匯流處。黑河與金河平行流了好幾公里都沒有混合在一起，盧卡斯認為那現象很迷人。他對地球的流體力學不夠了解，不知道這是普遍的現象還是奇觀。水面上那些移動的物體是什麼？

十分鐘後降落，托基尼奧說。

「盧卡斯。」沃利科娃醫師說。

「什麼?」

「你現在可以鬆開我的手了。」

運輸機再度飛到城市與河流上空,這次高度更低了。機身前半拉抬,平行地面。他們繃緊神經。他下方的降落跑道筆直、真切。盧卡斯感覺到機輪伸出,鎖緊。機鼻抬起,後輪扎實地落地。接著前方機輪也著地後,衝擊就變小了。

地球,他在地球上。

盧卡斯伸手想解開安全帶,沃利科娃醫師制止他。

「還沒那麼快。」

單段式太空運輸機轟隆隆地滑行於跑道上,彷彿過了幾兆年,盧卡斯才感覺到它停定。他透過機身聽出一些動靜,感受難以言喻的碰撞與振動。

「感覺如何?」沃利科娃醫師問。

「覺得自己是活生生的。」盧卡斯.柯塔說。

「我已經安排醫療小組和輪椅過來了。」

「我要走下這艘船。」

沃利科娃醫師微笑,接著盧卡斯感覺到機身一傾,不會錯的,這代表機械臂已將乘客艙抬離運輸機。

「我還是要走。」他說。

凸耳鎖緊,鎖旋動,艙門開了。盧卡斯在地球的光線中眨眼,深吸一口地球的空氣——它散發出清潔用品、塑膠、根深柢固的土地、電力的氣味。

「需要幫忙嗎？」沃利科娃醫師在艙口呼喊。其他乘客都已經離開了，態度就像悠哉跨出培利—艾托肯特快車的值班工人那樣一派輕鬆。

「有需要的話，我會告訴妳。」

「盧卡斯，時間不等人。」

四下無人後，盧卡斯的雙掌撐在扶手上，手臂與其垂直。他吸了一口已被呼吸、潔淨過的空氣，身體重量壓上前臂，側身，使勁，然後交棒給大腿肌肉——這是瘋狂的舉動。若在月球上，他會整個人飛起來，撞到上方的儲物空間。在地球上，這麼做讓他站了起來。先是右手，再換左手，盧卡斯·柯塔鬆開扶手，靠自己的力量站著。但只維持了一下子。艙內空間狹小，他得借助雙手才能順利移動到走廊上。重量可怕極了，無法抗拒、永無止境，準備在他失去平衡的瞬間將他砸倒在地。**跌倒會要你的命**，沃利科娃醫師曾說。

而他在走廊上跨出第一步時，差點就跌倒了。這裡的重力跟聖彼得與保羅號因旋轉產生的重力不同，當初他是靠住居環旋轉產生的科氏力學習新的走路方式。旋轉讓一切都出現些許偏差。盧卡斯將身體重量放到腳上，但無法將它調整到所需位置。他踉蹌了幾步，抓住扶手穩住自己。

他走到閘門了，光線刺得他睜不開眼睛。門外是出入管道，管道盡頭有沃利科娃醫師、醫療小隊和輪椅。

他才不想坐輪椅前往他的新世界。他吸了一大口地球的空氣。他可以呼吸，可以恣意呼吸。

「盧卡斯？」沃利科娃醫師呼喚。

盧卡斯·柯塔繼續前進，每次都跨出緩慢、蹣跚的步伐，沿著管道上行。

「枴杖。」盧卡斯．柯塔說：「列印枴杖給我，要銀的尾端。」

「我們還沒有你們那麼精密的列印技術。」穿爛西裝的一名年輕男子正經八百地說，他的口袋上夾著識別證，盧卡斯瞇眼想看出上頭的名字。它毀了西裝外套的型，不過那西裝反正也是便宜爛貨。亞比．奧利維拉─上村，VTO瑪瑙斯。「我們明天前也許能幫你找到一根。」

「明天？」

盧卡斯在一扇窗前停下腳步。水泥鋪的停機坪與跑道上有淺溝，熱氣從中冒出。單段式太空運輸機是一根黑色飛鏢，美麗而致命，簡直是武器而非太空船。眼前土地的遠端（比月球上的任何地平線都還要遠）有一條不規則暗影形成的線段，下方則是液體形成的長條。要不是托基尼奧已成了他眼中的無生命鏡片，它就會為他放大影像。它在他耳中也只是無生命的空氣。樹木（盧卡斯猜它們是）矗立在熱氣中。外頭有多熱？光線好令人難受。還有天空，無線向上延伸，好多天空，高高壓在萬物之上。那藍色。天空好嚇人，叫人暈眩。盧卡斯得花上一大段時間來克服地球的天空，化解它帶來的曠野恐懼。

他挺直身體。

「好，」盧卡斯．柯塔說：「巴西到了。」

從隔離套房的其中一扇窗戶望出去，巴西像是由水塔、碟形天線、太陽能板組成的，是褐色水泥間的狹縫，樹木形成的連字符號，天空在豎井之中。雲朵偶爾會破壞這藍、綠、暗黃交織出的抽象畫。這裡原本是亞馬遜，雨林所在之處。它看起來比風暴洋還乾。

VTO拒絕讓托基尼奧連上網路，因此盧卡斯只能靠老派、少人利用的管道獲取情報。他的聯絡人每天傳訊息給他，他還會跟人通電話、開會，面對面的會議。**我很安全，我很好**，盧卡斯回應，**我很快就會聯絡你們**。

每天做的健身內容還是跟過去一樣沉悶，叫人沮喪。他們只派了一個私人教練給他，菲臘比。對方跟他的對話只有動作、肌肉、報告，他戴的醫療用口罩可能也降低了他閒聊的心力。口罩是沃利科娃堅持要他戴的。十幾種預防接種和噬菌在他的免疫系統內冒泡，不過還是有上百種感染症和流行病威脅得到他。有些訓練在醫療中心的游泳池進行。**水是你的朋友**，菲臘比說，**它可以支撐身體重量，而且可以充分鍛鍊到所有主要肌群**。

氦的氣味壓迫到盧卡斯的睡眠。重力很折磨人，無歇息的一刻，但他熟知這名敵人。其他次要的磨難會跟他打消耗戰。低沉帶痰音的咳嗽會咳出深色、帶有塵土的黏液，飲水與食物的改變造成下痢，一次又一次過敏反應造成過敏性鼻炎和眼睛紅腫發癢。他得緩慢起身，血液才不會迅速竄出腦袋。他的腳在鞋子內腫脹，輪椅，不得不彎腰帶來的苦惱。他聽不懂其他人說的任何一個字。那不是他懂的葡萄牙文，它沒感染西班牙文，沒從其他三十種語言借來字詞與片語，重音很怪。當他試圖說地語時，旁人只會抬起眉毛，搖搖頭。

他餐點裡的肉害他肚子痛得厲害。

醬料裡的糖，飲料，麵包。

麵包，他的胃抗拒那種食物。

他確信他的健身教練、男僕、年輕又迷人的VTO私人助理都在監視他。

「我得工作。」他向沃利科娃醫師抱怨。

「要有耐心。」

隔天早上，男僕要他去沖澡、刮鬍子，幫他換上體面的西裝，助他在輪椅上調整出一個舒適的坐姿。他在門邊一把抓起先前討來的銀把手枴杖。他按捺住自大的性子，答應在必要時刻坐輪椅後，枴杖就成了製造戲劇性的道具。男僕推他穿過一條條無窗戶的走廊，進入登機隧道，進入充滿座位的圓柱形空間。

「這是什麼？」盧卡斯・柯塔問。

「飛機。」男僕說：「你要搭它前往里約。」

雲朵令他目瞪口呆。它們沿著靠海側的世界綿延，成條、成層，又裂成細槓、小點、影線，所有動作都落在他變化感知範圍的邊界。他別開視線，望向陽光，它們跨過一個又一個街區、一條又一條馬路進逼，回頭一看，雲朵的形狀又改變了，變得像是一束束鑲紫邊的丁香花。如血的陽光從天際滲出，紫色加深到瘀青的程度，然後又化為靛青，以及不曾有人目睹、命名的那些藍。除了看雲之外，人還有什麼正經事可幹？

傍晚氣溫會降到可以忍受的程度，旅館工作人員告訴他。他的套房很舒適，設備齊全。托基尼奧與區域網路的連線很順暢，不過盧卡斯深信這網路一定建有十幾套監測系統，將他的每個字和一舉一動都傳給了上百個觀察者，不會錯的。他不斷工作，收穫豐碩，進行了一個又一個電話會議以及面對面的會議，不過他的注意力不時會飄到窗外，落向街道、反轉街道成蜃樓的熱氣、沿著街道衝向幻影的車輛，也落向海洋、島嶼、海灘上的浪花行軍。在月球上的時候，幽閉空間從來不令他害怕，此刻大名鼎鼎的科帕卡巴納皇宮飯店的角落套房卻帶給他鍍金的壓迫。

入夜後高溫降低一些，他就去泡spa池。**多接觸水**，菲臘比曾對他說。盧卡斯脫掉一點也不沉重的衣服，覺得重力彷彿從肩頭滑落了。接著他滑入陽台水池內。他在戶外，在空氣中，在世界裡頭。眼前是壯麗美景。如果他往右移動，就會看到高踞背後山丘上的貧民區。在逐漸黯淡的暮色中，那些窗戶、街道、樓梯間透出的燈火就像是色彩繽紛而雜沓的網子，混沌的狀態與科帕的嚴謹格局形成對比，後者拘謹地塞在塔巴哈拉和大海之間。陋城的建屋者都很有創造力，但某些地段的坡度仍令他們束手無策，於是形成光網上的黑暗破洞。黑暗也可能是該處沒電力了。一百萬人住在那區區幾平方公里內，近在眼前——這距離撫慰了盧卡斯。貧民區每天都會增生出一間房子、一棟公寓、一處擴建，朝他逼近，這令他聯想到神之若望層層疊疊的方樓，梅利迪安深達數公里的寬敞峽谷。

服務生端了一杯馬丁尼給他，他啜飲一口。酒水恭順地提供了馬丁尼該提供的效果。用的是旅館內最稀有的琴酒，但畢竟是大量生產、中規中矩的商品；用的苦艾酒生產批次少，但仍是市場流通品。為大眾市場設計的大眾口味飲品。他一想到地月兩界都沒人在喝他喝的酒，就開心不起來。

越來越深邃的靛青中，陽光就快消失了。盧卡斯的杯子定在他唇邊。光線照在世界東緣，從地平線下緣擴散開來，像是親吻海洋的銀唇。盧卡斯看著月亮從海面升起。所有神話，所有迷信，所有女神，他都信了。真正的神聖在此。一條光帶橫過海洋，連結月球以及月球人。月亮完全升到海面上了，是滿盈途中的一抹月牙：勃脣日。盧卡斯就跟每個月球人一樣，心中都銘刻著月球月份的日期名，不過他直到這一刻才真正理解它的意義。它們是地球人看著月亮圓缺才取的名字。

「你好小。」盧卡斯對著完全脫離地平線阻擋、孤伶伶掛在天空的月亮說。他用拇指就能擋住那個月牙形的世界，擋住每一個他認識的人、心愛的人。路卡辛侯，不見了；月海、山脈、巨大的隕石坑，城市、鐵路都不見了；人類七十年來在上頭留下的十億枚足跡，不見了。

盧卡斯見到了他母親在將近一世紀前見到的月球夫人：葉瑪亞，她個人的奧里莎，投下一條橫跨海洋與空間的銀色道路。亞德里安娜只看過這畫面，只看過月球夫人的這一面，盈缺變化不斷，但不曾別過臉去。他的認知被顛覆了。地球是不斷擠壓他的地獄。月球是希望，渺小而微弱的希望，豎起大拇指就能遮住，但也是他唯一的希望。

一串鑲銀邊的雲朵蓋過月牙，盧卡斯．柯塔四周的天空不斷擴張。月球並不是世界邊緣的小飾球，它遙不可及。飄過月亮上方的雲朵美麗又荒涼。

天色完全黑了，月亮高掛空中。盧卡斯的眼睛適應黑暗後，傾斜月牙的面貌也映入進去。豐饒海與酒海像是指尖，寧靜海是手掌，澄海是手腕的一部分。裝在西裝手套裡的月球學。危海是黑色瞳孔，東南高地多麼明亮。他看得到第谷坑內發出的一道亮光，從天文級的遙遠距離外淡漠地望著那些地方、那些名字。現在他連月球暗處散布的小光點都看得到了，亮光簇擁赤道，是赤道一沿線的殖民地和住居地。近端月面中心的那團光就是梅利迪安，距離地球最近的月球地點。他的視線往南移動：南極的黑暗中有點點亮光，南北極線軌道沿線有零散光源。要是他的鏡片能放大影像，他還能分辨列車車種。那裡，在陽光照射區的邊緣；黑暗中的銳利光線一定是忒的聚光鏡田。坩堝是月球表面最明亮的物體，但在這月相下是看不到的，它正在月球的肩膀附近承受日光直射。

盧卡斯泡在水深及頸的池子裡，在水體的支撐下喝他的劣等馬丁尼。沐浴在月球城市的燈火中。

4 二一〇五年天秤月

如果月球夫人將他棄置在地表上，面臨受傷、空氣不斷減少、電力不足以打求救電話的狀況，他會怎麼做？凝視死神，每呼吸一次，對方就在毫無生機的月壞上跨出一步，逼近。明確至極，真切至極。他會有勇氣打開頭盔，盯著月球夫人的臉，接受黑暗之吻嗎？

五十三年前，他在盤踞凋沼的黑色金字塔內出生。鄧肯．馬肯齊的手指抹過桌面上厚厚一層積塵。這裡有他的皮膚碎屑，還有他童年時期吸入的每一口混雜灰塵的空氣。阿德里安戴著防塵面具，科賓．沃隆佐夫—馬肯齊誇張地打了一個噴嚏。不過鄧肯在哈德利也找不到其他地方開董事會了。這裡是馬肯齊一族的第一個冶煉廠。

鄧肯．馬肯齊的右手按在桌面上，艾斯佩蘭斯透過老舊城市的神經系統，沉默地將命令送到各處。鄧肯感覺到腳下的震動，露出微笑。系統甦醒，自行檢測，完成啟動。燈亮起，一條走廊接著一條走廊。壓力密封裝置關起，空氣灌入真空中。埋在建築物內的裝置與梔燈加熱月球的冰冷。鄧肯．馬肯齊喚醒一個又一個斗室、一個又一個系統，打造出他的首都。家人都安全，公司穩固、扎根後，他就會接受坩堝的命運，讓重擔完全壓到自己身上。在那之前，得讓別人來扛屋梁。所有人都逃離月面探測車前，有人得分出他的空氣。

「布萊斯正要轉移陣地到神之若望去。」由里．馬肯齊說：「寧靜海的營運經理已經收到交出控制碼的命令了。」

「那賤胚無權這麼做。」丹尼．馬肯齊說。

「我弟打算發動政變。」鄧肯說：「他得去搶下氦氣。我們有近端月面唯一的稀土精煉廠。如果我們動作夠快，就可以在他成氣候前先發制人。我們在寧靜海、東豐饒海的土地上有什麼？」

丹尼．馬肯齊條列出工作隊、塵工、各種資源，他的金牙不斷令鄧肯分心。逃離坩堝的途中，他失去了兩顆牙齒。但願投放艙座位被丹尼搶走的可憐蟲是死在他刀下，走得乾脆俐落。

「當中有多少人我們可以信賴？」鄧肯問。

名單長度減半了。

「帶二十名精銳羊夫去把那些精煉機搶下來。讓他們跟布萊斯撇清關係，只要是你認為恰當的方法就用。」

「以其人之道，還治其人之身。」丹尼說。鄧肯還記得那句格言。他同父異母的弟弟哈德利．馬肯齊曾在坩堝刀廳的耀眼光柱中教羅伯森．柯塔持刀作戰。他只出三招就卸除了那孩子的武器，將對方壓制在地，手中直指對手的刀就是對手自己的，刀尖只差毫釐就刺入喉嚨中。那男孩十一歲。月球夫人反覆無常，她垂愛柯塔家，幸運又愛現的柯塔一族；她從來不曾善待馬肯齊家。哈德利．馬肯齊死在卡林侯．柯塔刀下，而卡林侯．柯塔又在神之若望淪陷時死於丹尼的刀下。月球夫人總會要她的心頭好接受試煉。

「還要派幾個小隊到危海。」鄧肯說：「由里，這由你負責，我可不要失去蛇海兩次。」

丹尼已經進電梯了，他將會負責打合約、召集戰鬥小隊與資源，發動猛烈快攻。布萊斯的弱點在於，他從來就了解物質世界。他擅長的是法則、命令、指揮、分析。礦場內的塵工、踩在月壤上的靴子永遠會獲勝。鄧肯將會在他的弱點上插一把刀，扭到血液四濺為止。

「阿德里安。」

「爸。」

月之鷹已飛回他在梅利迪安的巢，不過阿德里安來到了哈德利。降鐵之際，只有血緣關係能維繫下去。

「我需要你把月球開發法人弄過來。」

阿德里安．馬肯齊猶豫了，而鄧肯透過他嘴巴附近的肌肉讀取到十數種交雜在一起的情緒。

「月之鷹對月球開發法人的影響力已不如以往穩固，雙方對某些議題意見分歧。」外交官歐科伴侶的拐彎抹角。

「什麼意思？」鄧肯說，不過前任坩堝管家、現任哈德利管家瓦索斯．帕列奧弗利羅插嘴了。

「馬肯齊先生。」

瓦索斯是完美的家臣，只會為了最重要的消息打斷會議。

「說吧。」

瓦索斯是個矮個子，已開始有禿頭跡象，皮膚蠟黃。他的副靈是藍環形成的馬提亞斯馬，即驅邪之眼。

「來自梅利迪安車站的消息。王強江死了。」

強江是月球上最優秀的製程工程師，鄧肯已在皇家堡壘的追思會上鞏固他的忠誠心。他的死對鄧肯傷害很大。

「怎麼死的？發生什麼事？」

「在月台上，死於刺殺昆蟲。」

搭載速效毒液的生化機甲昆蟲是阿沙默家最具代表性的武器，不過哈德利的小指揮室內沒有人懷疑ＡＫＡ半秒，沒思考他們發動刺殺的可能性。凶手選擇它只是因為它體積小、安靜、精準、殘忍，不需抵押昂貴財產，也就不會造成損傷。非常布萊斯．馬肯齊式的謀殺。

凶狠的快攻，快攻。布萊斯已經把手伸入平緩的功率曲線，將「敵對」提升為「戰爭」。艾斯佩蘭斯撥電話給丹尼的副靈。丹尼正在移動，他搭的列車加速駛離哈德利那半公里高的黑色金字塔，沿著培利—艾托肯極線前進。

「我已經召集整整五小隊了，可靠的羊夫。」

「幹得好，丹尼。我要這件事迅速落幕，挖出那混帳的內臟。」眾人紛紛表達贊同或口齒不清地叫好，控制室一時之間鬧烘烘的。鄧肯舉起一隻手。

「這裡有人否認我是馬肯齊金屬執行長嗎？」鄧肯．馬肯齊問。

由里最先握了握鄧肯伸出的手，接著輪到科賓、瓦索斯，阿德里安是最後一個。

「我忠心耿耿，爸。」不過他不肯正眼看他爸。鄧肯想與他對望，他也迴避了。**你站在我這邊嗎，兒子？你不是布萊斯的人，但你到底跟誰一國？你和我握手，但你保證會幫我的盟友嗎？**布萊斯或許把持了公司，但家人是站在鄧肯這一邊的。

只差最後一塊拼圖就能完成戲劇張力了。鄧肯．馬肯齊喜歡在日常中尋找戲劇性，將簡報變成演出，挖掘會議中的通俗劇感染力。他從頭到腳的一身灰、艾斯佩蘭斯的閃耀灰球造型都是為了呈現計算過的效果。他下達一個無聲的命令，背後幾扇長年緊閉的窗戶便敞開了。哈德利的燒結厚牆是傾斜的，上頭開的細縫鑲嵌了厚厚的玻璃，望出去便是凋沼與數千個靜待其中的黑暗物件形成的壯觀景象。

鏡子甦醒了。

哈德利在五千面鏡子環伺下復活。鄧肯．馬肯齊一聲令下，靜止多年的機器發出刺耳轆軋聲，馬達與促動器刮磨著塵土。震動不停的鏡子轉向，承接陽光。鏡田的光線明亮無比，控制室內的眾人紛紛舉手擋在眼前，後來變色玻璃才啟動，將耀眼、沙質的光線降至人眼可承受的亮度。太陽始終是馬肯齊一族的力量來源。哈德利熔煉鏡陣列曾是地月兩界嫉妒的對象，太陽熔煉技術的顛峰，不過那對羅伯特．馬肯齊而言還不夠。每個月會有十四個鏡子黑暗、熔爐冰冷的夜晚。後來他設想出永遠不會面臨黑夜、鏡子永遠承接正午陽光的精煉廠，打造了坩堝。陽家以恆光閣為傲，吹噓那座尖塔皇宮。不過那只是廉價的自吹自擂，因為它只是受惠於地理位置和月球地理學。馬肯齊一族的無盡正午是他們的工程結晶，他們形塑月球才得到這成果。

鏡子就位，鎖定了。五千道光束照向黑色金字塔頂端的熔爐。地球滿月時，你還是看得到這光，它是灰濛凋沼中突然燃起的星子。鄧肯．馬肯齊閉上雙眼，不過光線還是在他的眼皮烙上紅色。他閉著眼睛，提升其他感受力。那些感受很細微，不過你一旦將它們甦醒之城的嗡嗡聲分離出來後，就不可能錯認了。老舊的身體記憶；哈德利開始生產後，顫動便滲入一切事物中；液體金屬從熔爐注入金字塔中心的耐火管道，產生振動。

他轉身面對董事會。

「馬肯齊金屬重新上工了。」

幸運八號球玻璃小隊在梅利迪安城外五百公里處接到求救訊號。那些玻璃工人已經在東寧靜海高地待了一個月，幫北側的太陽能陣列施工，確認燒結工人的成果，維護、修理、報告、分析。玻璃工程報酬高，內容非常、非常、非常無聊。過去三天，這小隊都在修復酒海區域微隕星雨造成的損害。一千個針孔，一萬條裂縫，一整區的太陽能帶熄滅。修復工程需要投入全副心力進行，細節很多，急不得，沒有提高速度或效率的方法。八號球玻璃小隊等不及要回梅利迪安了，其中最耐不住性子的就是華格納・柯塔，八號球玻璃小隊的老大。地球逐漸滿盈，各種變化籠罩他。他的組員跟狼共事得很順利，沒什麼問題。處於光明人格時，他有無盡的精力，可以同時思考三件不同的事；處於黑暗人格時則有強烈的集中力與注意力，這對地表工作者來說是珍貴的才能。地球盈虧變化期是最難熬的，他會變得焦躁不安、喜怒無常、易受刺激、難以接近。

華格納每次展開執勤之旅前都會發表同樣的演說，有些老鳥已經聽過七次了。**幸運八號球小隊，這就是我們的名字。**新工人聽了會面面相覷，因為月球夫人是善妒的女王，稱某物幸運、僥倖、受喜愛、受祝福就像是在挑起她的怒火。**而我們確實很幸運。**老鳥盤起雙手，站在一旁。他們知道他說得沒錯。**知道我們為何幸運嗎？因為我們很無聊，因為我們勤奮又小心，因為我們有專注力、集中力。因為我們並不幸運，我們聰明。因為人在地表上總懷著上千個疑問，但只有一個問題是要緊的：我今天會死嗎？我的答案是，不會。**

小狼的隊上沒出過人命。

華格納・柯塔此時在酒海南方四十公里外的玻璃上，鏡片上亮起一個旋轉的紅色星號。地表威脅共分五級，這是倒數第二嚴重的第二級地表變異。最高級是白色，代表月球上的死亡。燒結地上發生了很糟的狀況。華格納檢查空氣、水、電池殘量，指揮月面探測車傳送給軍師潔拉・亞斯蘭，同時發送警報接受通知，並向幸運八號球玻璃小隊簡報現況。他光明人格期的副靈光博士傳送了救援合約。

馬肯齊金屬。回憶簇擁而來：家族滅亡時，他一個人瑟縮在希帕提婭車站，沒回家而是投靠狼幫，每道陰影中彷彿都有一把刀。他潛伏在狼群的肉體間，痛恨倖存的自己。

華格納簽署合約，然後傳到恆光宮給上級授權。回憶歸回憶，活命歸活命。他現在替陽家工作。當初他差點就揭開他們挑撥馬肯齊與柯塔兩家的陰謀，因而遭到追殺。是南后的馬格達萊納狼幫救了他一命。柯塔家滅亡後，梅利迪安幫收容他，為他支付四大元素的開銷，直到他發現柯塔氦氣垮台後，陽家就不再對他抱持敵意了。華格納應徵玻璃工作隊，隔天就收到了合約。他已經為太陽企業工作了一年多，他是一匹好狼。

他們在施密特隕石坑西方二十公里處發現第一具屍體。幸運八號球玻璃小隊推起安全桿，踩上月塵。探測車的醫療人工智慧尋找著生命跡象，不過對玻璃工而言，那件太空衣內顯然沒有活物了。細密的織品上畫出了一大道開口，從喉嚨延伸到他的卵蛋。

「邊緣平整。」潔拉．亞斯蘭說。

華格納蹲下來細看切口。月球夫人通曉上千種殺人術，沒有一種讓人死得乾脆。這是刃衛幹的好事。幸運八號球玻璃小隊留下一個標籤，引導查巴林回收隊。碳很珍貴，就算被遺棄在西寧靜海的石灘也該來回收。緊急信號引導探測車經過一連串屍首。到第十具後，玻璃工不再下車了。華格納和潔拉拍照，留下回報標籤，繼續前進。捅，劃，斷手斷腳，斬首。都是死在刃衛刀下。

潔拉蹲下來細看纏在一塊的四具屍體。

「我不認得這太空衣的設計。」

「馬肯齊氦氣。」華格納說，然後起身，查看近處的地平線。「胎痕。」

「三輛探測車，還有更大的車子。」

「氦氣精煉機。」

華格納在施密特隕石坑西坑壁的陰影處發現了一輛探測車，中段破損，機軸折斷，輪胎以瘋狂的角度貼地，天線和碟形天線都彎曲、撞爛了。座位上的每個安全桿都是拉起來的。小隊成員遇襲後試圖逃亡，但沒成功。套著地表活動衣的屍首散布在隕石坑內。幸運八號球玻璃小隊著手調查死者身分。華格納讓光博士與撞毀探測車的人工智慧連線，讀取活動記錄、錄音與資料傳輸記錄。他得在施密特隕石坑的寒冷暗影中拼湊出事情的來龍去脈。

潔拉．亞斯蘭起身揮手。

「這裡有人還活著！」

勉強還剩一口氣。一圈屍體中唯一的倖存者，套著金色地表活動衣。華格納聽過它的傳聞，幸運八號球玻璃小隊的半數隊員也聽過。華格納的醫療人工智慧偵測到一系列創傷，十幾處異常。壓傷，嚴重撞傷，多重器官損傷與擦傷，第七與第八根肋骨間有相當深的穿刺傷。穿刺傷上方的金色地表活動衣已癒合，織物張力會壓住傷口，使之處於閉合狀態。

你認為該怎麼辦？潔拉用私人頻道問華格納。**打電話叫月球飛船？**

這裡距離希帕提婭只有四十分鐘車程，華格納說，**我們可以比任何飛船都快抵達，那裡有設備齊全的醫療設施。**

倖存者那件地表活動衣的電力與氧氣存量都很低。他在這裡等了多久？懷抱了多久的希望？華格納在純黑玻璃上進行無聊的作業時常想，如果月球夫人將他棄置在地表上，面臨受傷、空氣不斷減少、電力不足以打求救電話的狀況，他會怎麼做？凝視死神，每呼吸一次，對方就在毫無生機的月壤上跨出一步，逼近。明確至極，真切至極。他會有勇氣打開頭盔，盯著月球夫人的臉，接受黑暗之吻嗎？

華格納將插頭插上金色地表活動衣。

「我們現在要移動你了。」

男人已失去意識，即將陷入昏迷，不過華格納還是得對他說話。

「可能會有點痛。」

華格納的隊員將倖存者抬起，固定到載物架上，潔拉將空氣與水處理器的線路接到地表活動衣上。

「他的體核溫度太低了。」她正在瀏覽頭盔內的數據，接著將一條管子插到環境包上，貼好。「我打算讓溫水在他的太空衣內循環。我他媽很怕他會在自己的太空衣內溺死，但要是不這麼做，他就會失溫而死。」

「動手吧。維拉德，聯絡希帕提婭，說我們要送傷患過去。」

男人有動靜了，華格納的頭盔喇叭傳來呻吟。他雙手按住對方的胸膛。

「別動。」

耳機傳來突如其來的疼痛喊叫，華格納露出苦瓜臉。

「肏……」澳洲口音。「肏。」他又說了一次，這次沐浴在溫水的深邃幸福中。

「我們要帶你去希帕提婭。」華格納說。

「我的隊員……」

「別說話。」

「他們撲向我們，都計畫好了。該死的布萊斯知道我們會過來，我們直接撞上他的刀山了。」

「我說別說話了。」

「我叫丹尼．馬肯齊。」倖存者說。

「我知道。」華格納說，他聽過金色太空衣男子的傳說。地球光線黯淡，他進入黑暗人格期時，曾試圖想像卡林侯最後見到的畫面：丹尼．馬肯齊的形影。這人握住卡林侯的頭髮，往後拉，露出喉嚨，亮出自己的刀子，讓卡林侯知道自己將死於這件武器之下。想像中的丹尼就跟現在這人一樣無臉，臉掩在面罩後方。**對你來說，我也沒有臉**。「你殺了我哥。」

幸運八號球玻璃小隊原本用公用頻道閒聊，這時所有人都噤了聲，聲音彷彿是被刀削掉的。華格納感覺到所有面罩都轉向他。

「你是誰？」被人捅傷、刺傷、失溫、疲憊、服了工業級止痛藥頭暈目眩，被月球上最有充分理由殺害他的人救了一命，他卻還是跩得不得了。姓馬肯齊的氣度。

「我的名字是華格納．柯塔。」

「讓我看看你。」丹尼．馬肯齊說。

華格納拉起護目鏡，丹尼．馬肯齊透明化他的面罩。

「你用我哥的刀殺了他，逼他跪下，割開他的喉嚨，看著他血流乾，再扒光他的衣服，用電線穿過他的阿基里斯腱，倒掛在西七樓的行人穿越道上。」

丹尼．馬肯齊並未瑟縮，也沒別過頭去。

「那你打算怎麼對我，華格納．柯塔？」

「我們不像你們那麼低級，丹尼．馬肯齊。」華格納無聲地對幸運八號球玻璃小隊下令，要大家繫上安全帶，準備離開。座位安全桿拉下，地表活動衣與探測車的維生系統連結。

「我們欠你一次。」安全桿圈住華格納．柯塔時，丹尼．馬肯齊嘶啞地說。

「我不收你們家任何東西。」華格納．柯塔說，並將操縱權交給潔拉。

「那不重要，華格納．柯塔。」探測車壓過戰場殘骸，顛簸晃動，而丹尼．馬肯齊呻吟著說：「馬肯齊一族會三倍奉還。」

「瑪莉娜！」

沒人回答。

「瑪莉娜！」

還是沒人回答。艾芮兒．柯塔暗罵，伸手握住抓繩，將自己拉出空空如也的保冷箱。

「我們沒有琴酒了！」

艾芮兒抓著天花板上的網子，盪出凹室內的小廚房，經過不體面的吊床，來到律師室。盪三下，落向她所謂的正義席；落下的部分她做過許多次練習。這公寓對於兩女一輪椅而言太狹窄了。一個月前，她總算反列印了輪椅，只讓兩個女人占據這空間。她需要碳配額。事件後，她有九成的時間都是醉醺醺的。

「碧賈浮，讓我看看自己。」

艾芮兒的副靈連上小房間的攝影鏡頭，而她細看自己上工時的臉。漸層色妝凸顯顴骨，橘色眼線，黑色睫毛膏。她瞪大眼睛，碧賈浮拉近鏡頭。新細紋，從哪來的？她發出惱怒的噓聲。碧賈浮可以幫客戶修掉，副靈才是一個人真正的面孔。她噘嘴。倒掛金鐘，唇峰顯著。艾芮兒還算負擔得起的唯一一筆時尚相關的消費，就是化妝品了。她上半身穿著洋紅色的諾瑪．卡瑪麗洋裝，蝙蝠袖、高領。總算還有搞頭。

艾芮兒．柯塔的上半身傳達著專業性，但鏡頭外的下半身邋遢到家，腰部以下難看到極點，總是套著瑪莉娜沒在穿的基本列印款內搭褲盪來盪去。她總是用偷的，從未開口借。開口借就等於是認輸了。她坐在吊床上也可以輕鬆應對手上的案子，跟在正義椅上沒兩樣，但前者也是一種認輸。

「碧賈浮，叫瑪莉娜去弄一些琴酒來。」八十七樓有一台很好的小列表機，她拿起摺好的現金。

妳的傳輸額度只有十比西。

艾芮兒咒罵一聲，因為所有頻寬都得留給客戶。她喝不到早餐琴酒了，琴酒明明是她的屋頂、地面、地球、太陽、宇宙的背景嗡鳴。她拿起長長的鈦金屬電子菸，吸了一口。除了傲慢和口腔的滿足之外，它什麼也沒提供。艾芮兒檢查了一下頭髮，夠蓬，符合潮流。

「來處理第一個案子吧。」

福恩特斯家的尼卡赫婚約。碧賈浮在艾芮兒的鏡片上叫出艾斯頓．福恩特斯的身影，而她迅速瀏覽合約內的二十七項條款，點出它們如何可能反咬客戶一口、剜出他的心臟。她每提出一個法律人的觀點，客戶的嘴巴就張大一些。

「艾斯頓，你傻眼了。」

第二個客戶，想要離婚的翁姓男子。他唯一能獲得監護權的方法，就是請女兒另外提出脫離另一父親監護的請願。女兒莉莉面前最顯著的兩條路是指控他事業不夠成功，或無法提供最理想的家庭環境，不過最容易提出的主張是：留在馬可身邊，接受他單獨監護對她而言很噁心。艾芮兒建議他們挖深一點，使用骯髒招數。他一定會有把柄，每個人都有把柄，如果女孩成功了，她就有權和布萊特簽訂親子合約。這等於是毀滅馬可的名聲，而他可走法律途徑尋求賠償。因此布萊特該自問：他值得為這件事付那些錢嗎？

紅獅多重愛侶合約。如今琴酒的影子已經變得珍稀無比，就跟打落獵戶座方樓空氣中灰塵的雨水一樣少見。不，不，不，不，不，親愛的。艾芮兒總是反對在訂立多重愛侶合約時加入太多限制。

「親愛的，愛侶關係是輕巧、開放、瞬息萬變的，你不能用沉重的尼卡赫壓碎它。把合約寄給我，我會仔細檢查，然後放……」

畫面中斷了。

通訊傳輸額度用盡，碧賈浮說。

「去你的！」艾芮兒．柯塔咒罵，握拳以掌根附近重捶白牆。「我他媽恨死這狀況了，我要怎麼把工作做好？我甚至不能跟客戶交談。瑪莉娜！瑪莉娜！幫我弄些連線額度來，我他媽快晉升無產階級了。」

她聽到大門外有動靜。

「瑪莉娜？」

瑪莉娜一再警告艾芮兒別讓門開著。這樣她不安全，誰都可以走進來。親愛的，誰都可以進來正是重點，法律永遠是開放的。瑪莉娜的回答是：**是誰把妳扛在肩上爬上來的？妳可能永遠無法脫離險境了。**

門廳有動靜。

「瑪莉娜？」

艾芮兒從正義椅上起身，手指勾住小公寓天花板垂掛的網子，盪到主房去。

一道人影轉身了。

她先是感受到拳頭，接著是腳。

她人在聯絡管內。那是眾人遺忘的連通隧道之一，它們穿過天然岩層，連接兩座方樓。老舊，塵土瀰漫，輻射線也很嚇人。她身後是午夜的天蠍座α星方樓，面前是早晨的獵戶座方樓。她身上有一個包包，裡頭裝著客戶列印給她的錢，鈔票老舊又骯髒，還有咖哩麵、中秋節月餅。她正在回家的路上。

聯絡管又長又陰暗。月球不時會拋棄過時的公共設施，小孩、反叛分子、邊緣人都會拿來使用，各有用途。

他們等待著。他們演練過，而且掌握了她的固定行程，知道她身上帶著什麼。她從來不曾注意到他們。這是當然的，如果被她發現，他們早就開扁了。此刻，他們先朝她背後下手。發自黑暗的一拳，擊中一邊腎臟。她大吃一驚，撞上網柵。

接著是一腳。她在鮮紅的疼痛中看穿他們的目的，跌跌撞撞地閃開。那腳踹中肩膀，不是頭。

「海蒂。」她氣喘吁吁地說，但她仍是孤單一人。她已經關掉副靈，將傳輸額度捐給艾芮兒進行法律諮商了。

靴子再度抬起，對準她頭部側邊。她的手朝它撈去，想搶先一步推開它，以免被踩到鈦金屬網柵上。靴子踩住她的手，她尖叫出聲。

「到手了，到手了。」某個聲音喊道，一把刀劃開她的錢包。

「我想殺了她。」

「別管她。」

瑪莉娜氣喘吁吁，淌著血。靴子踩在走道上。她看不出對方是男是女，她無力阻止他們，搆不著他們。他們拿走了她的錢、咖哩麵和月餅。

她搆不著他們。這令失血、挨打、腎臟痛、肋骨斷裂、手指發黑的她陷入更深的恐懼。她在北口住居地的氣閥內曾把馬肯齊金屬的壓工當成玩具甩來甩去。如今兩個聯絡管內的強盜在午夜出擊，她連摸都摸不到對方。

「我想倒杯琴酒給你，但我們沒琴酒了。我想倒杯茶給你，但我平常不泡的。我坐的這張椅子是唯一一張椅子。」艾芮兒・柯塔說。「不好意思。這裡有吊床，不然你可找個地方倚著。」

「我會找個地方倚著。」維迪亞・拉歐說。他調整姿勢，坐到艾芮兒的桌緣上。兩人上次碰面是在月人社的褪色裝潢陳設之間，久別重逢，他胖了許多，現在是顆人球，走路搖擺、笨拙，包裹在層層纖維中。他的眼睛下方有垂肉和眼袋。

「我為妳的窘境感到遺憾。」維迪亞・拉歐說。

「還能呼吸我就很開心了。」艾芮兒說。「你還在為懷塔克里・戈達德工作？」

「擔任顧問。」維迪亞・拉歐說：「我有一整個文件夾裝滿客戶資料。我現在也還是會把手伸進市場沾個幾下，看能激起什麼。妳最近幾個案子我都有在追蹤。我可以理解妳為何專攻婚姻法，因為有無盡的樂子。」

「你口中的樂子是其他人的希望、真心和幸福。」艾芮兒說。琴酒，她真想喝一杯該死的琴酒。她的琴酒跑哪去了？瑪莉娜跑哪去了？艾芮兒扭開膠囊，放進電子菸，以指甲擦過尖端。裡頭的成分發熱了，她吸入一片客製的寧靜之雲。冷靜淹沒她的肺，幾乎像是琴酒。

「妳的名聲依舊響亮。」維迪亞・拉歐說：「我有目前最先進的行為模式辨識軟體，但老實說，我根本不用靠它就能找到妳。就一個隱匿行蹤的人而言，妳展現的才華仍是獨一無二的，戲劇性至極。」

「每個律師都是失意的演員，我還沒見過誰不是。」艾芮兒說：「法院與舞台，都是表演場所。我還是你的歡樂政治小俱樂部的成員時，你似乎說你的軟體將我視為行動者、撼動局勢者。」她拿著電子菸的手比畫著，一團煙占據了她帝國版圖內的三點五個房間。「月球還是沒有被撼動，抱歉讓你的三皇失望了。」

「可是月球確實震動了，」維迪亞．拉歐說：「我們都活在餘波中。」

「你不太可能把坍塌發生的事記在我頭上。」

「但事情還是有模式可循。」維迪亞．拉歐說：「最難辨識的，是範圍大如地景的那種。」

「羅伯特．馬肯齊用上千度液體沖澡時，我並沒有沮喪到哪去。」艾芮兒說，吐出一大口煙。「在百萬噸熔融金屬下方生活很有吸引力，甚至可說是上天保佑。這整件事肯定是很諷刺啊。喔，別那樣看我。」

「妳姪子也在裡頭。」維迪亞．拉歐說。

「嗯，他顯然沒事，不然你就不會用那種方式說話了。模式。你說哪個姪子？」

「羅伯森。」

「羅伯森，天啊。」自從她的法界老友透露那男孩已成為馬肯齊家的監護對象後，她就再也沒想起他了。她也沒想起路卡辛侯、露娜或任何小孩，倖存者。月狼華格納和盧卡斯（不知他是死是活）也不曾出現在她的腦海。除了自己、自己的生命、自己的餘生之外，她什麼也沒想過。艾芮兒吸一大口菸，掩飾失落感和罪惡感的發作。「馬肯齊一族仍握有養育合約嗎？」

「布萊斯・馬肯齊是他的監護人。」

「我應該要幫他脫身的。」艾芮兒的十指輕拍在一塊。「馬肯齊一族的合約太好認了，草率到極點。」

「更重要的是，降鐵後，地球的商品市場陷入混亂。」維迪亞・拉歐說：「氦－3與稀土價格在昨天創下史上新高，今天也還會再飆高。G10與G27急需採取行動，穩定價格與產量。」

「在真空中尖叫沒人聽得到。」艾芮兒說。

「地球和月球的關係不僅僅是被重力綁在一起。」維迪亞・拉歐說。艾芮兒呼出一大片煙霧。

「你為什麼要來這裡，維迪亞？」

「來邀請妳出席某場合。」

「如果是邀我去過中秋節，我寧願拿針刺瞎我的眼睛。如果是跟政治有關，柯塔家不過問那方面的事。」

「我是要妳去雞尾酒會。地點是水晶線，敬坎神日，獵戶座方樓時間下午一點。」

「水晶線。我會需要一套洋裝。」艾芮兒說：「像樣的雞尾酒會禮服，還有飾品。」

「當然了。」

碧賈浮輕聲說：**點數傳輸**。這數字夠她買洋裝、飾品、新輪椅、三輪摩托了。還有琴酒，美妙啊美妙的琴酒。在那之前，要先處理資訊傳輸。碧賈浮重新連上網路，世界帶給她的知覺、資訊的入侵、訊息、聊天室、八卦、新聞同時湧入，官能性強大無比，而她的好奇心像衝進月夜的小孩。

「碧賈浮，幫我連上瑪莉娜。」艾芮兒下令。碧賈浮已經打開對話欄位和設計圖樣集了。「我要她去列表機拿我訂的貨。」

「妳可以請他們送來，妳付得起。」維迪亞·拉歐在門邊說。「不好奇要見妳的人是誰嗎？」

「不重要，反正我會從容以對。」

「是月之鷹。」

瑪莉娜在聯絡管內蹣跚地走了一公里，朝獵戶座方樓移動。她按下維修電梯的呼叫鈕，對著瘀青、發黑的手指大吼，疼痛迸發。她搭電梯從城市頂端下行，途中想起每一個死在她面前的月球死者，他們的死亡來得多麼突然、斷然。訓練區內的鋁柱打凹你的頭，刀緣劃過你的喉嚨，銀矛般的電子菸刺穿你的頭骨。他的死亡不斷在她眼前重演，眼珠從活物變成死物的畫面一再出現。他發現自己生命僅存一丁點的瞬間，她都看見了。那一瞬間也揮之不去。愛德華·巴羅索，他害艾芮兒殘廢。而且，要不是瑪莉娜抓住手中唯一的武器，刺穿他柔軟的下顎再貫穿月球人柔軟的天靈蓋，他就會殺死艾芮兒。

她在聯絡管內原本很可能三、兩下就掛掉，為死者名單新添一個名字。他們傷害了她，他們想殺她。他們應該傷不了她才對。在過去，兩個月球第三代小混混根本連摸都摸不到她。

她以發黑、僵硬的手指使勁扭開大門，同時發出咒罵，重重倒向安全柵網。每口呼吸都像緩慢、深入的刀割。她蹣跚地跨入西十七樓，舉步維艱地穿越人車去握扶手。獵戶座方樓的深淵在她面前敞開，她拖行自己的身體，沿著懸崖邊緣移動，一次移動一根欄杆的距離。診所在北方一公里外的寬廣圓柱體空間內，那是獵戶座方樓五翼交會處。一次移動一根欄杆的距離，前去求援。她花了十分鐘才走一百公尺。

她差點就要輕聲下令海蒂重新啟動了。打電話求援，打給艾芮兒，艾芮兒幫得了忙。上城區的每個人都這麼說。但她不能，她把事情搞砸了。她讓他們搶走了艾芮兒的錢。她連艾芮兒的錢都保護不了，憑什麼尋求對方的庇護？柯塔氦氣在火焰與血光中滅亡的那天起，她便爬上了世界的屋頂。手不斷交替著往上伸，搭上一個又一個梯級。她將艾芮兒．柯塔扛在肩膀上，擊退了許多凶殘又耐性十足的敵人。

瑪莉娜的雙手不斷交替著往前伸，拖著自己的身體沿欄杆移動。

打電話給她，別讓愚蠢和自傲混在一起。

海蒂啟動了，她收到三則訊息。其中兩則要她買琴酒，另外一則告知她們的傳輸額度增加了。瑪莉娜．卡爾札將受傷的那隻手砸在扶手上，痛覺綿密、合理，有淨化內心的效果。

他們揍她並不可怕，可怕的是他們具備那種能耐。

一輛三輪摩托繞到她身旁，車門開啟。

「妳替艾芮兒工作對吧？」裡頭的乘客是一名中年男子，歲月和經年照射的輻射染白了他的頭髮與皮膚。

「上來吧。天啊，妳的狀況糟得像一坨屎。」

瑪莉娜勉強點了一下頭。

他扶她進入診所門。

「我以前在柯塔氦氣工作。」男人說。「我當時是塵工。」接著他用葡萄牙文補了一句：「布萊斯．馬肯齊的合約喝我的尿吧。」

「艾芮兒的信譽當然很好。」馬卡拉格醫生在獵戶座中心區十七樓開設的診所極奢華，設備一應俱全。閃亮的機器人，容光煥發的客戶。接待處的桌子上擺著真花，白色塑膠桌面沾染了瑪莉娜的血痕。馬卡拉格醫生以前是駐博阿維斯塔的醫生，亞德里安娜．柯塔的私人醫生。艾芮兒被愛德華．巴羅索持骨刀斬斷脊柱後，也在神之若望的醫療中心接受過她的治療。博阿維斯塔毀滅時，她也跟柯塔家人一起瑟縮在收容人數超過上限的惡臭避難所內。後來她來到梅利迪安，在接近社會頂層與權力中心的獵戶座中央區開設診所，鎖定高端客群。馬卡拉格醫生心中還惦記著榮耀、忠誠心、家族、職責。「只包紮和掃描是不夠的。」

馬卡拉格醫生不是慈善事業家。

「我願意接受掃描。」瑪莉娜說。

「我會建議妳……」馬卡拉格醫生開口，但被瑪莉娜打斷。

「我要掃描。」

掃描器是便宜貨，馬馬虎虎，不過是兩顆感應器卡在萬用支架上，但足以完成任務了。瑪莉娜站到腳印圖示上，機器人便將雙臂舉到她上方，轉眼間就完成了她全身上下每一公分的掃描圖。她甚至不需要脫衣服。

「還有多久？」

「一個月，也許一個半月。」

瑪莉娜的手不斷交替著往上伸，爬過一個又一個梯級，將艾芮兒．柯塔帶到世界的屋頂，上城區。這裡是邊緣人的去處，也收容窮人、失去合約的人、難民、病患、吸上千口充滿灰塵的空氣後肺逐漸石化的人、被追殺的人。爬上橫梯與樓梯，來到舊生態環境工廠、發電機、燈架、水槽縫隙間的小隔間、小巢室、洞穴。瑪莉娜熟悉這個世界。她來到月球第六週，連走路都走不直就碰上了合約取消，只能上來上城區。賣尿；縮短呼吸量，好讓下頭的空氣買家呼吸更久一些。她從來沒想到自己還會回來，但她知道該怎麼在這裡活命。她也知道艾芮兒不懂這裡的求生之道，而且這份無知會搶在任何馬肯齊刃衛之前殺死她的主人。她發現了那個小隔間、撿來吊床和天花板上掛的網子，收取比西幣的過程中，她也添增了一些令生活更好過的隨身物品。可靠的資料傳輸業者，可靠的列印店（懂流行時尚），化妝品，冰箱以及放在裡頭的琴酒。瑪莉娜為艾芮兒編織新人生的過程中，忘了自己也有人生要過。她把自己的身體拋在腦後，忘了月球正在對她產生的效用：濾掉她骨骼中的鈣質、肌肉中的力量、吸走她月光菜鳥的威能。當初在北口把馬肯齊金屬的塵工當成破布甩，如今幾個瘦巴巴的小混混就把她打趴在地，搶走她的錢，痛扁她。

瑪莉娜將掃描器顯示板拉向她。

「結果不會跟我的說法有出入。」馬卡拉格醫生說。確實沒有，不過上頭的數字會宣告月球日即將來臨、就在不遠處，瑪莉娜得看一看。在月球日當天，她得決定自己是要回地球，還是永遠留在月球。月球日在一個月後，又或許還有一個半月的時間，三十到四十五天。天。

「別告訴艾芮兒。」

「我不會的。」

她必須當面和艾芮兒談，說她的月球日逼近了，說她現在討厭月球，過去也一直很討厭月球，討厭它帶給人憎恨、恐懼、危險，討厭無孔不入、眨眼呼吸都會沾到的塵土的氣味，還有死亡的味道。她極度想念開闊的天空、地平線、肺中免費的空氣、落在臉頰上的免費雨水。她要告訴艾芮兒：她留下來侍奉、保護、照料艾芮兒的唯一一個理由，是她無法拋棄她。

之後什麼也別再說。

「謝謝妳，醫生。」

馬卡拉格醫生以手指按壓她瘀青的肋骨，利用疼痛逼她坐到檢查台車上。

「坐好，不要動。我們來整頓妳的身體。」

這是梅利迪安的中秋夜。水瓶座方樓結滿紅金雙色的岔尾綵帶、祈願幡，燈火形成的小瀑布從各樓層、廊道、橋梁傾瀉而下，所有樓梯和斜面都有閃動的燈光。巨大天燈朝暗去的陽光線飄蕩，玉兔氫氣球在空中蹦跳，閃避孩童手中逃竄出的紅氣球艦隊。飛龍造型的無人機遊動於橋梁與電纜之間。咖啡館與茶館雅座、泰勒斯可娃大道月餅攤販放出的生化燈光穿透葉隙，閃爍著。看，是雞尾酒攤販！聽，十幾首樂曲正和雜耍團、街頭魔術師、吹泡泡者發出的聲響競逐著。月球上的泡泡可飄到極高處；爸媽會對孩子說，不乖的孩子會被困在泡泡裡，飄到上城區去。歷史悠久的謊言。還有臉部彩繪攤，他們**永遠會來**。**我要把你畫成一隻老虎**，臉部彩繪師說著便拿起刷子。而孩子們會問：**什麼是老虎？**

水瓶座方樓的所有人都穿著新列印的禮服現身，街道、樓層、走道都摩肩接踵。孩子們在攤販與攤販間奔跑，無法決定要購買哪一樣神奇的產物，少年與青年成群結隊地逛街，蔑視節慶整體的民粹主義，但所有人都偷偷愛著中秋節。某些人的腳步遍及梅利迪安三座方樓。在中秋節，你可以釣自己哈了一整年但從來沒膽子靠近的人。那裡！看到了嗎？那些女孩和男孩（他們是男孩嗎？是女孩嗎？）在人群中奔跑嬉鬧，身上塗著人體彩繪，一絲不掛。十位月球夫人，黑色半身是活物，白色半身是骨骼。中秋是肌膚之親與鄙俗之語的節日。

中秋原本屬於月球女神嫦娥，但月球夫人（篡位者，冒牌貨，賊人）偷走了它。在「吾輩的愛與死夫人」之夜，她允許其他更低等的聖人、奧里莎、諸神、英雄與她共享榮耀，上百道煙霧和焚香朝她旋繞而去。葉瑪亞與奧貢接受鮮花、蛋糕與琴酒，街道上的吾輩的卡珊夫人神殿點了上百個光明祈願燈，燦亮如畫。今晚將會有無量無數的紙錢被送進碎紙機。

還有月餅！月餅。圓而帶有壓紋，蓋上格言或阿丁克拉，形塑成白兔、野兔、獨角獸、小馬、母牛和火箭。月餅人人會買，但沒人吃它。**太油了、密度太高了、太甜了，我光是看著它牙齒就疼了。**

那頭盔的額頭處有個紋飾，就落在面罩上方：半生半骨之臉。不是女人的臉，不是月球夫人之臉。而是動物之臉，狼之面具。半狼，半狼骨。頭盔綁在西裝袋上，西裝袋則掛在華格納・柯塔的肩膀上。他穿過月餅、音樂、聖人們與性愛，回到家中。他累壞了，但心情十分雀躍，來自四面八方的景象、聲音、氣味、精神吸引著他，彷彿是扯動他肌膚的細小鉤子。

他穿過節慶，動作一如他心中那匹狼，一路走上樓層梯、樓梯，乘電梯上行。他心情輕盈，容光煥發，思路通暢。他強化後的感官捕捉到十數個對話，觸碰到數百段時間。**我好愛這旋律。試試這個，吃個一口**。受驚的親吻。瞪大眼睛，突然吐了出來——吃太多月餅了。**在我跳舞時撫摸我。可以給我一個氣球嗎？你在哪裡？**他的眼角餘光落到一個副靈上，一群數位助理中的一個副靈。接著有五個、十個、一打副靈穿過人群朝他逼近。華格納開始奔跑，他的狼幫來跟他會合了。

梅利迪安幫的領袖阿莫爾撲向華格納，跟他扭打，撥亂他的頭髮，咬他的下唇，儀式性地主張狼幫中的權力位階。

「你喔，你喔，你喔。」

伊將他舉起來，連同地表活動衣、頭盔和其他傢伙一起轉。這時其他狼幫成員也聚在一起親吻、擁抱、熱情地輕咬他了。許多雙手撥弄他的頭髮，捶他肚子鬧著玩。

西寧靜海的冰冷死亡，散布地表活動衣的平原，令他麻木的恐懼——都在濃烈的狼幫親吻中燃燒殆盡了。

阿莫爾上下打量華格納。

「你看起來像死人，小狼。」

「看在老天的分上，請我喝一杯吧。」華格納說。

「還沒完呢，你得去索莫林。」

「什麼索莫林？」

「小狼，弘琳·熊—馬肯齊要送一件特殊貨品給你。這牽扯到馬肯齊家，所以我們都要跟你去。」

在其他狼甦醒前，華格納早早便從沉睡的狼幫中抽身，搖散腦中的夢境。與狼幫成員共有的夢境是沉重、黏著、揮之不去的。從狼幫的睡眠中脫離需要費很大的工夫。衣服，要記得衣服。

他原本讓男孩睡在躺椅上的毯子堆裡，現在那裡空無一人。羅伯森睡過的位置有一股獨特、陌生的氣味，像是蜂蜜加臭氧，汗水以及睡夢中留下的口水。油膩的頭髮和膚斑。磨損過度的衣服與沒洗乾淨的肌膚。足癬和腋下：耳後的細菌。青春期的男孩有濃密的氣味。

「羅伯森？」

你們全都一起睡？狼幫回到梅利迪安時，中秋的氣氛已在壓爛的燈籠、潑濺出的伏特加、踩扁的月餅中消退。**是狼**，眾人竊竊私語，為他們讓出一條路。這些黑面人滴水不漏又堅定地護衛著中央的一名男孩，他穿著淺色西裝外套，袖口捲起。羅伯森疲憊不堪，但他還是固執、全面地探索了幫屋一輪。華格納知道那孩子在做什麼：具現領土，認識狼的世界。

我會幫你在躺椅上鋪點東西，華格納說，**我們並不分床睡。**

所有人都睡在一起是什麼感覺？

我們會一起做夢，華格納說。

他在食物區發現羅伯森的身影。那孩子駝背坐在迎賓吧台前的高腳凳上，四周鋪著床單。華格納發現他切著手中的半副牌，目光銳利——單手靈巧地操作，抬起上半副牌，旋出下半副，上下互換，收攏。一再重複。

「羅伯森，你還好嗎？」

「我睡得不怎麼好。」他還是強迫症似地切著牌，沒移開目光。

「不好意思，我們會試著幫你列印一張床。」華格納說葡萄牙文，希望過往時光的語言能夠為羅伯森帶來喜悅和慰藉。

「我睡躺椅就行了。」羅伯森以地語回答。

「你要不要喝點什麼？果汁？」

羅伯森敲敲他小桌上的玻璃茶杯。

「有什麼需要就跟我說。」

「當然了，我會的。」還是地語。

「這裡很快就會有人晃來晃去了。」

「我不會擋他們的路。」

「你也許會想穿上衣服。」

「他們會穿嗎？」牌分成兩疊，下半旋到上半去。

「呃，總之你有需要的話……」

華格納轉身時，羅伯森抬起頭來。眼角瞥到姪子眼中閃動的光。

「我可以列印一些衣服嗎？」

「當然了。」

「華格納。」

「怎麼了？」

「你們什麼事都一起做嗎？」

「我們喜歡彼此的陪伴。怎麼了？」

「你可不可以帶我出去吃早餐？就我們兩個好嗎？」

對華格納．柯塔而言，在玻璃上工作二十天就跟陪羅伯森．馬肯齊三天一樣累。十三歲男孩怎麼會消耗他那麼多時間和精力？營養攝取方面：吃個沒完。他是完美的質量─能量轉換器。有些東西吃，有些東西不吃；有些部位吃，有些不吃。華格納從來不會二度造訪一家熱食店。

呼吸方面：馬肯齊簽署的領養合約確保男孩的四大元素不致匱乏，因此布萊斯．馬肯齊的處置不脫惡意違約的範疇。狼群在完形狀態全面運轉下，花了一個小時便偷偷將羅伯森的眼幕連線導向第二帳號去，中間通過複雜的空殼公司網路。放鬆呼吸吧，羅伯森。

教育：合約遠遠稱不上簡單。該讓他接受私人教師指導，還是參加研討班？要把他訓練成專才還是通才？

自慰行為：如果他真有這習慣的話，就代表他得在狼屋內找個隱祕的角落進行。華格納很確定自己在他那年紀還不會自慰。接下來還有一個大問題，那孩子到底站在性向光譜上的哪個位置？他喜歡什麼？喜歡什麼性別的人？較偏好什麼樣的人？前提是他真的感受得到他人的性吸引力。

財務：天啊，養男孩真昂貴。十三歲小孩需要的一切都好花錢。

孤立：男孩貼心、嚴肅、風趣，每天都會讓華格納心碎數次，不過跟他相處的時間越長，跟幫派互動的時間就越短。狼跟其他人很不同，他們對群聚的需求是生理性的，他們得一起接受地球光的炙烤，烤到骨子裡。每當華格納和羅伯森在一起時，就會感受到分離帶給他痛苦，他知道幫內夥伴也覺得生活受到擾亂。他們的表情他都看在眼裡，情緒的陰晴變化他都感覺到了。羅伯森也察覺得到。

「我認為阿莫爾不喜歡我。」

他們在第十一號大門吃午餐。羅伯森穿著很短的白色短褲，褶痕整齊，上半身套著衣袖裁切掉的無袖白色T恤，上頭寫著一個大大的「轟！[2]」。白衣浪人。華格納穿牛仔襯衫搭牛仔褲。有些狼幫只根據自身風格穿衣，一貫走哥德風。梅利迪安幫總是走在流行尖端。

第十一號大門是一家人聲鼎沸的泰式冬粉攤，中秋節的結束為它帶來暫時性的寧靜，不過華格納還是把皮繃得很緊，以狼的知覺觀察用餐和喝茶的客人。羅伯森在索莫林下車後帶來種種問題，當中最關鍵的就是他的人身安全。

「你讓伊感覺不太自在。」**你讓我們當中的很多人不自在。**

「我該怎麼辦？」

「你不能怎能辦，因為問題就出在你辦不到。艾喀嗒。」

「我聽過那個字。」他們現在用葡萄牙文交談了。艾喀嗒是取自旁遮普語的詞彙，在月狼文化中產生了自己的語意。

「我沒辦法精準翻譯它。它代表和睦無間，大概就等於基督徒說的共融和穆斯林說的烏瑪，但更為濃烈。合一，單一。不僅如此。你睜開你的眼睛，我就能看見它們所見。我們不需要理解的過程就能理解彼此……我是狼，我不知道如何向非狼說明這些。」

「我喜歡你的說法。『我是狼』。」

「我確實是。我花了很長時間才獲得這身分。我在你這年紀時，就已經明白那些情緒起伏、人格變化、猛烈怒火代表什麼了。我睡不著，暴力，過動，但在其他時候——在黑暗人格期，我又會好幾天不跟人說話。我以為自己生病了，快死了。醫生開藥給我吃，但我的教母知道這是什麼狀況。」

「雙極性情感疾患。」

「那不是疾患。」華格納說完才發現自己接話太快，語氣太衝了。「未必要把它視為疾患。你可以用藥物抑制它，或徹底將它推往另一個方向，讓它不只是一種病。狼群的存在給了它一個社會框架，也發展出接納它、支持它的文化。我們滋養它。」

「狼。」

「我們不是真的狼，地球的盈虧不會造成我們肉體上的變化。呃，變化的是腦內化學物質，我們會服用藥物去改變它。**狼人**這個敘事框架有豐富的意涵，滿足我們的情感，也適合去表達我們心理狀態的變化循環。反向、逆轉的狼人，我們不是對著月球，而是面向地球光嚎叫。雙極性情感與光敏性的正相關有例可循，因此光線也許是一大關鍵。聽著，我也許講話講得超快而且斷得不太自然？」

「對。」

2 Wham！喬治・麥可與安德魯・瑞吉里組成的英國雙人組合。

「那就是光明人格。我服了許多藥，羅伯森。我們全都吃很多藥。弗拉維亞教母了解我的狀況，當時她還在博阿維斯塔，就協助我和狼幫取得聯絡。他們提供我幫助，讓我知道自己有何能耐。他們從來不對我施加壓力，一切決定我都得自己做。狼的生命很豐富，也很艱難，每隔十五天就會變一個人。」

羅伯森坐挺，露出嚇壞的表情。筷子夾起的麵條和蝦子滑落了。「每十五天。我從來就不知道……」

「這會產生一些不好的影響。你在博阿維斯塔只見過其中一個我，黑暗人格的我。而你以為那一面就是華格納．柯塔的全部。事實上沒有華格納．柯塔這個人，只有狼和他的影子。」

「我在博阿維斯塔不常見到你。」羅伯森說。

「這背後有其他原因。」華格納說，羅伯森明白這是他改天才能追問的事。

男孩問：「華格納，當你不再是狼，進入黑暗人格時，我會怎樣？」

「狼幫會解散，我們會去過黑暗期的人生，回到黑暗期的愛人身邊。不過狼幫的關係永遠不會終結，我們會照料彼此。我是狼，但我也是柯塔家的一員。我會在你身邊。」

羅伯森用筷子戳弄碗中食物。

「華格納，你認為我可以去見南后的朋友嗎？」

「還不行。」

「好。」他又露出了浪人的眼神。「華格納，我應該要告訴你，我曾經試著要找我的跑酷玩家隊。」

「我知道。羅伯森……」

「我知道用網路要小心。我找不到他們，我好為他們擔心。羅伯特．馬肯齊說他不會傷害他們……」

「可是羅伯特．馬肯齊已經死了。」

「對，羅伯特．馬肯齊死了。」羅伯森環顧四周。「我喜歡這裡，我想定期來。」找一家固定去的熱食店是成人的儀式。「可以嗎？」

「可以。」

「華格納，我占用了你很多時間，害你跟他們分開。這會造成問題嗎？」

「會讓我們關係緊張。」

「華格納，你覺得我有沒有辦法學會艾喀嗒？」

三輪摩托讓兩名女子在水晶線的門口下車。瑪莉娜拍了按鈕一下，輪椅便展開了。艾芮兒旋轉身體坐上去。工作人員紛紛轉身瞪著她們，不確定該如何是好，不知道要怎麼迎賓。他們都很年輕，從未見過輪椅。

「我可以推妳。」瑪莉娜說。

「我自己推。」艾芮兒說。

酒吧內，艾芮兒滑過晶亮的燒結地面，雅座和桌旁坐的客人紛紛回頭。**她回來了，看看她，我還以為她死了**。瑪莉娜端出沉穩、莊嚴的態度走在她兩步之前開道，不過艾芮兒看得出她在忍痛，腳有點跛，眉頭深鎖。馬卡拉格醫生用綁帶、貼布、黏合物和麻醉劑處理較嚴重的傷口，艾芮兒則用衣服和化妝幫她遮掩小傷。

「還好他們沒對妳的臉下手，謝天謝地。」艾芮兒說。當她幫瑪莉娜腫脹的手指套上蕾絲手套時，瑪莉娜痛到臉都歪了。「妳得剪掉一些指甲，我會再列印新的給妳。」

「我讓它們自己長。」

「我們都一起生活多久了，妳還那麼地球人？」艾芮兒感覺到她握住的手有反應，但那不是身體疼痛造成的。「好啦。」最後再讓眼線混色，後梳頭髮呈現蓬鬆感。準備好參加雞尾酒宴會了。

月之鷹在私人包廂後方的隱祕包廂等待，桌子擺在滴水的石筍與鐘乳石之間，整個空間就像個水園，涓流嘩啦啦響著。艾芮兒發現這地方挺簡陋的，水聞起來新鮮又純淨。她深呼吸。

「親愛的，如果你把思慮周全視為最高原則，就不該讓我浩浩蕩蕩地從水晶線的頭走到尾。」

月之鷹發出宏亮的笑聲。一旁的服務生已準備為他們送上飲料：端給月之鷹的是水，給她的是杯子結滿水珠的馬丁尼。

「艾芮兒，」他屈身握住她兩隻手。「妳看起來棒呆了。」

「強納森，我看起來像坨屎。不過我上半身的力氣很驚人。」艾芮兒把手肘撐在桌上，前臂打直，經典的邀戰手法——來比腕力吧。「我贏得了你，八成也贏得了酒吧裡的所有人，除了她。」她的蓬鬆頭髮甩向瑪莉娜。「阿德里安今天沒跟你在一起？」

「我沒讓他知道我來這一趟。」

「搞陰謀嗎，強納森？還真棒啊。但不會有任何好處的。我在這兒的消息可能已經傳到遠端月面了，而阿德里安始終是馬肯齊一族當中的勤勞鬼。」

「他現在有更緊迫、需要擔心的事情。」月之鷹說。

「他站在哪一邊？他爸還是他叔叔那邊？」

「他自己一國，一如往常。」

「合理至極。那月之鷹在馬肯齊家族內戰中挺哪一方呢？」

「月之鷹挺免費合約、經濟成長、負責的公民、不受阻斷的租金收入。」強納森．阿猶德說，同時觸碰了一下自己的右眼，意思是說接下來的事要關掉副靈再談。像素在他們的鏡頭內旋轉、冒泡，歸零。月之鷹向瑪莉娜點點頭，赤裸至極的行禮。

瑪莉娜關門，掩上燈光柔和、鐘乳石滴著水的房間。艾芮兒說：「你知道我最享受我工作的哪一個部分嗎？八卦。我聽說月球開發法人的董事看你不太爽，強納森。」

「月球開發法人董事會要我走人，」月之鷹說：「我很走運，因為每個董事都不信任其他董事提名的候選人，他們還無法對我提出不信任案。地球開始展示他們的力量，在柯塔氦氣垮台後就一直動作頻頻。」

「垮台。」艾芮兒說：「強納森，你談論的是我的家族。」

「妳曾經對我說，柯塔氦氣維繫了地球的燈火，說地球害怕能源短缺、黑暗於城市降臨。當地電價已經漲了三倍。艾芮兒，坩堝出事時我就在上頭，我看著它燃燒。鄧肯和布萊斯正在鬩牆，他們不惜遠從地球招募傭兵上來。刃衛大搖大擺地在梅利迪安的大馬路上開打。日用品價格飆漲，工業活動逐漸停擺。年老的地球舉頭望明月，看到一個分崩離析的世界，看到一隻無法履行合約的老鷹。」

艾芮兒啜飲一口馬丁尼。月之鷹太了解她了，幫她調出了心目中完美的比例：冰冷，內斂，棒呆了。

「強納森，如果月球開發法人真的想擺脫你，早就收買你的保鑣，叫他們趁你入睡時宰掉你了。」

「妳受惠於我的保護，同樣地，我也受惠於龍的保護。他們都不樂見月球開發法人的傀儡接替我上任。陽家擔心人民共和國又會試圖掌權；莫斯科什麼也不承認，但沃隆佐夫一族經常揪出他們的密探，送出氣閥外；阿沙默家對我沒好感，但對莫斯科和北京更無好感；馬肯齊家全心投入他們自家的小內戰中，不過只要是能允諾馬肯齊金屬最大營運、買賣自由的人，一定會獲得內戰贏家的力挺。」

「柯塔家呢？」

「沒權，沒錢。沒有面子要顧，沒有家人需要保護。一無所有，一無所懼。這正是我雇妳當法律顧問的原因。」

她吃了一驚，十三草琴酒的彎液面也隨之細微顫動，月之鷹注意到了嗎？

「我專門處理婚姻合約，我接納人類的熱情、欲念、愚蠢，然後盡可能多給他們幾種逃亡管道。」

「艾芮兒，妳可以全討回來。妳可以把妳失去的、他們奪走的全要回來。」他朝輪椅撇了一下頭。「討不回全部，強納森。有些東西不在你的禮物之列。」不過艾芮兒還是放下酒杯，以免抖動的琴酒洩漏她的心聲。她從來就不信母親自己那套烏班達信仰，也從來都沒有任何信仰。十三歲那年，亞德里安娜帶她到博阿維斯塔的新宮殿。她跨出有軌機動車站，眼前的寬敞、光線、景象幾乎令她無法招架。是石頭、腐植土、綠地、活水的氣味。她的手舉到眼前遮住天光，斜望前方十來公尺的物體，試圖看清它們。神之若望密閉又擁擠，這裡則無限寬闊。奧里莎的面孔進入她視野了，每一尊都高達一百公尺，利用博阿維斯塔原有的材料形塑而成。她知道自己永遠信仰不了它們。人永遠不該贊同神的觀點。它們看起來愚蠢又冷酷，死氣沉沉，不值得信仰。真尷尬：這些東西真的想要她的信任嗎？

不過阿瑪莉亞教母總是告訴她，聖人是不可思議的存在，艾芮兒也從奧里莎那裡接收了價值系統，一輩子受其限制。世上沒有天堂，沒有地獄；人沒有原罪，沒有罪惡；最終審判和懲罰都不存在。他們一旦給你一個機會，那就是他們賦予的全部了。這是聖人給的恩典。她配穿馬克．雅各布斯的洋裝和莫德．菲宗的鞋子，理該住在水瓶座中央區低樓層公寓，跑趴必經之地，讓一群愛慕者追著跑。她應該要成名，接受上流社會款待。應該要取回步行能力。她的身分與這些生活匹配。「強納森，你要怎麼做？」

「我要妳當我最後一個王牌律師，要妳在其他人都捨棄我時當我的辯護人。我需要一個無既得利益可享用、不效忠特定家族、沒有政治野心的人來擔任這個角色。」

她感覺到奧里莎就在周遭，斗蓬般罩著她。無實體卻擁擠，迫不及待想看她收不收這份禮。還沒那麼快，聖人們。好律師的特色，或者說「這一名」好律師的特色就是無人不審問，聖人也不例外。精明的行動、廉價的伎倆就是月球法的根基。惡棍調調。

「絕望辯護律師。」艾芮兒說。

「我還有其他律師，但這也在我敵人的意料之中。我不信任他們。」

「他們是你的簽約律師。」

「月球夫人從不訂毀不了的約。」

「強納森，我不會遮遮掩掩，不會在小房間內講悄悄話。全月球都會知道艾芮兒．柯塔在當你的顧問。」

「一言為定。」

艾芮兒喝下最後一口雞尾酒。愛我，空杯裡的螺旋狀檸檬皮說，再愛我一次，吃我。她的手指觸碰杯腳，準備將杯子轉四分之一圈，公認的續杯暗號。桌子會感應到她的動作，請服務生送上純粹、杯身結著水珠、有淨化作用的飲料。只差一步，最後還是鬆手了。

「維迪亞．拉歐扮演什麼角色？」

「面對宣稱能預測未來的人，你最好跟他站在同一邊，而不是與之為敵。」

「作為能預測未來的人，他站在哪一邊根本不重要。」

「我們的關係已經改變了。我們原本是顧問方與諮詢方，如今成了同盟。」

「維迪亞曾說，他的機器將我認定為月球事務的推動者和撼動局勢者。那些機器怎麼看你呢，強納森？」

「鷹將翱翔。」

「你愛死預言了對吧。我願意接，但有個條件。我不會躲躲藏藏，每場會議我都會出席。你要確保碧賈浮收到每一份報告，我要見所有人。」

「謝謝妳，艾芮兒。」

「那是我的條件，接下來是附加條款。瑪莉娜是我的保鑣。我要治裝預算、要中央區的漂亮公寓，至少一百平方公尺大，樓層不得高於十五。我要裝回我的義肢，而且要快。不過首先呢……」

她甩開電子菸，鎖定環節，然後轉動馬丁尼杯腳。

狼群在跳舞，不過羅伯森．柯塔沒在跳。舞步對他來說很簡單（大部分的狼動作都很蹩腳、很不會跳舞），他的律動可以勝過任何人。還有音樂，狼能同時跟上兩種節拍。羅伯森聽了不至於太痛苦，但他就是不願隨之舞動。華格納向他點點頭，阿莫爾伸手邀請他共舞，但他搖搖頭，從音樂節奏與層疊的身體中抽離，來到陽台。今天早上，領袖阿莫爾試圖咬羅伯森一口。結果他閃開，接下來一整天也都躲著伊。不過他現在想，也許那是對方的恭維。關於狼，他還有好多要學習的地方。

這家俱樂部位於東克里卡列夫八十七樓，大道盡頭。遠離中央區，跟時尚搆不著邊；樓層夠高，不會受打擾。羅伯森不想去，但幫派的決定難以拒絕。狼群喜歡在地球滿盈時聚會。這天梅利迪安幫要和忒幫聯誼，成員來去、交雜，會有非常多人做愛。

羅伯森倚著欄杆。克里卡列夫大道是一條光之峽谷，天蠍座α星中央區是遙遠、燦亮的銀河。纜車形成一串串搖曳的燈籠，自行車騎士衝下七十五樓，像是一條條擲向各樓層與樓梯間的光河，速度極快、極刺激。羅伯森屏住呼吸。他做過類似的事，當時成了大家口中的「墜向地面的男孩」。

羅伯森將雞尾酒杯舉到空中。杯中裝的不只是酒。熊非常嚴格地限制羅伯森使用精神藥物，華格納根本不知道對小孩而言的恰當是什麼。熊的界線畫得很清楚，總是一再強化它們，但也不斷跟羅伯森協調。華格納從不畫界線，在狼形態下從不考慮那些。羅伯森很想念熊，經常想起他在蘭茨貝格車站氣閥外說出的最後一個謊言。華格納至今還是不讓他聯絡熊，或達瑞斯，或跑酷玩家。

羅伯森放下杯子，一滴都沒沾。若是在其他夜晚、其他派對上，他也許會牛飲它，愛上那陶然的感受，不過他現在必須保持頭腦清醒、手腳矯健，才能做他打算做的事。他的手伸進腿套，取出油漆桿。羅伯森懷疑他的一九八〇年代運動褲原本不是為男孩子設計的，男孩子穿的會有更多口袋和裝東西的空間。不過他穿起來很好看，也很舒服。他在嘴唇下方畫了一條白色粗線，左一撇，右一畫，他兩邊顴骨上就多了兩條線。

沒人看到羅伯森．柯塔跳上欄杆（左方是兩公里深的發光空間），輕盈、堅定地跑到陽台盡頭。狼群繼續舞動，兩組節奏不斷重疊又背離彼此。

這地方難度很低，感覺就像爬格子。輕鬆踢踏幾步就能到達上方陽台。羅伯森跨出一大步，踩上近距離的牆面一蹬，整個人往上往後彈。滑翔，轉身，抓住高處陽台的欄杆，利用衝力使出手臂跳，以雙臂夾在雙手間的姿勢翻過欄杆。奔跑，彈跳，翻筋斗，除了他自己之外沒人看得到這些動作，也不需要看到。他置身在支撐上一樓層的桁架間，從一根大梁跑到另一根大梁上，最後找到一個可以俯瞰整間俱樂部的地方，梁與柱交會形成的叉架。羅伯森蹲下，雙手抱膝。

他以前也有一個幫派，替他受洗，教會他各種動作的形式與名稱。聶桑聶不斷訓練他，直到那些動作變得跟他的呼吸和心跳一樣自然；拉什米向他展示他身體蘊藏的可能性；利分打開他的感官，讓他用眼睛之外的感官去看，用皮膚之外的感官去感受；查齊讓他成為跑酷玩家。這就是他的幫派，他的艾喀嗒。

阿莫爾現在來到下方陽台了。伊走向欄杆和外頭的那片景致，抬頭仰望，彷彿聞到了他似的——羅伯森知道自己只見證了一小部分狼進入群體意識後的能力。兩人對上眼，伊向攀住世界肋骨的羅伯森點點頭。他也簡單回禮。

如今華格納也出來了。羅伯森從高高的棲身處看著，沒被對方發現。兩人手中的雞尾酒杯畫出緩慢的藍色弧度，兩人的手指撕開彼此的衣服。阿莫爾扯開華格納的瓜亞貝拉襯衫，裂口一路開到肚臍，以牙齒齧咬他的乳頭。羅伯森看到血，也看到華格納臉上那令他陌生的喜色。伊在他身上種下的帶血咬痕遍及緊緻的腹部。華格納的牙齒狠咬伊的一邊耳垂，伊又痛又歡喜地呢喃。

羅伯森看著。血液，熱情，隱身高處的祕密行徑都帶給他刺激，但他的觀看是為了理解。十幾處咬傷淌著血，血液流過華格納黝黑的肌膚。羅伯森明白了，當狼跟理解無關，無從學習。狼天生就是狼。羅伯森可以一直待在幫內，讓他們收容、保護、愛護，但他永遠無法成為一員。他永遠當不了狼。他現在是、將來也會是徹頭徹尾的孤單一人。

羅伯森的桌子在第十一號大門的深處，緊抵著玻璃材質的氣封。薄荷茶他一口都沒喝，手轉動著杯子，往右四分之一圈，轉回來，往左四分之一圈，轉回來。

「你不該一個人來的。」華格納說，一屁股坐到椅子上。

「你說選一家常去的熱食店是社會化的重要階段。」羅伯森說：「我喜歡這裡，而且我也不是一個人，現在不是了。」

「你得考慮自身安危。」

「我知道出口在哪裡，而且我面向店外。你才是背對街道的人。」

「你從幫內脫身讓我不太開心。」

「那不是我的幫。」男孩伸手到小桌子另一頭，以拇指指甲邊緣戳了一下華格納脖子上的咬傷：「會痛嗎？」

「會，有點痛。」華格納並沒有瑟縮，也沒把羅伯森的手挪開。

「伊咬你時會痛嗎？」

「會。」

「為什麼要讓伊咬？」

「因為我喜歡。」幾許憎恨閃過羅伯森臉上，非狼不可能注意到，但華格納讀到了。這男孩很擅長隱藏情感。他在坩堝成長，住在南后成天害怕被召回去，自制對他而言是必要技能。

「你愛伊嗎？」

「不。」

他下顎的線條再度繃緊，嘴角僵硬，眼神閃爍。

「羅伯森，我得走了。」

「我知道，這個月的時間來了，你要進入黑暗人格了。」

「對，但那不是我要離開的原因。我得工作。我最想要的就是待在這兒，但我必須去工作。我要帶幾個工作人員到玻璃上去，外出個七天，或十天。」

羅伯森靠回冰涼的玻璃牆，華格納沒看著他。

「阿莫爾會照顧你。」華格納說：「總有人得留下來照料幫屋。不過他的性格會改變，就像我這樣。」華格納從羅伯森棕色肌膚的微小肌肉動作讀取到不信任、憂慮、恐懼。「我知道你不喜歡阿莫爾，但你可以信任他。」

「但那不會是同一個阿莫爾，伊會離開，你們都會離開，都會變一個人。大家都會走。」

「只有七天，羅伯森，也許會到十天。我會回來，我每次都會。我保證。」

訊息傳來了：**代表團將會搭列車於十四時二十五分抵達神之若望車站，自南后出發，私人機動車直達**。

通知很短，期待很大。除了布萊斯．馬肯齊之外，沒人可以去視察馬肯齊氦氣的新總部，神之若望得向他獻上敬意。機器人大軍清理街巷、大道，抹除牆面和公寓正面的反馬肯齊塗鴉。工作人員列印出掛旗和三角旗，掛在屋梁和行人穿越道上。馬肯齊氦氣紋章的連體字母在空氣機送出的微風中擺動。臨時圍籬、海報遮蓋住神之若望戰役十八個月後仍屹立不搖的廢棄建築，掩飾疤痕、坑洞、煙硝痕跡。刃衛和低薪的執法人員在大道上巡邏，穿著打扮一絲不苟，配戴的武器更是無懈可擊。

列車準時抵達，分秒不差。布萊斯．馬肯齊、隨行人員和保鑣跨出淨空的車站，踩上康達科娃大道。賈米．赫南德茲—馬肯齊和手下刃衛迎接他們尊爵不凡的執行長。布萊斯打發掉原本預定送他到神之若望總部的三輪摩托車隊。

「我用走的。」

「當然了，馬肯齊先生。」賈米．赫南德茲—馬肯齊低下頭，命令自己的保鑣加入布萊斯護衛隊的行列。

「給我數字，賈米。向我保證你營運這地方的手法精明又符合馬肯齊路線。」

賈米．赫南德茲—馬肯齊滔滔不絕地念出精煉機配置、估計氦氣存量、精煉過程與產出的相關數字，儲存與輸送的行程表，各批次貨運預計進入及脫離軌道前往地球的時間。利用副靈可以更快速、順暢地傳輸資訊，布萊斯也可待在他高高在上的皇家堡壘辦公室內讀資料即可，不用千里迢迢跑到神之若望來。這是征服者在向臣服者展示他的權限與力量。**我行走在你們之中，你們動不了我一根寒毛。**

「你起初碰到的人事問題解決了嗎？」布萊斯問，他脂肪環伺的瞇瞇眼不斷左右飄移，任何細節都不會錯過。

「解決了，馬肯齊先生。」賈米說：「而且沒見血。」

「很高興聽到你這麼說，沒浪費優秀人力資源。你把這地方管理得有聲有色，比柯塔時代乾淨多了。」

賈米知道布萊斯從未來過神之若望。

「馬肯齊先生，我們得更換地表上的許多設施，才能讓這地方符合當代標準。」他大膽提議：「身為生產部長，我會希望將精煉機移回危海時不會有後顧之憂，我的羊夫不會面臨任何威脅。」

「你的羊夫可以安全上工了。」企業安全部長鄧波．阿米契說：「我已經擺平蛇海、危海、東寧靜海了，而且也沒見血。」他微笑。「沒濺太多血。」

「也拿下了丹尼．馬肯齊的人頭。」阿馮索．佩瑞茲特喬說：「奇襲呢。」

「沒那回事。」羅文．佐法伊格—馬肯齊說，臉上喜色顯著：「太陽企業的某支玻璃工小隊在他氧氣存量剩十分鐘時，將他救出施密特隕石坑。」

「我姪子始終是一隻生命力頑強的茅坑老鼠。」布萊斯說：「不過只要我兄弟能重新開始熔煉金屬，我就滿足了。目前別無所求。」

布萊斯突然停下腳步，隨行人員在心跳一拍的時間內就反應過來，跟著止步。

「賈米，這座城市真的受你控制嗎？」

一根繩索從西七樓人行道中央垂下來，下方這段染成了紅色。

「我會叫人拿下來。」刃衛已經展開行動了。

「動手。」

布萊斯．馬肯齊繼續大搖大擺地前進，他的保鑣巡視著各拱廊與路旁巷道。這小巧、猩紅的物件令所有人想起馬肯齊一族對神之若望採取過什麼行動，掛上它的人快手快腳、鬼鬼祟祟。他不可能跑多遠，犯案過程也一定被某人的副靈拍下來了。布萊斯也許會想親自審問這名罪犯。

馬肯齊氦氣的神之若望辦公室散發出新列印家具與地板的氣味，矮小的人類工作人員看起來能幹，但還沒有徹底掌握全局。辦公室內有鮮花，布萊斯嗅聞了一下，讚許這潤飾。沒花香。阿沙默一族培育的花朵美在視覺造型，而不是氣味。

布萊斯將巨大的身軀安放到為他訂作的辦公桌後方。他搭有軌機動車離開神之若望車站後，這張桌子就會遭到反列印。他對此深信不疑。他仔細檢視桌子、牆面、桌子前方那幾張舒適又有型的椅子。他的工作人員片刻後才發現哪裡不對勁。一名資歷尚淺的菜鳥快步溜進廚房區，接著裡頭傳出列印機的哀嚎，水隆隆煮沸，準備泡指定的茶。

「我很不爽。」布萊斯．馬肯齊宣告，不悅地噘著嘴。他改變姿勢，椅子隨之嘎吱作響。腳踢來踢去，透露無意識的惱怒。所有人都注意到他細小的腳了，這對優雅的下肢是馬肯齊家傳奇。「我是說那男孩的事。對我來說是公然侮辱，指控我無法保護、保障小孩的安全。」

「他目前受梅利迪安幫保護。」鄧波．阿米契說。

「梅利迪安幫！」布萊斯怒吼。所有人的背都僵住了，廚房傳來摔破玻璃的聲響。「死小孩玩這什麼爛遊戲。鄧波，把我的所有物帶回來。」

「我會安排的，馬肯齊先生。」鄧波．阿米契說。

「動作要快，艾芮兒回來了，要是拖太久，她就會開氦氣精煉機剷平我的領養合約。」

羅文．佐法伊格—馬肯齊和阿馮索．佩瑞茲特喬互望了幾眼。這是新消息，他們不歡迎的消息。企業情資網出了問題。

「馬肯齊先生，我可以雇殺手……」鄧波．阿米契大膽提案。

「你不准碰她一根屄毛。梅利迪安半數人口都目睹她和月之鷹在跑雞尾酒晚宴，他簽下了她。」

「月之鷹需要網紅婚姻律師的協助？」羅文說。

「大人物並不全是蠢蛋。」布萊斯說。房間裡所有人都嘗出他話中的冷酷了。

「馬肯齊先生？」一名實習生站在門邊，手中托盤裝著許多茶杯，正在設想該如何優雅、謹慎地穿過擠滿房間的人群。布萊斯招手要他進門。

「把羅伯森．馬肯齊帶回來。」布萊斯下令：「如果你們害怕又壯又壞的月狼，就等狼幫解散後再行動。」

鄧波．阿米契順從地輕點了一下頭，隱藏眼中怒火。

「我會一肩扛起責任。」

「很好，面對他們完全不用客氣。」布萊斯將剛列印好的茶杯挪到噘起的豐唇邊，啜飲一口茶，露出苦瓜臉。「沒味道，他媽的半點味道也沒有，而且實在太燙了。」他將杯子放到白色桌面上，其他屬下將半口也沒喝的茶放到托盤上。實習生嚇得臉色發白。「我在這糞坑裡該見的人都見到了吧？那就帶我回南后。」

5 二一〇五年天秤月至天蠍月

華格納告訴那小聖像：我和殺死我兄弟的人談了交易，我曾發誓要保護那男孩，現在卻把他交到敵人手中。月球夫人，妳譴責我，還是原諒我？

聖像不發一語，華格納．柯塔也沒有什麼特別的感覺。

華格納．柯塔過去一直以為黃金是沒什麼價值的玩意兒。顏色俗氣，散發出虛偽的光芒，還蘊含了一個謊言：重量等於價值。但天上掛著一顆行星，上頭所有人都被黃金的謊言催眠了。黃金代表財富的頂點，貪婪的精神，價值的最終衡量基準。

月球人非常浪費黃金。柯塔氦氣每年排出的廢土煙塵當中有好幾噸的金子，它們甚至不值得投入篩濾成本。亞德里安娜沒有金子，不穿戴珠寶。她結婚戒指的材質是鋼，月鐵鍛造的。「鐵手」上的鋼戒。

康斯坦丁聖母教堂是一個黃金子宮。矮門是黃金造的，所有人都必須彎腰才能穿過它來到聖像面前，牆壁、小禮拜堂的圓頂是金造的，欄杆、燈罩、香爐是金造的，小聖像外框是金造的。聖像背面是月球壓薄的金片，聖母與聖子身上的衣物材質都是黃金，只有臉和手暴露在外，聖冠也是金造的。聖母的膚色黝黑，目光低垂，投注在懷中那渴愛、懇切的孩子身上。華格納從沒見過那麼悲傷的眼神。那孩子是一頭怪獸，太老了，年邁的小人，貪婪地伸手架在母親的喉嚨前方，臉緊抵著母親的面頰。棕色與金色。傳說康斯坦丁．沃隆佐夫是在太空軌道上完成聖像的。哈薩克基地多次發射太空梭，將第一艘地月循環太空船的建造材料送上去，同時把他造聖像用的木料和顏料也帶過去。最後他在月球上使用寧靜海出產的矽金完成作品。

要見丹尼．馬肯齊的話，挑康斯坦丁聖母教堂就完美了。

黃金男孩來了，他彎腰鑽過低矮的門楣，瞇眼讓眼睛適應生化燈光。華格納很失望，因為對方穿著黑色赫爾穆．朗西裝。丹尼朝教堂的裝飾咧嘴而笑，金牙閃亮。

「有品味。」

康斯坦丁聖母教堂只足以容納兩人，沒隨從進門的空間。

「好啦，華格納．柯塔，你把你的狼群藏在哪了？」

「藏在你藏刃衛的地方。」

「我可不那麼想。」丹尼．馬肯齊打開外套展示他的刀柄，兩邊刀套中各有一把。柄是金色的。

「我也不那麼想。」華格納說。

「當然了。你以為我會不帶保鑣前來？華格納，你找不到他們的。」

馬肯齊內戰中，梅利迪安是一塊自由、有爭議的土地。派系間時時有零星衝突，大道上四處有人抽刀、械鬥，還有清洗血跡的查巴林。丹尼．馬肯齊扣上西裝的釦子，彎腰凝視聖像。

「真美。」

「有理論說，形相一直都存在，藝術家只是發現者。」華格納說：「你看到鍍金上的那一塊磨損了嗎？嘴唇造成的，上萬片嘴唇，甚至上百萬片。你親吻聖像，愛就會傳導給月球夫人。」

「那些沃隆佐夫老相信一些詭異的屁話。華格納．柯塔，我說過你可以提出三次請求。你要我來這裡，所以已經用掉一個了。」

「確保他的人身安全。」

「那男孩？」

「我還會說誰？在黑暗期，狼幫解散期，我不在的期間，你要讓他遠離布萊斯的魔爪。看好他。」

「華格納．柯塔，這我辦得到。」丹尼．馬肯齊說：「我保證說到做到。你已經提出兩個請求了，還剩一個。」

「不，」華格納說：「還沒那麼快。時機來臨我就知道要你幫什麼了。」

「那就再說吧。華格納．柯塔，我們談完了嗎？」

「談完了。」

華格納一個人留在小小的禮拜堂內。康斯坦丁聖母教堂的聖像設置得很低，所有崇敬它、驚嘆它、為它困惑或單純想尋求慰藉的人，都得跪下來看它。

華格納告訴那小聖像：**我和殺死我兄弟的人談了交易，我曾發誓要保護那男孩，現在卻把他交到敵人手中。月球夫人，妳譴責我，還是原諒我？**

聖像不發一語，華格納．柯塔也沒有什麼特別的感覺。

陽夫人對著城堡和龍嘆息，真陳腐。漫畫造型的公主和手球比賽的關鍵時刻都讓她翻白眼。高科技，但乏味。她穿過枝幹交錯的小樹林，完全沒左右張望。

「現在，」她說：「又搞這個。」

連接隱形繩索的中空立方體自圓頂垂下，看上去彷彿浮在空中。每一個面都刺出各種幾何紋樣，靈感來自阿蘭布拉宮的摩爾人建築。立方體中間懸掛著光源，交織的陰影之網於是投在兩名參觀者的身上。陽夫人呼出的氣息懸掛空中，與隨後一塊平面上的陰影相互作用。

「精準的雷射，」陽知遠說：「融解、結凍作用。」

「我不想知道花招是怎麼弄出來的！」陽夫人厲聲說，但她還是捉住孫子的手，將他拉過去。她呼出的氣息已在她那件兜帽斗篷的皮毛上結凍了。她發抖著，儘管這塊冰原已比它剛被發現時溫暖得多。水凝結成的冰塊在沙克爾頓盆地的永恆陰影中維持了二十億年，與此同時，瑪拉柏特環形山的山巔則在永恆日照中燃燒。冰與火，黑暗與光明，陽家就是靠這些相反、比鄰的元素建設月球的。四分之三的古老冰塊已經消失了，剩下的部分供每年的冰雕節使用綽綽有餘，可以過一百個中秋。城堡與龍，老天啊。

這方塊的簡潔和幾何形的優雅令她開懷。

「這是誰做的？」陽夫人問。

她的孫子講了三個年輕人的名字，她認為每一個聽起來都跟親手幫她縫製鞋子的裁縫師之名沒什麼分別。陽夫人繞著阿蘭布拉宮立方體走，穿過變幻的影子，想著她溫暖、光線柔和的公寓。

「我認為盧卡斯．柯塔還活著。」她說。

「這可是大新聞。」知遠說。

「基於種種原因，」陽夫人繼續繞行冰造的方塊。「我找人做了一些調查。亞曼達說盧卡斯．柯塔死在月面探險車內，但我們始終沒找到那輛車。沒看見屍體，我的疑慮自然會被激起。我叫我的特工利用衛星掃描地表探測車移動範圍內的區域，於是在中豐饒海月環塔附近發現那輛車子。沃隆佐夫一族帶給他們無盡的挫敗和困惑，但通過重重磨難後，他們還是發現了一筆符合時間條件的乘客艙發射記錄。搭月面探測車逃離神之若望的人，搭得上那乘客艙。」

陽夫人再度握住孫子的手，拉著他繞到冰燈籠的第三面去。

「你要明白，謹慎就是最高原則。證據單薄，但仍是證據，它顯示盧卡斯·柯塔靠月環逃出月球了，他只有一個地方可去。如果沃隆佐夫家一直以來都在庇護他，那他們在保密方面下的工夫可多了。下手太重可能會驚動他們。」

「可是……」

陽夫人捏了捏知遠的手。「我是消息靈通的老太婆，那些風聲不想聽也傳進耳中。沃隆佐夫家肯定有事隱瞞，太空中、地球上都有。錢潮動起來了，錢留下的足跡是很深的。地球的企業正在形成新的風險資本組織，VTO地球和俄國政府達成了合作協議。」

知遠掙脫陽夫人的抓握。

「不可能的。」

「不僅如此，我安插在中國共產黨內的密探都噤聲了，這讓我非常憂心。他們陷入了恐懼。各種陰謀論煩擾著我。地球密謀，而月之鷹發現董事會背棄了他？月球夫人眼下是沒有所謂巧合的。」

「奶奶，妳懷疑的狀況是？」

「盧卡斯·柯塔打算奪回別人從他手中偷走的事物，他會向毀滅他家族的人復仇。」

「能不能讓三皇預示一下未來？」

「我不想把它們扯進來。」陽夫人拉了她孫子的衣袖一下，兩人走向立方體的最後一面。破碎的光線從冰塊中流瀉而出，陽夫人閉上眼睛。「我們不能大刺刺地行動，不然亞曼達會懷疑她的謊言已被我們識破，她也會失去董事會內的席次。她已經被盧卡斯·柯塔提出的離婚羞辱一次了，她不會容許第二次。一旦動用三皇，全董事會都會知情。」

「我們得掌握可信任的人。我會謹慎行動，力求正確。情況不容許失誤。」

「謝謝你，知遠。」陽夫人再度勾他的手，她的兜帽上結了厚厚一層霜。「好啦，我差不多受夠這冰凍地獄了，帶我回去喝杯熱茶吧。」

這是很棒的機會。

真的是，真確到不能更真確。那麼了不起的真理為何聽起來像完全站不住腳的謊言？

路卡，我有機會進喀巴遜念書，只有一次機會。

他會說，什麼是喀巴遜？她就會解釋：那是第一流的政治研討班，研究月球統治系統的其他可能模型。他接著說：啥？那會削弱、渙散她的話語。但要出刀就該快、狠、俐落。

只要一年，聽起來像永遠那麼久，但事實上沒那麼久。地點在梅利迪安，搭一小時的列車就到了。一年而已，不代表我們結束了。

但那就是句點。她的朋友全說就讀研討班期間是維持不了關係的，沒人成功過，將來也不會有。分手吧。他可以跟我一起來。旁人驚恐地舉起雙手，妳腦袋壞啦？那更糟。他會跟著妳四處出席政治沙龍和雞尾酒宴會，某天起，妳用眼角餘光瞥見的那個人就不再是路卡辛侯．柯塔了，只是妳的寵物。此後妳會以他為恥，再過久一點妳就不邀他參加社交活動了，他也不在乎妳不邀他。

因此她得幫他們的關係畫下句點，都結束了。木已成舟。下一個問題是，該怎麼提分手？

用副靈，她的朋友說，現代人都是這樣。我辦不到，他值得更好的對待。更好的對待？他很情緒化，生活難熬，毫無野心，不自重，接下來會仗著衝動跟別人亂搞——他過去就是這樣了。良好的性愛技巧和更棒的烘焙糕點也無法彌補那些錯誤。她說對，還加了更多形容詞：令人不爽、愛好虛榮、輕浮、無聊、苛刻、遲鈍、毫無情緒管理能力。而且受了很重、很重的傷。她從來沒看過誰像他傷得那麼重、那麼深，連骨頭都留下了疤痕。他需要她。她不想被需要，不想要一個拖油瓶。不能讓別人的生命困住自己的人生。

當她收到梅利迪安彈運來的小包裹，發現裡頭有兩個成組的耳穿環時，馬上就找她的阿布索商討此事。她們完全沒猶豫就做出了決定，那金屬就是合約。她後來把穿環還給路卡辛侯，而他想都沒想就穿回耳朵上，儘管它們的魔力已耗盡。他現在還是會穿。當她被惹毛、覺得他很討人厭時，都會認為他穿環是為了提醒一件事：我救了妳哥，妳欠我人情。而且會永遠欠下去。這筆債要免除還是追討，都由他決定。這事實就像一個白金鉤子，勾住她的自由。她好想大喊：**這是我們的債，不是我的債。**

她現在開始恨他了。接著，她又看到他的眼睛、陽家遺傳的顴骨、可愛男孩的豐唇，神氣又狡猾的微笑隱藏並展示了好多恐懼。

他識字嗎？她問她的副靈。寫一張卡片、一篇文章道別有私密性，但又能保持必要的距離。

他只有六歲兒童的識字能力，副靈回答。

柯塔家的教母到底教小孩什麼？

不能寫信，也不能靠副靈叫他滾，就只能當面談了。她憂心忡忡，已開始運用想像力寫劇本。他不可靠、困苦，也是她認識的人當中最常惹火她的，不過她就是欠他這麼多。

幫我在聖喬瑟夫訂位，她下令。那裡高級又中性，而且離她的社交圈夠遠，不會在那裡撞見朋友。

她會想念他的蛋糕的。

列車上的酒吧拒絕服務他。起先他不接受。酒吧有禮，但不退讓。他接著大吼：**你知道我是誰嗎？**它知道，但列車酒吧並不會通融特定社會階級。最後他猛力在酒吧面板上搥出一條裂縫。酒吧回報損傷，向他索賠一小筆錢。

我認為你應該要回座位上，金吉說，**乘客都在瞪你了**。

「我要再喝一杯。」

我持反對意見，你的血液酒精濃度是零點二%。

他心胸狹窄地表示拒絕，不過違逆副靈是毫無意義的反抗。回座位的路上，他瞪視每一個有膽與他四目相接的乘客。

路卡辛侯已經大醉第三天了。第一天是靠藥物。跑十幾家製藥所，然後向多達兩倍的藥物ＤＪ討藥。他的心智、情緒、知覺不斷旋轉，由亢奮落向低谷，出神然後沉悶，色彩和聲音不斷擴張又收縮。藥物和性愛——他帶了一袋催情藥物前往蛇屋，踩煞車大師阿德拉加．奧拉得萊的住處。裡頭一整窩的可愛男孩都很歡迎他帶來的性興奮劑，慶祝山芋節似的。

他的露西卡伯母打電話、傳訊息給他，哀求他回家，到最後他關閉金吉，把自己鎖在肉體、汗水、高潮形成的泡泡中。下線是讓他停止訊息轟炸亞別娜社群網站的唯一方法。第二天，十幾種藥物有十幾種不同的解嗨反應，他還沒完全走出來就帶著袋子裡剩餘的「糖果」去找卡喬．阿沙默了。卡喬幫他泡茶，帶他上床，懷抱他，一起共享最後的藥物，抵禦他連發的問題：為什麼卡喬的妹妹得去梅利迪安，為什麼沒有在意他到為他留下來，為什麼大家總是不留在他身邊？隔天早上，路卡辛侯就走了。卡喬鬆了一口氣，原本很擔心自己得幫他吹一整晚。

第三天，路卡辛侯開始喝酒。忒是小酒吧形成的生態系統，從茅草屋、窮酸店鋪到天然古老岩層上鑿出的小隔間，各種類型應有盡有，空間都非常狹小，客人得像橘子片一樣嵌進去。他不知道狂飲有策略可循，因此快速、恣意地喝個不停，什麼酒都灌。非列印機列印的烈酒、手調飲料、香蕉啤酒、山芋啤酒、南瓜啤酒、月球上獨一無二的忒雞尾酒。他是外行的蹩腳酒鬼。別人嫌他說話無趣，他會忘記自己說過什麼，站得離其他人太近。他在眾目睽睽下脫衣，吐了兩次。他不知道酒精會產生這種效用。他在原本可能跟他相好的人身上睡著了，醒來之後頭痛欲裂，非常、非常確定自己會痛到死，後來離線模式的金吉才告訴他，那只是脫水造成的，喝一公升水就會改善。

後來他醒了，發現自己瑟縮在高速列車的座位上。他想再喝一杯，被酒吧拒絕。

「我的目的地是哪？」路卡辛侯問，不過金吉回答前，他就聽到一個男人對他的小孩說話，小孩答腔。兩人都在說葡萄牙文。路卡辛侯一聽到嗡嗡鼻音和燦亮的齒擦音，便雙手抱膝，安靜地開始抽泣。

神之若望，他要回去了。

他最慢下車，最慢通過乘客氣閥，最慢站到神之若望的月台上，整個人搖搖晃晃的。他在這片閃亮的地板上行走過好幾次，走向朋友、愛侶、月球上的各大城市。走向他的婚禮，（逃離博阿維斯塔的無聊和限制後）前往梅利迪安，然後發現在月球這麼小的世界上，逃離一地就是遁入另一地，他只是把小洞換成大一點的洞罷了。

「我的眼妝如何？」路卡辛侯問。他想起自己在卡喬家的廁所裡，往臉上胡抹一通。不是全妝，而是讓他自己感覺狂野、凶狠的妝，強調路卡辛侯．柯塔的回歸。

我處於離線狀態所以看不到，不過你是在三小時前化妝的，建議你做一些補強。

廁所有老式的鏡子，路卡辛侯使出酒醉狀態下最靈巧的動作。他檢視自己的半邊臉，接著另一半。一九八〇年代復古風真的很適合他。

那氣味。他原本已經忘了，那氣味是記憶之鎖，他吸入的第一口空氣就讓他想起了過去十九年的柯塔式生活。天然岩石，電流的味道。經過反覆利用的穢物，以及掩飾它的香水。尿液，食用油。列印機塑料有如帶香草味的油汙。人體，神之若望的汗味跟其他地方不同。機器人散發出的新鮮芳香。塵土，到處是塵土。

路卡辛侯打了個噴嚏。

這裡好小。大道狹窄，屋頂極低，他得縮著身子才不會撞到。忒的建築跟其他月球住居地不同。它是一座垂直立起的城市，長一公里的纖細筒狀空間群聚而成，綠意充斥，天然光線順著鏡之瀑布傾瀉而下，跟陽光線的假天空不同。忒是隱匿與發現之城。神之若望是開放的，康達科娃大道，橋梁與小通道與其交錯，城市中心在他眼前不偏不倚地延展開來。

拔刀之夜，他們都通過了這裡。下車，通過氣閥，越過寬闊的車站廣場。幽靈士兵的行軍與路卡辛侯擦肩而過，他們的手都按在刀柄上。牆面和建築正面的焦痕，柯塔氦氣的舊辦公室空盪如缺牙。他父親的公寓，地月兩界最棒的音響室已成了熔為一團的音響器材和焦木。

小聖者疾如風，徒步、騎滑板車或三輪摩托。十八個月前，全月球都知道他長什麼樣子。年度婚禮！有型又可愛的路卡辛侯．柯塔。有些人轉過來看他，有人看了兩眼，大多數人完全沒瞧他半秒。他們不認得他，還是不要認他比較安全？

西七樓小通道。路卡辛侯站到下方，仰望。馬肯齊的人馬曾把卡林侯光溜溜的屍體倒吊在那裡的大梁上，雙手、長髮、那話兒下垂，喉嚨被割開。他們用泰瑟槍電得他跪地，然後包圍他。好多、好多刃衛，他無法逃命。同一時間，路卡辛侯躲在忒

辦公室正面，機器人，自高樓垂下、長五十公尺的橫布條上都有馬肯齊氨氣的商標。穿地表活動衣的塵工與他擦肩而過，手指從面罩處勾住頭盔，而頭盔的額頭部位有小小的MH兩字。這裡的白人臉孔比他印象中還多。熱食店、茶館、酒吧紛紛以西班牙文和地語在牆上寫出當日限定菜單。街道上有人說英文，澳洲腔。

處在離線狀態下，我無法保護你，金吉說，彷彿讀取了他的想法。也許它真的那麼做了，它的電路可能已穿過他的頭骨，進入大腦皺褶，讀取神經元的火花。也許它只是太了解路卡辛侯，因此成了他心靈的回音。

路卡辛侯在通往盧斯球場的入口廣場停下腳步。新的拼字，新球賽，新的所屬企業。巴拉瑞特體育場，美洲豹隊主場。

「美洲豹。」路卡辛侯說。

地球貓科動物……金吉開口。

某人從高樓層發出呼喚。**嘿！**路卡辛侯知道對方是在喊他。又一次，這次帶著更多疑慮。路卡辛侯繼續前進，他現在很清楚自己的目的地是哪裡了。

博阿維斯塔有軌機動車站籠罩在塑膠布下，還拉出封鎖線：禁止進入。地表活動衣安全帽的減壓警告標誌也印在上頭。就算沒有那些遮蔽，路卡辛侯也去不了那裡。博阿維斯塔已死，無氣壓，連通真空，鎖在加壓密封層後方。牆壁下方是彩色光芒形成的小池子，漣漪盪漾。是生化燈，有上百盞。有些光線飽滿，還很新；有些斷續明滅著，瀕臨死亡。微光（紅、金、綠色）照亮燈籠四周擠成一團

的小玩意兒。路卡辛侯湊近看，才發現那些是便宜的塑膠列印品——奧里莎和他們的象徵，烏班達與基督教面貌皆具。奧旬之刀，贊果的雷電，葉瑪亞之冠。

四聖像排成了三角形。亞德里安娜居中，拉法在頂點，低點由卡林侯和盧卡斯占據。聖像很小，只有手掌大，神色虔誠。外框沉甸甸的，飾以油漆、珠寶和更多塑膠祈願物。冷光在臉龐排成的三角形上搖曳著，也照在路卡辛侯臉上，因為他蹲下來細看其他人遺留在神殿的奉獻品。

〇三年球季的青年隊球衣。剪裁很現代的T恤，上頭印著一輛沙地摩托車：耐力賽。許多把刀子，刀尖都折斷了。音樂方塊：路卡辛侯一拿起來，它們就開始播放他爸和他祖母最愛的巴莎諾瓦。照片，一大堆照片，塵工、手球迷、月球拓荒期，也就是亞德里安娜打造世界時的美好時光。路卡辛侯拿起它們，發現這些照片雖然是很久以前拍的，但散發出剛列印好的味道。這個微笑的鬍子男就是他從未謀面的祖父。祖父辭世時，他爸甚至都還沒出生。教母的照片，她們手中抱著小孩，兩側也站著小孩。博阿維斯塔石像臉孔開鑿到一半的照片。他們是對著路卡辛侯說話的神，石中發掘物，天然岩層中冒出來的靈。兩名年輕女子的照片：一個是路卡辛侯的祖母，另一個他不認識。兩人的頭靠著，對相機笑。他的祖母穿的加壓衣上有馬肯齊金屬的雙M商標。另一個女人身上的衣服有迦納的阿丁克拉。

他們都不在了。而他留了下來，醉醺醺地跪在祈願物之間。他覺得好噁心，他痛恨自己。聖像斥責他。

「你別想。」路卡辛侯試圖把他爸的照片從牆上撕下，但照片黏得很牢。他一陣亂抓，想找出可以施力的邊角。有人搭住他的手，並出聲。

「住手。」

他轉身，握拳，準備狠狠揍對方的臉，表情猙獰。

那老女人退後，舉起雙手，但不是為了自衛也不是出於恐懼，而是驚奇。她瘦削如刀，皮膚黝黑，披白袍，纏白頭巾，白袍上掛著綠藍雙色披肩，戴著許多戒指和項鍊。路卡辛侯對她有印象，但想不起自己在哪見過她。她認出他了。

「喔，是你，少主。」

她甩手，握住路卡辛侯的雙手，動作快如刀客的戳刺。

「我不是……」他無法掙脫。她的眼睛黑又深邃，恐懼奪走他的行動力。他認得那對眼睛，他看過兩次：一次是在博阿維斯塔，跟亞德里安娜奶奶在一起，還有一次是在奶奶的八十大壽宴會上。

「妳是修女……」

「現主姊妹會的洛亞修女。」她在路卡辛侯面前跪下：「我是你祖母的告解對象，她非常大手筆地贊助我的教團。」她重新將路卡辛侯踢亂的祈願物排放整齊。「我定期會把機器人趕走，他們不知道什麼叫尊重。不過查巴林記得柯塔家。我就知道總有一天你們家的人會過來，我也一直希望來的人會是你。」路卡辛侯掙脫她乾燥、熱燙的抓握。他起身，結果感覺更糟。跪在面前的女人嚇壞了他，她仰頭直視他雙眼，彷彿在祈禱。「這裡有你的朋友，這是你的城市。馬肯齊並不擁有它，他們一直沒能成功。這裡有些人還是很敬重柯塔這個姓氏。」

「走開，別煩我！」路卡辛侯大吼，從修女身旁退開。

「歡迎你回家，路卡辛侯．柯塔。」

「家？我去看過我家了，我下去了。妳什麼都沒見識到。妳只點燈、趕走機器人、擦照片。我進去過，我下去那裡，發現植物死光、水結凍、房間跟真空連通。我協助他們把人從避難所救出去，我的堂弟也在裡頭。妳不在，妳什麼也沒見識到。」

但他發過誓，說要回來。他的地活靴在大宅瞬間凍出的殘骸上踩得沙沙響，而他發誓要讓這裡恢復原狀。這是他的城市。

他辦不到，沒那個能耐。他軟弱、愛好虛榮、驕奢、愚蠢。他轉頭就跑，震驚和腎上腺素讓他酒醒了。

「你是正統繼承人。」洛亞修女在後方呼喚他：「這是你的城市。」

路卡辛侯喝下藍月的第一秒就知道那是很爛的雞尾酒。他喝光，點了第三杯。酒保很懂，他用茶匙背面耍調酒花招，藍色古拉索酒的卷鬚在琴酒中抽長，如罪惡感。他拿起酒杯，試圖讓酒吧的光線照入藍色圓錐中。他又醉了，醉得恰到好處，他要的程度。藍月是他伯父拉法創造的調酒，但他根本對美味的雞尾酒一無所知。

酒吧狹小，飄著異味，燈光昏暗，流行金曲震耳欲聾，客人的對話還比音樂更大聲。酒保認得路卡辛侯，但還是專業地慎重待客。那女孩就不是那麼一回事了。那群人在他第一杯酒喝到一半就圍過來了。兩女，兩男，一個中性人。他們坐在天然岩層開鑿出的雅座時就不斷瞄他，和他對上眼就別開視線。低下頭去，鬼鬼祟祟的。她等到他第四杯藍月下肚才行動。

「嗨，你是，呃……」

否認也沒有意義，只會激發流言蜚語。流言是剛學會爬行的傳奇。

「我是。」

她叫潔妮，她接著向他介紹莫、賈莫爾、索爾、卡力斯。這些人坐在他們的雅座內向他微笑，點頭，等他示意他們上前。

「你介不介意我……」潔妮指著一張板凳，吧台區的空位。

「介意。」

她要不是沒聽到，就是不在乎。

「我們是，探城人。聽過嗎？」

路卡辛侯聽過。那是一種極限運動：穿上太空衣，探索老舊、廢棄的居住地和工業區，沿著筒田垂降，爬行在隧道中，眼睜睜看著你的氧氣存量數字不斷下降。他不感興趣。歷史，運動，無意義的冒險——他全都討厭。跟「努力」的相似性太高了。路卡辛侯坐在凳子上的身體往下滑，下巴抵在手中，眼睛打量著喝到一半的第五杯藍月。酒保和他對上眼，沉默的溝通轉瞬完成：**點個頭，我就幫你擺脫她。**

「我們去過那裡，三次。」

「博阿維斯塔。」

「我們可以帶你去。」

「你們去了博阿維斯塔？」

她的態度變得比較猶疑了。她望向她的朋友。雅座另一頭是深淵，酒吧亮如星子。

「你們去了博阿維斯塔？」路卡辛侯說：「你們去了我家？你們怎麼去的？沿著鐵軌？還是從地表豎井垂降下去？你們降落後真心為自己感到驕傲嗎？像是完成了什麼大事？你們有擊掌嗎？」

「抱歉，我只是想……」

「那是我家，他媽的我家。」路卡辛侯對那年輕女子發洩怒火。怒意熱燙、純粹，還增添了他的恥辱、自我憎恨、藍月。「你們跑到我家去，四處晃，拍照片、錄影片。大家看，我在聖塞巴斯蒂昂亭，我在奧薩拉前面。妳朋友是不是很愛這些東西，說太棒了，還稱讚妳大膽又勇敢？那是我家，他媽的我家。誰說妳可以去的？妳問過誰嗎？妳腦海中有沒有閃過『也許應該要問一下』的念頭？有沒有想到柯塔家還有倖存的成員可以給妳問？」

「我很抱歉。」年輕女子說：「我非常抱歉。」她現在嚇壞了。酒精和恥辱使路卡辛侯暴躁如雷，他接著又把她的恐懼當作燃料。他將馬丁尼酒杯摔在吧台上，杯腳斷裂，藍色液體在發光的吧台上濺得到處都是。他腳步蹣跚地站起來。

「那不是妳家！」

酒保和女人對望，不過她的朋友已經準備要離開了。

「我不是故意的……」年輕女子在門邊呼喊，淚眼涔涔。

「那時候妳不在！」路卡辛侯對著她背影吼：「妳不在。」

酒保將碎片擦乾淨，放了一杯茶在吧台上。

「她不在。」路卡辛侯對酒保說：「抱歉，抱歉。」

「看來，他人在這呢。」路卡辛侯先前只瞥了櫃台另一頭的塵工一眼，如今她不再喝她的卡比羅斯卡調酒，抬起頭來說話了。酒吧的燈光使她五官拖著濃密的影子，她黝黑的面孔上散布著輻射引起的點點白斑。「茂．迪．費洛。」

「什麼？」路卡辛侯凶巴巴地說。

「鐵手，柯塔家的人名。我把生命中的二十五年奉獻給你的家族，你們虧欠我。」

虧欠？路卡辛侯的舌頭頂著這兩個字，但還來不及把它們吐出來，窄小的酒吧就擠了好幾個壯碩的男女進來。他們身穿時髦的西裝，外套的突起暗示刀械的存在。其中三個人包圍路卡辛侯，另外兩個人看住吧台，塵工的肩膀兩側也各站了一個。阿丁克拉外觀模組的副靈，是AKA保全。

小隊隊長將白金耳穿環放到發光的白色吧台上。

「你忘了這個。」他說。塵工看著路卡辛侯，聳聳肩。「柯塔先生，請跟我們走。」

「我不走……」路卡辛侯說，但保鑣將他從座位上拉起來，一隻手緊握他的前臂，另一隻手按在他的下背。

「抱歉啊，」阿沙默保鑣催促路卡辛侯走上康達科娃大道時，塵工說：「我把你誤認成鐵手了。」

「我想妳會喜歡有窗戶的房間。」

艾芮兒轉身，從起居空間移動到臥室，然後繞過床。是床，不是吊床。自立於地面的床，寬度足以伸展四肢的床，床的四周還有空間，你可以適當、自由地活動。瑪莉娜成長的家是木造建築，溼度高到會長青苔，雨水會從屋頂板滲進來；相較之下，這獵戶座中央區的公寓就像是一串簇擁的小隔間，如黃蜂巢般舒適。就梅利迪安標準而言，它立於嚮往的顛峰。樓層夠低，落在上流社會區，但高度又足以避開大道上的低俗氣味和聲音。就上城區狗窩標準而言，這是天堂。

「對啊，方便聽人車的噪音。」瑪莉娜說。她發現艾芮兒露出洩氣的模樣，後悔耍嘴皮子了。這間公寓豪華到不行。

「再帶我繞繞吧。」瑪莉娜說，希望自己聽起來夠興致勃勃。找到新公寓的興奮削弱了艾芮兒身為法務人員的直覺。若換作其他時候，瑪莉娜話中的不誠懇在她聽來肯定響亮如寺廟鐘聲。

這公寓有兩個臥室，一個起居空間，和可自成密閉空間的豪華會客室。還有辦公室，艾芮兒宣告。還有一個小隔間，供辦事需要小隔間的人使用。

「可以當妳的新性愛房。」瑪莉娜大剌剌地說，頭探入門內打量整個空間。「鋪軟墊，貼新的壁布。」

住上城區時，性愛是個問題。不良於行和社會地位下滑並沒有影響艾芮兒的我性愛傾向，她們協調出時間和空間。瑪莉娜把自己稀少的碳額度捐給艾芮兒，讓她列印性愛玩具。性成了她們的居家笑話，家庭中的第三名成員，有自己的綽號、語彙、代碼：自摳小姐、逗小姐、刺激小姐。兔子妹妹（瑪莉娜還得跟她解釋兔子是什麼）是家中的惡作劇妖精，粗先生和深先生一直是死對頭。這話題變得容易聊了，但涵蓋的範圍從未跨到瑪莉娜住的那一頭去。她的對象是誰？她也許願意跟誰做？她到底有沒有性生活？到最後，瑪莉娜把自己的單身生活視為盡責的證明，艾芮兒．柯塔被她保護得天衣無縫。大多數時候，她都累到忘了考慮性愛這檔事，更不會有什麼幻想。如今，她關上寬敞新公寓的小房間門時，可能性開啟了。她開始考慮自身狀況。

私人浴場。獨立浴池，裡頭的水流個不停，除非你關掉。瑪莉娜還是難以相信她眼幕上的四大元素圖示呈現金色，而且恆久不變。家中就有一台列印機，有食物區和冰箱，冰箱裡頭堆滿特調琴酒和伏特加，食物區有攪拌器、打蛋機、藥草，工作檯上有相稱的玻璃器皿。

「瑪莉娜，我的甜心，我想要一杯馬丁尼。」

「已經十杯下肚了。」

「妳的字典裡沒有『慶祝』嗎？」

上城區的生活缺乏愉悅，艾芮兒嘗到任何勝利的滋味都會慶祝——接到案子、談成生意、家附近有新事物。她的慶祝已在某個時間點走火入魔，變成了危險的酗酒，瑪莉娜看在眼裡。總有一天，她得在某個地方面對這項事實。在上城區不行，在這裡就沒問題，但瑪莉娜不能挑這天開口。她們慶祝的是值得慶祝的事。她用西里爾的二十二草琴酒調出兩杯乾到令人屏息的馬丁尼。艾芮兒從輪椅上起身，倒向柔軟、寬敞的躺椅。輪椅自己移動到屋內角落，摺疊、縮入一個扁平的箱子裡。

「有什麼想法？」艾芮兒一次將一隻腳抬到睡椅上，躺成大字形，馬丁尼在手。

「我在想，之前不知道是誰住這兒？」瑪莉娜說。

「你們北方人全是些清教徒。」她舉杯：「乾杯！」

瑪莉娜傾斜酒杯，與對方的杯子相碰。它發出高級水晶的聲響。「叮叮。」

「既然妳問了，我就告訴妳。前任屋主是尤莉亞．謝爾班，羅斯坦．巴蘭葛尼的特別經濟顧問。」

「月球開發法人董事？」

「狀況都一樣，她被召回地球了。突然間，月球開發法人當中有許多輔佐型的人物都被叫回去了。」

「妳認為……」

「我已經向月之鷹報告了。」

「然後呢？」

「他感謝我注意到這件事。」

「呃，我知道保鏢是賣家市場。」瑪莉娜說：「不只是馬肯齊，凡是跟五龍往來過的人，都能自己喊價。」

艾芮兒坐起身。

「妳從哪裡聽來的？」

「那時我們在講話，妳在聽。」

「我怎麼沒聽到？」

「因為妳正在為強納森・阿猶德設想：不知道他的律師會不會在捅他一刀前先自相殘殺。」

「我應該要負責的。」艾芮兒堅稱：「原本一定會由我來打官司。過去要是有任何人在梅利迪安打個嗝，我都會知道。」

「妳之前離開……」

艾芮兒插話。

「他完了。他的董事會與他為敵，他的律師們只想自救。我是他唯一信任的人。」艾芮兒喝了一大口馬丁尼。「整個過程斯文、拘謹、低調，但我會看人臉色。月球開發法人過去的組成結構讓任何地球政府都無法全面控制它，如今成員開始一體化了。局勢有了改變，他們很快就會罷免他了。」

「自己先跳下去，不等別人推的話會如何？」

「董事會還是會安插一個傀儡。」

「他跳會被搞，不跳也會被搞。他到底做了什麼讓董事會這麼不爽？」

「月之鷹是蠢到家的浪漫主義者，認為月之鷹辦公室不該只是當月球開發法人官方命令的橡皮圖章、做作地參加各種雞尾酒宴。他對這個世界有信念。」

「妳說他對這世界有信念的意思是……」

「獨立政府。建國，不只是當工業殖民地。那可愛的小子開始熱中政治了。」

「董事會肯定會不爽。」瑪莉娜說。

「對。」艾芮兒說：「我在他耳邊悄悄給他建議、拿他的錢、住進他的公寓，但我還是無能為力。」艾芮兒往躺椅一倒，大大地伸展雙臂。馬丁尼酒杯從艾芮兒指間滑走，瑪莉娜一把撈起。「我覺得很遺憾，因為我挺喜歡那個傻大個兒的。政治到此為止，這次我要喝伏特加。」

「艾芮兒，妳會不會覺得……」

「瑪莉娜，他媽給我伏特加調的馬丁尼。」

酒杯，冰塊，涼爽烈酒。順勢滴落的苦艾酒。艾芮兒習以為常的傲慢總是令她受傷，沒有例外。從來不停歇，不考慮瑪莉娜要什麼，不會體貼瑪莉娜，想到她不會希望住有窗戶的房間；從來不曾考慮瑪莉娜也許不想搬進來的可能性，從來不曾問起瑪莉娜的人生經歷。攪拌馬丁尼時，瑪莉娜的手因盛怒顫抖著。但她沒濺出酒水，半滴都沒有。

「抱歉。」艾芮兒說：「我那樣太失禮了。」她啜飲馬丁尼。「真是美味。不過話說回來，妳對這件事真正的想法是？」

「如果老鷹墜落，我們就盡量別站在他下方。」

「不，我不是要談月之鷹，我他媽已經談夠了。」艾芮兒飆高音量：「我也已經不想管該死的月球開發法人、律師、顧問、每一個華而不實的爛政治俱樂部、辯論學會和社運團體了。今晚，就在現在，我需要妳。我想去月人社的一場會議。」

「妳想去月人社？」

「對。喀巴遜政治科學研討班要發表月球民主政體模型的論文。」

「呃，請妳見諒，我已經買了樂團演出的票。」

「妳什麼？妳從來沒提過。」

瑪莉娜動肝火了。「我需要妳的准許才能去聽團？」

「妳為什麼非得去聽團不可？現在還有樂團嗎？」

「有，我喜歡他們，我要去看。」

「是搖滾樂之類的？」

「我還需要證明我的樂團品味夠好？」瑪莉娜很快就明白了，艾芮兒根本就不喜歡音樂，一點都不像她哥。她還隱藏自己的無知和反感。

「妳接下來的行程是，送我一趟，弄杯茶來，叫海蒂直播那個……樂團演出。看直播就跟在現場一樣，甚至更棒，那些噴汗的搖滾人不會在妳面前晃。」

「正是噴汗的人在面前晃讓一切變得搖滾。」瑪莉娜說，不過艾芮兒顯然對那種吉他主導的音樂徹底不了解，繼續辯論只會令她更困惑。「妳欠我人情。」

「我欠妳的人情大到永遠不可能還清，不過我就是需要去月人社一趟。我對那些學生的滿腹熱情和理想主義不感興趣，我去是因為亞別娜．阿沙默準備發表論文，而我上一次得到的消息指出，他跟我姪子路卡辛侯搞上了。我很關心那個小混帳。好啦，妳要帶我去嗎？」

瑪莉娜點點頭，家族最大。

「謝啦，甜心。好，我要問第三次：妳覺得如何？」艾芮兒貴氣地指了指寬敞的白色房間，伏特加酒潑上躺椅。

「我在想我該怎麼裝東西上去。」

「繩子、網子？什麼東西都裝把手？」

「在我看來它們比較接近行動輔具。」

「我不打算用它們。」

瑪莉娜如果不在公寓內裝網子和繩索輔助艾芮兒移動，那她就只有一個劇本可走。

「妳沒告訴我。」

「我跟月之鷹談的合約細節得全部告訴妳？」

「行走比『想去看搖滾樂團』來得重要一點。」

「妳以為合約內沒有『恢復步行能力』這項，我還會答應？」艾芮兒說。

「我記得馬卡拉格醫師說療程可能長達好幾個月。」瑪莉娜說：「修復脊髓神經是緩慢又艱難的工作。」

「要多久就多久。不過我的移動不會有問題的，瑪莉娜，我不需要那些。」艾芮兒將伏特加傾倒到充電中的輪椅上。「我不需要妳。不對，需要，我需要。妳明白我的意思。我永遠都需要妳。」

放在他眼睛上的那雙手讓他想吐。熱燙又乾燥的皮膚薄如紙張，窸窣作響。他緊閉眼皮。一想到那對手掌、那皮膚有可能接觸到裸露的眼球，他的喉間就湧上一股想吐的感覺。

動作停止了，門開啟。那雙手驅使他再前進幾步，接著飛離他臉上。

「孩子，睜開眼吧。」

他的第一個念頭是抗拒。老女人的命令語氣和支配他肩膀的手叫他惱怒，自己明明就比她高。她命令他閉上眼睛、搭電梯上樓期間都不許睜開，小小的反抗心便扎刺著他。同樣地，她一把抓走他手中的電子菸時，他也非常火大。**真是荒謬的喜好**。不過反抗得付出代價，而且更要緊的是，他知道，她會等到他順從為止。

達瑞斯．馬肯齊睜開眼。光線，灼熱的光。他閉上眼。他見過降鐵的光，毀滅之光。而現下這光亮到他看得見眼皮中的微血管。

這亭閣是一個玻璃燈籠，位於瑪拉柏特環形山山頂的細長電梯塔樓頂端。達瑞斯站在六角形地面的中央。磁磚，支柱，拱頂，肋材構架，玻璃本身看起來委靡又疲倦，完整性不斷被破壞，一次耗損一個光子。電梯呼叫面板上的象形文字已褪色到幾乎無法辨識，空氣有焦味、緊繃、離子化。

「每個陽家人都會在十歲那年被帶上來。」陽夫人說：「你成為陽家人的時間比較晚，但你還是得上來，沒有例外。」達瑞斯舉手遮眼，隨後放下。恆光宮的任何孩子都不會做出那種舉動。

達瑞斯突然想通了，這不是燈籠。燈籠的光線來自內部，但這裡的光線來自外部，來自光芒奪目的太陽，它就棲息在沙克爾頓隕石坑的坑壁上。掛於低空的午夜太陽在達瑞斯身後拉出巨大的陰影，宛如翅膀。所有灰塵微粒都在舞動。在恆光宮，不是你觀察太陽，是太陽觀察你。

「是啊，坩堝也有這種場面。」達瑞斯說。

「別跟我耍嘴皮子。」陽夫人說：「差別可大了。坩堝得不斷追隨太陽，但太陽自己會造訪此地。去吧，繼續前進，看看它。你敢走多近就多近。」

達瑞斯才不會被老女人嚇倒。他毫不猶豫地走向玻璃，手按上去。強化玻璃板感覺好脆弱，散發出沙塵與時間的氣味。他正眼盯著太陽，看它沿著世界邊緣滾動。恆光閣是恆光之巔，地月兩界的傳奇景點之一。這些景點都位於兩極，太陽永不沉落之地。

「五十年前，我在晚上收到一個訊息。當時我在另一個世界，另一個國家的城市裡。我等那訊息等了好幾年，已做好準備。我起床，拋下一切，搭上某輛車。我早就知道它會來接我，還會把我送到一架私人飛機去。我的姑姑、阿姨、叔叔、舅舅、兄弟姊妹都在機上。飛機把我們載到ＶＴＯ哈薩克去，我們再從那裡上月球。孩子，你知道我收到的訊息是什麼嗎？」

達瑞斯非常想舔窗戶，嘗嘗玻璃的味道。

「訊息指出，政府中的某個派系有動作了，他們準備逮捕我的家人。」陽夫人說：「他們想利用這批人質操控我丈夫。就算是馬肯齊家的人，也一定聽過陽愛國的名字。陽愛國、陽曉晴、陽宏惠，他們創立了太陽企業，打造了月球。你要學點歷史，孩子。外太空協定禁止地球國家政府主張月球所有權，也不准他們控制月球——這也是我們受企業，而非政黨管理的原因。地球上的國家總是嫉妒我們的自由、財富、成就。他們擔心其他國家拿下月球，因此會監視彼此。嫉妒是真誠的情感，容易操作。嫉妒保障我們五十年來的人身安全。

「每個家族，五龍的每個成員都有畏懼的事物：柯塔家擔心他們的孩子會毀掉上一輩留下來的遺產，馬肯齊家……」

「降鐵。」達瑞斯．馬肯齊毫不猶豫地說。

「你知道陽家怕什麼嗎？」陽夫人說：「怕太陽熄滅。怕有天它降到地平線下方，不再升起，我們就會在冰冷與黑暗中傾覆。空氣凍結，玻璃碎裂。」

「那不會發生的。」達瑞斯說：「那是天文、物理定律，科學。」

「那就準備聽聽油嘴滑舌版的答案吧。太陽熄滅那天，就是保護我們五十年的法則被打破的日子。地球諸國發現齊力合作比拿刀互捅還要有賺頭的那天。達瑞斯，這就是我家族恐懼的事，我們怕夜裡又接到一通電話。這次我們建立的一切、取得的成就都會被奪走，因為我們無處可逃了。」

「妳會對每一個帶上來的人說這些嗎？」

「會。凡是我認為有必要知情的人，我都會讓他們知情。」

「妳認為我有必要知道這件事？」

「不。達瑞斯，你需要知道的是，降鐵不是意外。」

他轉身背對玻璃。陽夫人板著一張臉——她的表情總是毫無破綻、低調沉穩，不過達瑞斯知道，自己明顯表露出來的震驚令她很開懷。

「坩堝是被破壞的。熔煉鏡的作業系統內暗藏了一段程式碼，簡單但有限的處理程序。不過它帶來的結果，你自己也看到了。」

「我們都是，在這方面表現卓越，靠情報吃飯。不過那程式不是我們寫的。」

「那是誰寫的？」

「妳是程式設計師。」達瑞斯說。灰塵於陽夫人四周的熾熱光線內舞動著。

「達瑞斯，你不是王子，不是羅伯特與婕德最後的子嗣。鄧肯和布萊斯正在互掐脖子，你真的以為他們會在董事會幫你留一席？你真的以為你很安全？」

「我……」

「達瑞斯，你在這裡很安全。你只有待在這裡才安全，跟你的家人在一起。」陽夫人神不知鬼不覺地跨出一步又一步，巧妙地引導達瑞斯移動，最後她站在他和緩慢升起的太陽之間。達瑞斯瞇眼望著刺眼的光芒，陽夫人成了深邃的剪影。

「你認為我們會任由那些野蠻的澳洲人決定繼承人？你不是馬肯齊家的人，達瑞斯，你永遠不是他們的一分子。他們都知道。你原本再撐也撐不了六個月了。達瑞斯，降鐵的程式，很古老。比你年紀還大，大得多。」

「我不懂。」

「你當然不懂。殺死你母親的凶手是柯塔家。」

亞別娜・曼努・阿沙默以害羞的微笑面對喝采。月人社的伊拉斯謨斯達爾文沙龍擠滿了人，每張臉都湊得很近。聽眾類型很容易辨識：前排的人盤起雙手，靠著椅背；第二排的人前傾身體，始終皺著眉頭；第二排右側遠處的人搖頭，第二排中央的人竊竊私語；第三排的人忍著呵欠。月人社多列印了幾把椅子，不過還是有些聽眾坐在老派大座位的扶手上，或靠後牆站立。飄浮的副靈們幾乎徹底遮蔽了她的視線。

亞別娜是最後一個報告者。她走下講台，房間內的聽眾便分裂為幾個小團體竊竊私語。她的研討班同學湊向她，恭賀和諂媚。服務生送上飲料：小杯伏特加、琴酒、茶調酒。亞別娜拿了一杯冰茶。她收到讚美、接受演講邀約、妙答死纏爛打男子的提問，同時發現房間內有騷動，大夥兒似乎讓出一條路給某物通過。是一名坐輪椅的女子。輪椅很不可思議，女子的身分令人難以置信。艾芮兒・柯塔。亞別娜的研討班同學退開，讓她進入人群中心。

「演講很棒。」艾芮兒說，然後看著亞別娜的同學說：「介意我跟她談談嗎？」

亞別娜點點頭：**晚點再去俱樂部找你們**。

「我們去陽台吧，這裡的裝飾讓我頭好暈。」艾芮兒推著輪椅朝西六十五樓的亭子移動。「有幾件事要記著。一定要運用妳的雙手，律師和演員都知道這道理。重要的不是道出事實，是說服人。人不信服語言時，會信服肢體語言。」她從托盤上撈起一杯琴酒，謝過侍者。「第二，要影響妳的聽眾。開口前先挑說話對象，看起來害怕的人，自信過度的人，妳掃視房間時會跟妳對上眼的人，妳最想誘惑的人。以他們為目標，從妳必須傳達的資訊當中挑出他們想聽的，說給他們聽。讓他們覺得妳只對他們訴說。如果他們點頭、做出與妳相應的肢體動作，就代表妳攻破他們的心防了。」

艾芮兒拍拍欄杆旁一張低矮的軟墊長椅，亞別娜接受邀請，坐了上去。後方的房間傳來鼎沸人聲、笑聲、感嘆語，為竊竊私語之網增添戲劇性。太陽線的明度下降，呈現靛藍色。此刻的獵戶座方樓是光之峽谷，巨大但未供奉任何神祇的光之教堂中殿。

「妳帶我遠離我的朋友，然後說我做的一切都錯了。」亞別娜說。

「我知道，我是一頭自大的怪物。」艾芮兒啜飲一口琴酒，露出苦瓜臉。「真難喝。」

「妳對我的論文有什麼看法？」

「問我這問題，冒的險可大了。我大可說它陳腐、天真、幼稚。」

「我還是會支持它。」

「聽妳這麼說我非常開心。」

「那妳到底怎麼看？」

「我是律師，社會在我眼中是由一組又一組獨立但彼此影響的契約組成的，諾言與義務之網。社會就是這些——」她將頂針狀的酒杯舉向滿城燈火。「——套在妮可．法希設計的洋裝裡。我對民主主義的疑慮在於，我認為我們已經有更具效率的系統了。妳舉地球小國來立論，說得很精彩，不過月球和他們不一樣。我們不是國家，是經濟殖民體。如果要我做類比，我會舉密閉、受環境限制的空間為例。深海漁船，或是南極研究基地。我們是當事人，不是公民。我們的文化是靠利息過活者形成的。我們並不擁有任何東西，我們沒有所有權，我們是低賭本社會，有什麼誘因能讓我參與公眾事務？

「民主的問題，在於搭便車行為——就算妳論文中那種構造優美的直接民主模式也會面臨一樣的問題。一個社會中總是會有不想參與公眾事務的人，但他們會跟參與者共享益處。如果我能根除搭便車行為，我一定會去做。我同意加入白兔閣只是因為覺得自己在克拉維斯法庭的地位會提升，艾芮兒・柯塔法官這稱號聽起來挺響亮的。妳不能強迫人民參與公眾事務——那會是暴政。在公眾參與報酬低下的社會施行民主制度，最後只會得到大多數搭便車者和一小撮熱切投入的政治世襲集團。如今，我們已經有一個問責系統將月球上的每一個人納入其中。我們的法律系統使每一個人都得為自己的生命、安全、財富負責。這是利己主義、原子化、嚴苛的系統，但大家能夠理解它。它的界線很清楚，每一個人都不需要為他人做決策或承擔責任。它不認可團體、宗教、派閥或政黨。月球上有個人、家族、企業。從地球上來、落腳遠端月面的學者每個都哀嘆、翻白眼，說我們一個個都是殘酷的個人主義者，心中沒有團結的概念。但我們確實建立了他們眼中的文明社會。我們只是認為由協商而非立法主導這個社會才是最好的。我們是單純、滿心怨恨野蠻人，而我還挺喜歡當那種人的。」

「因此妳說我的論文陳腐、天真、幼稚。」亞別娜說：「而妳不是來這裡聽政治科學研討班學生發表幼稚陳腐言論的。」

「我當然不是。他過得還好嗎？」

「我們會保障他的安全。」

「妳沒回答我的問題。」

「他跟愛麗絲教母在一起，露娜也是。露西卡不在梅利迪安時也會過去。」

「妳還是沒回答我的問題。」

「好吧。」亞別娜咬著下唇，顯示她情感面的不自在。「我想我讓他心碎了。」艾芮兒抬起單邊眉毛。「我必須要來這裡。在喀巴遜學習的機會耶？」艾芮兒的眉毛抬得更高了。「沒什麼好評價的，但它確實是月球上最好的政治科學研討班。他知情後就變得很黏、很愛討拍、不體貼。如果他跟其他人做愛會好受一點，我也不在意，但如果他真的需要我，就不該認為脫光衣服烤蛋糕可以解決一切問題。」

「他是被寵壞的小王子。」艾芮兒說：「但他賞心悅目。」

後方房間的人聲改變性質了，下方人車聲響的調性也產生了變化。大家開始互道再見，離開會場，安排會議和碰面行程，設法取得他人的協助和承諾。三輪摩托抵達門口，開啟，收費，一個個小團體動身走向最近的電梯，迎面走來。

「我耽擱妳太長的時間了。」艾芮兒說：「妳朋友看起來不太耐煩。」她推輪椅退離欄杆邊，朝四處亂轉的賓客移動。半滿的琴酒杯站在欄杆上，下方是晶亮的絕壁，有落向加格林大道行道樹的危險。

「我可以幫妳推。」亞別娜提議。

「我自己推。」艾芮兒停止動作，半轉身。「我這裡可以請律師事務的實習生，感興趣嗎？」

「有報酬嗎？」亞別娜問。

「當然沒有。會幫妳負擔各種支出、小費、連線，妳會接觸到政治，會有樂子、曝光度。」艾芮兒推著輪椅繼續前進，轉頭看看亞別娜，沒等她回覆就說：「我會叫瑪莉娜安排。」

「會很痛。」輔導員普利達說：「你們這輩子從來沒承受過的痛。」

瑪莉娜在門邊一看到十六個人圍坐成一圈時，差點掉頭就走。看起來好像復健團體，實際上也是。

瑪莉娜來晚了（混太晚了），不過輔導員經驗豐富，眼睛很利。

「瑪莉娜？」

被逮到了。

「是，妳好。」

「入座吧。」

十六個人看著她坐到第十七張椅子上。

輔導員將雙手放到自己大腿上，掃視眾人。瑪莉娜迴避視線接觸。

「好，歡迎。首先我要感謝大家，感謝你們做出了決定。要做這決定不容易。世界上只有一個決定是更困難的，那就是你們當初決定上來。接下來的事情很難熬，物理成分牽涉其中，大家都知道。會很痛，比你想的還痛。不過還有情感方面的要素，這才是最痛的。你會質疑你原先對自己抱持的每一個想法，你會行走在一條黑暗、漫長的山谷間，它的名字叫自我懷疑。我能提供的就只有一個事實：我們也在那裡。我們保證：一有誰需要陪伴，我們就會在場。好嗎？」

瑪莉娜和其他人一起口齒不清地應答，她緊盯著自己的膝蓋。

「好，我們不該浪費時間。最慢到的最先講，聊聊妳自己。」

瑪莉娜按捺自己的焦慮，抬起頭來。排成圓圈的每個人都在看她。

「我叫瑪莉娜．卡爾札。我要回地球。」

瑪莉娜看到那畫面的第一個想法是：公寓遭強盜洗劫了。家具傾倒，所有玻璃容器和快餐盒，所有器皿都砸爛或掉落在地，被單枕頭散置四方，盥洗用品扔得到處都是。這地方被搗毀了。瑪莉娜的第二個念頭是，月球上沒有強盜。沒有人具備物品所有權，也就沒東西可偷。

接著，她發現輪椅側倒在艾芮兒房門內。

「艾芮兒！」

艾芮兒仰躺在一堆被單上。

「這裡他媽的發生什麼事了？」瑪莉娜問。

「你他媽對我的琴酒做了什麼？」艾芮兒咆哮。

「倒進淋浴間排水孔了。」

「列印機呢？」

「我駭進它了。」

艾芮兒以手肘撐起上半身。

「家裡沒有琴酒。」這是一項指控。

「不准喝琴酒、伏特加、任何酒。」

「我會去弄一些來。」

「我會駭進妳的輪椅。」

「妳沒那個膽。」

「我沒有嗎？」

「我會破解妳的把戲。」

「妳懂個屁程式語言。」

艾芮兒倒回棉被山。

「給我一杯，就一杯。」

「不行。」

「我知道，我知道，但其他地方一定有馬丁尼時間。」

「別叫了，很難看。我們訂下了規矩，家裡不准放酒。妳到外面喝，我就阻止不了妳，我也不會阻止妳，因為那樣對妳不尊重。」

「嗯，謝謝妳這麼說。可妳剛剛跑哪去了？又去聽團？」

「練習。」這不完全是個謊言。「巴西柔術。沒人知道我什麼時候得再救妳一次。」

「又扯這個，老是掛在嘴邊。」

「他媽的放我一馬吧，艾芮兒。」

「給我他媽的琴酒！還我他媽的腳！還我他媽的一個家族！」接著是一陣沉默，兩人都無法直視對方。後來艾芮兒說：「對不起。」

「妳嚇了我一跳。我看到這地方的狀態，看到輪椅側倒，心中還能浮現什麼念頭？我剛剛還想，要是我發現妳的屍體倒在地上該怎麼辦？」

現在艾芮兒又無法直視瑪莉娜了。

「瑪莉娜，妳能不能幫我一件事？」

「艾芮兒，我不會幫妳弄酒來。」

「我不會叫妳弄酒來。」

「妳這樣也叫律師？那句話連我聽了都覺得是天大的謊言。」

「我要妳跟亞別娜．阿沙默保持聯絡。」

「她在月人社發表了論文？」

「那篇論文是過分簡化的民主派狗屁不通觀點，不過她聰明又有野心。」

「而且她搞上妳姪子。」

「而且她姑姑，我從前的嫂嫂，是金凳大酋長。月之鷹的任命讓我開始參與月球開發法人的會議，而龍的任命則能帶來更利的爪子。」

「妳要我怎麼做？」

「我向她提到我正在找實習生。傻瓜才會接受，但我打算引誘她。三勃日有一場月球開法發人會議，邀她以我的賓客身分出席，說這是見證真實政治運作的機會。幫她跑各種許可，好嗎？」

「為什麼我要做這個？」

「因為我有人可以使喚了。」艾芮兒說：「叫她穿正式點。還有，扶我起來，幫忙我清理這一團亂。」

氣閥內的所有人都抬頭了。華格納走下斜坡，估計這裡有三十到五十張臉。他手夾著頭盔，他的軍師潔拉．亞斯蘭隨侍一旁。下方有些臉很眼熟，有些熟過頭了。大部分是新面孔，比先前任何一次都新得徹底。他的副靈影子瀏覽了他們的履歷，其中一些人宣稱待過柯塔氦氣。這招不錯。人群讓出一條路，華格納與潔拉走到幸運八號球探測車前方。

「我可以帶四個人。」他宣布。

沒人動。

華格納轉身面對一個伊博族高個子，對方的地表活動衣上布滿曼聯足球俱樂部的布章。

「你，月光菜鳥，離開。」

壯漢憤怒地瞪大眼睛，走向華格納。他比華格納這個第二代月球人還高一個頭。

「我有地表工作資格。」

「你是個騙子，看你的站姿、肩膀姿勢、身體重心，聞你的味道，看你地表活動衣的穿法、手指勾頭盔的方式、密封墊的位置就知道。不行，你會害自己置身險境，而且也會害我的工作人員置身險境，這更糟。現在就出去，累積一些地表工作時數，也許下一次我不會直接把你扔出去。以後絕對別在你的履歷表上捏造經歷。」

那個月光菜鳥跟華格納大眼瞪小眼，試圖用視線壓倒後者，但華格納的眼睛是狼眼。大個子似乎看見裡頭燃燒的盛怒了，他轉頭擠入人群，離開。

戲劇效果很棒喔，狼老大，潔拉用副靈對他說。不過他不是狼了，此刻地球以暗面示人。他靠黑暗人格的集中力才識破月光菜鳥的謊言。

「奧拉、梅利德、奈爾、傑夫·藍金。」華格納跟前三個人一起當過玻璃工，第四個人是首次合作，但他參與過坩堝降鐵後的維修工程，VTO軌道小隊推崇他的模範級表現。「剩下的各位，感謝你們來這趟。」

等到車庫內只剩新組合版幸運八號球小隊時，華格納才開始瀏覽指定任務內容——清潔地點在梅利迪安以東，寧靜海上。

「老大？」潔拉的聲音說：「你要精神講話了嗎？」

「抱歉。」傑夫是唯一沒聽過這段談話的人，但就連他都看得出來，華格納已將這段話背得滾瓜爛熟。談話，任務說明，著裝，繫好安全輔具。隊員的名字在他的鏡片上冒出來，安全桿落到他胸前，鎖定，氣壓數字不斷下降，直至零。紅燈，然後是綠燈。

「潔拉。」

「華格納？」

「幫我把它開出去。」他將操縱系統畫面傳給她。

「沒問題。」

潔拉．亞斯蘭已經當華格納軍師十年了，兩人的關係緊密、熟稔、工作效率高，就像是締結了一段好婚約的夫婦。她檢測系統，輸入移動路徑，幸運八號球小隊的其他成員則和車輛內建的維生系統連線。華格納讓影子撥了一通私人電話。

「華格納。」

他在第十一號大門喝茶，穿杏黃色鑲藍邊運動短褲，寬大的T恤，頭髮梳得老高。

「我只是想確認你有沒有缺什麼。」

「什麼也沒缺。」

「一切都好嗎？」

「都很好。」

「呃，如果你需要什麼……」

「不需要。」

「不過你要是缺的話……」

「阿莫爾會處理。」

華格納想起自己和羅伯森上次見面的情況，他們在幫屋的遮棚下。阿莫爾站在那孩子身旁，手環住他。華格納再度體驗錐心的情感波動，裡頭有等量的失落、嫉妒、渴望。

「嗯，很好。」

車庫內淨空完畢，外氣閥門滑起。潔拉猛催引擎，探測車衝上斜坡，朝逐漸延展開的那片黑暗奔去。

「華格納，你為什麼要打電話來？」羅伯森說。

「只是要確認你沒事，真的沒什麼事。呃，我十天內就會回來。」

「好。小心點，千面大盜。」

羅伯森和他的茶消失在華格納的鏡片內，探測車在同一時間衝到坡道頂端，抵達地表，粗厚的輪胎揚起大片煙塵。華格納很氣自己：為什麼他不說出口？為什麼為什麼？

我愛你，小小狼。

他捻熄生化燈，坐在店內最深處的最暗角落，縮起脖子，頹靡的眼神令所有人都不敢找他說話，包括熱食店老闆。西班牙豆漿早就冷了。

他的思緒不斷兜圈，冗長乏味的圈子。令人作嘔的震驚，緋紅的羞辱，拔尖的盛怒，冰冷的不公不義。他的心靈在一個又一個情感間移動，繞啊繞的，像是朝聖之旅的一處處苦路。

你們殺死了我爸媽。

達瑞斯不斷拒聽一通又一通電話，十五通，二十通。羅伯森早該把這當成提示的，他卻堅持不懈。天真的羅伯森，愚蠢的羅伯森，一打再打，想不透他的老朋友、他最要好的朋友為何不接電話。他想像各種要務、疾病、家族義務讓他無法聽電話，但事實是，他的朋友、他最要好的朋友已經變成敵人了。

我接電話只是為了告訴你，我恨你。

達瑞斯接起第二十五通電話時，天真、愚蠢的羅伯森笑咪咪地說：**嘿，達瑞斯，最近好嗎？**

他最恨的就是當時的蠢話，它帶來的恥辱像是鑽入他肚子裡的活物，扒抓、吞食著他的內臟。

叛徒，殺人凶手。

他震驚到發起抖來，而且到現在還沒平息。他聽到兩樣事物：達瑞斯的話語，達瑞斯的聲音。它們不是同一樣東西。話語在他腦中亂撞，聲音不斷響著。達瑞斯說話的時間不到三十秒，但羅伯森在記憶中不斷播放它。

我會切開你的眼睛，展示你的舌頭，羅伯森．柯塔。

鬼牌切斷連線，羅伯森衝出幫屋。

他的朋友和他絕交了。

「我就知道你會在這裡。」

羅伯森的肩膀繃緊了。他抬頭一看，是伊。

「我不想跟你說話。」

「羅伯森……」

「知道嗎？你的話都是屁話。」

阿莫爾拉開一張椅子，調整出不會正面面對羅伯森的角度。伊沒和他四目相接，沒有對峙的意味。要是能瞪死對方，羅伯森就會那麼做。

「我會坐下來等你。」

「那就坐。」

伊沒坐。

伊撈起那杯西班牙豆漿，往旁邊一扔。伊抄起伊原本打算坐的椅子，甩向身後那道快速逼近又沒被羅伯森發現的人影。伊推倒桌子，把羅伯森從椅子上拉下來，推到椅子後方。

玻璃杯擊中一名穿銳跑運動服的男人，使他踉蹌幾步。椅子絆倒另外兩名穿愛迪達運動服的男人。阿莫爾對第四名襲擊者使出頭錘。女人一陣蹣跚，搖頭振作，單手抓住阿莫爾的衣服，一把將他舉起來。阿莫爾黑暗期的感官幫他揪出襲擊者，但這名女子有月光菜鳥的肌力。她戴手套的右手握拳，出擊。融合玻璃材質的氣封裂開，碎片飛濺。羅伯森聽到幾個聲音：柔軟纖維擊中硬如鋼鐵的碳，在衝擊力道下產生極化。女人再度舉起拳頭，揍向阿莫爾的肚子。有東西爆開了。羅伯森已展開逃亡。

擄人小隊重整旗鼓，迅速跟上，只落在幾步之後。羅伯森在廚房內狂奔，撞翻鐵鍋、平底鍋、熱湯。他聽到泰瑟槍充電的嗡鳴。他鑽進通風管，心跳一拍的時間內就登上了售貨亭後方的爬梯。泰瑟槍射出的標槍擊中金屬，鏗鏗鏘鏘。他來到屋頂上，此刻抓住給水管一路盪到一樓。只有懂跑酷的小孩才跟得上羅伯森的逃生路徑。這是他設想出來的，也估算過時間，但此刻才首度親身執行。他跳躍，滑翔，抓住欄杆，盪上水瓶座西一樓的安全護欄。他得再爬三樓才算完成整個路徑，不過他花了一小段時間窩在欄杆上，俯瞰追擊者。他們站在熱食店屋頂上，氣急敗壞，無能為力。

無人機突然在他視野中冒了出來。

「不公平。」羅伯森說，接著泰瑟槍射出的倒鉤擊中他腹部，使他飛向東一樓中段。他無法呼吸，每條肌肉都浸泡在融化的鉛中，受到強烈拉扯，肌腱彷彿就要從關節上剝落了。他尿在褲子裡。無人機飄在他臉上方，伸手可及的位置。要不是連眼皮都動彈不得，他大可將它扯爛。

乘著電動滑板車的幾道人影逼近，滑板畫弧煞住。

「敏捷的小賤胚。」一名壯漢說，羅伯森認出對方是布萊斯的安全部長。無人機扔下泰瑟槍的鐵索，飛離現場。羅伯森動彈不得，無法呼吸。鄧波．阿米契走向羅伯森，羅伯森全身肌肉鎖死。

接著，一道道人影從屋頂上落下，翻過欄杆，衝出小巷。金屬光澤一閃，兩名布萊斯的刃衛倒地了。第三個人扔下刀子大吼：「我沒簽約，不干我的事。」轉身就跑。

「鄧波，近來好嗎？」

羅伯森無法轉頭，但他認得那聲音。丹尼．馬肯齊。

「羅文說你沒死。」

「沒死得很。還是應該要說非死？」

「這是我的疏失，而我現在打算補救。」

「很睿智的台詞呢，鄧波。」丹尼．馬肯齊說。羅伯森還在嘗試移動身體。他拖得動自己，皮膚硬生生地刮過路面。「你始終能言善道，而我是低教育程度的牛仔，但很會使刀就是了。」

遠一點，再遠一點。兩把刀互擊。再遠一點。羅伯森掙扎起身，但腳撐不住，他整個人又重重倒地，摔到了手。快起身，離開這裡。每雙眼睛都在關注那兩個人的對戰，馬肯齊對馬肯齊。這次羅伯森的腳撐住了，他一跛一跛地進行下一階段的逃亡。水瓶座方樓外側正在施工，儼然是巨大的攀登架。羅伯森的手指勾住鐵管。它們都麻木了，但還有足夠的力氣撐住他的身體。他將自己往上拖，往上，再往上。這是他史上最高難度的行動。他在二樓支柱的轉彎處歇息，甩去手腳的刺痛。

有人發出血淋淋的慘叫。羅伯森往下瞄，發現有道人影橫倒在地，另一道人影朝他的藏身處移動。

丹尼．馬肯齊抬頭對他獰笑，攤開雙臂。

「羅伯森，下來吧，夥伴。你安全了。」

羅伯森將自己挪離管線轉彎處，擠進二樓路面的夾層，一束束電纜穿進去的孔洞。

「別讓我上去找你。」

你辦不到的，羅伯森心想，**這裡對大人來說太窄了**。

嘹亮的人聲從下方竄起，丹尼仰望著纜線管道。「小羅伯，是華格納要我幫忙的。**『我顧不了他時，你就要出手。』**」

羅伯森繼續爬。如果丹尼沒用他討厭的暱稱喚他，如果他剛剛沒聽到阿莫爾體內器官永久破裂的聲音，如果他沒先感受達瑞斯對他的唾棄和怨忿，他也許就會爬下去。但他當不了馬肯齊家的人，當不了陽家人，也當不了狼。再往上兩層樓，他就會循著逃生路徑來到東四樓電梯。他可以跳進去，穿過有錢人的後花園，一路直達世界的頂端。上頭會有人等著他。

「我會找到你的。」丹尼．馬肯齊呼喊：「小羅伯，你是我的債。我欠錢一向會還。」

青春期起，他就養成了刮體毛的習慣。生殖器周圍長出的第一圈毛令他作嘔。徹底除毛，從頭頂到腳趾都不放過，背部、屁股縫、陰囊也不例外。他再度讓剃刀在身上遊走，直到皮膚徹底光滑為止。他擦乾身體，讓副靈向他展示自己的樣貌。他拍了自己肚子一下。依舊緊實，有一塊塊腹肌，人魚線清晰。還是很有型。最後上油，用的是個人客製的昂貴有機油，不是合成的。他緩慢、費工地將油抹入每一道肌肉縫隙和皺紋中。頸後，頭，膝蓋後方，會陰的柔軟皺褶，指間。他整個人晶亮、煥發。他準備好了。

熊弘琳深吸一大口氣，胸膛隆起，接著原地跑步，放鬆肌肉。

淋浴間的門開了，三名馬肯齊氦氣的刃衛在外頭等著。

「你們來這兒一定是為了帶我回南后的家吧！」熊說：「你們知道我在蘭茨貝格有多無聊嗎？」他向他們展示裸體：「我為布萊斯刮了體毛。」刃衛困惑地面面相覷。「開玩笑的。」而且是個酸溜溜的玩笑。

「布萊斯不太高興。」第一名刃衛說，她是個身材勻稱的月光菜鳥，矮個子，手拿著電擊棒。「他要那個男孩。」

「我從來沒讓布萊斯擁有他。」熊弘琳說。

「你如果不說話，事情真的會順利許多。」第二名刃衛說。

「他碰到什麼就弄壞什麼，我不能讓那個男孩步上我的後塵。」

「拜託你。」第三名刃衛說，他拿著清潔用具。

「抱歉了，夥伴。」女人說，並將電擊棒刺向熊的肚子。他倒地，下巴、拳頭、脊椎、肌腱全都動不了，每條肌肉和神經都灼痛得像是遭強酸蝕刻。他失禁了，漏尿，脫糞。女人感到噁心，露出苦瓜臉，同時和第二名刃衛把熊調整成跪姿，再拖他到走廊上。負責清潔的刃衛接著上前清理穢物。沃隆佐夫家對環境整潔一絲不苟。在這世界，跑錯地方的毛髮和皮癬能使太空船墜毀。

熊抹了油，身體又香又滑。刃衛拖他到外氣閥的途中失手讓他滑到地上，他的腳和腿在柔軟的吸震地面上留下油漬。他動彈不得，無法說話，無法呼吸。

羅伯森在梅利迪安，剛跟狼幫以及華格納在一起。他有人保護。熊後悔向羅伯森說謊，但他如果說出真相，說自己得留下來，得把自己當作幫助羅伯森脫身的代價，那他一定不會上車。

第二名刃衛輸入密碼，氣閥開啟了。一具具肉身湧來，都是小孩，五男三女，全裸。嘴唇後臉頰上都飾有白漆。萬分痛苦之餘，熊還是認出了戰鬥彩繪。是那些跑酷玩家，自由跑者。羅伯森的隊員。他們尖叫，手伸長、揮動、撈抓。刃衛用電擊棒和刀子將他們推回去，然後將熊也推入他們的行列之中。電擊棒戳刺了幾下，踢幾腳，猛砸那些手指和臉，接著第二名刃衛封上氣閥。綠燈。搥在金屬上的拳頭發出遙遠悶響，數到十，按下按鈕。綠燈轉紅。

第三名刃衛在前廳穿上地表活動衣，等會兒就會出去收拾殘局。沃隆佐夫家，以及他們整潔的環境。

女保全直視亞別娜右眼，對方點頭讓她通行時，冰涼的戰慄在她全身上下傳開，她差點咯咯笑出聲。她透過菁英管道進去了，這一刻永遠不會失去光彩。倒數第二道焦慮之門過去了。第一道是：艾芮兒在月人社陽台上的提案到底是不是真的？她讓副靈突米打了一通電話給瑪莉娜．卡爾札，結果是真的。亞別娜覺得瑪莉娜的回覆很簡短，也許她應該要親自上門一趟，但那實在太老派了。第二道焦慮之門是，月球開發法人那裡的記錄到底會不會將她列為艾芮兒的隨從？突米向月球開發法人做了確認。亞別娜．曼努．阿沙默，艾芮兒．柯塔助理。沒錯，妳確實是他們的一員。

第三道焦慮之門是衣著。克里斯汀．拉克魯瓦設計款是否具備與月球開發法人會議匹配的正式專業感，同時又時尚到能使艾芮兒．柯塔眼睛一亮？衣著也包含鞋子、妝髮。當天早上，她的研討班同學花了兩個小時幫她弄頭髮。

第四道焦慮之門，她剛剛已一溜煙地通過了。此時她人在月球開發法人總部，放眼望去全是木材與鉻。她忍不住開始計算這裡的碳預算。大廳擠滿月球要人，交談聲鼎沸，客製化香水瀰漫。大鞋子，蓬鬆頭髮，墊肩，眼影。空中有成群的副靈：阿沙默家的阿丁克拉、陽家的易經卦符；沃隆佐夫家本季似乎喜歡重金屬意象：變音符與鏽斑。董事幫副靈套上單純的月球開發法人「圓點與繞行衛星」外觀模組。她瞄到了象徵月球獨立運動的三女神紋章，不過它隨後就消失在一大群符號中。真人服務生送上茶飲與小點心，不過亞別娜拒絕了後者，擔心她的克里斯汀．拉克魯瓦洋裝會留下汙漬。她選得很好，肩膀不是最寬的，腰也不是最窄的。現在該找艾芮兒了。亞別娜掃視人群，尋找社交天際線中的缺口，那裡會有一個坐輪椅的女人。沒看見。她又將整個房間望了一遍，再一遍，最後才發現艾芮兒在一群律師、法官中間，戴手套的手拿著電子菸。她揮動電子菸要亞別娜過去。

亞別娜認得艾芮兒身邊的每一個人，恐懼令她的肚子升起一股瘙癢感。月球最高明的律師、最受尊敬的法官、觀察最敏銳的政治理論家都在那裡。亞別娜猶豫了片刻，艾芮兒再度揮手示意她過去。亞別娜知道她不會第三度招手，不過艾芮兒看不見的第五道焦慮之門就聳立在兩人之間，亞別娜從未通過的門。那門問道：**妳到底是什麼人？妳認為妳在這裡做什麼**？冒牌貨之門。

亞別娜用力吞了口口水，向前邁進。有隻手碰觸到她的衣袖，害她差點把茶杯摔破在地。她轉頭，發現是月之鷹。強納森．阿猶德是少數能跟她這個第三代月球人水平對望的地球人。

「太棒了，太棒了！」他使勁握住亞別娜的手，沒意識到自己的力道有多大，說話時也沒放手：「有才華的新血是最重要的，對吧？」他是在向阿德里安．馬肯齊問話，他身旁的一道蒼白影子。

「很高興見到妳，阿沙默女士。」

「我得謝謝柯塔小姐……」亞別娜開口，不過月之鷹已經去和其他人打招呼、致意了。

「親愛的。」艾芮兒給了她三個吻，接著向她的同伴說：「容我向各位介紹喀巴遜研討班的亞別娜．曼努．阿沙默，年輕有為的政客。我接下來想嚴加指導她。」眾人哈哈大笑，艾芮兒一一念出他們每個人的名字。亞別娜認得他們每一個，但實際聽艾芮兒念出名號就像挨揍一樣痛切。「你們每個人都有助理，我怎麼可以落伍呢？她打扮得比你們的助理還棒，而且聰明多了。」

社交互動的浪潮將群眾帶向敞開的議會大門。

「還過得去。」艾芮兒細看亞別娜．曼努．阿沙默的衣著和化妝。「坐我左邊，表現出感興趣的樣子，什麼也別說。妳可以時不時湊向我，假裝在說悄悄話。還有這個。」艾芮兒以左手食指觸碰眉間，不過亞別娜自己看得出來，每一名與會者進入議會時都關閉了副靈。她不記得自己上次處於無人工智慧輔助狀態是什麼時候，感覺像沒穿內衣。

月球開發法人議會由好幾圈座位組成。月之鷹、董事占據最內側、最低處的一圈，顧問、法界代表、各界專家、分析師分別占據節節升起的後幾圈，每個人都依身分地位和重要性入座。艾芮兒帶亞別娜坐進第二圈，那是顯示出就座者重要性的低層區。亞別娜的名字在艾芮兒座位的隔壁桌面上發光，她的座位有很高的椅背，昂貴而舒適。艾芮兒坐她的輪椅。亞別娜對著她桌上的一疊紙、短木棍皺眉。月之鷹的其他代表分別坐在艾芮兒和亞別娜的兩側，不過月之鷹就坐在她們兩人的正下方，他轉過身來，只向她們點頭致意。議會很快就坐滿了人。輕柔的交談聲充斥房間，形成低調的嘈雜，律師和客戶協商，有人將身子探出桌面或在座位上轉身問候同事、敵手。在亞別娜看來，這些動作古怪又老派。這一切肯定能透過網路進行，就像科托科那樣。

「再過幾分鐘會議就要開始了。」艾芮兒解釋：「強納森會遵循議事慣例開場，針對上一場會議做幾分鐘討論，然後是現在的議程。挺冗長的。盯住顧問，那是妳真正該看的部分。」

「氣氛如何？」

「有點太融洽了。」

「代表什麼？」

「我沒頭緒。」

強納森．阿猶德再度在座位上轉身。

「準備好了嗎？」他問自己的顧問，大家口齒不清地表達贊同。

「最後還有任何問題嗎？」艾芮兒對亞別娜說。

「有。」亞別娜拿起一疊紙和尖筆問：「這是做什麼的？」

瑪莉娜身穿卡朗腰飾裙洋裝，坐在保鑣聚集的茶店深處，轉動手中那杯薄荷茶。這是吧台最糟的位置，但也還是吧台邊。坐桌子就是社交死刑。保鑣界對月球開發法人的茶店評價很高，但瑪莉娜對於月球茶的好壞基準一無所知。她舉起杯子細看杯內旋轉的葉片，月球經濟學與社會學都裝在這杯子裡了。在月球筒田內將茶葉和咖啡當成經濟作物種植，是不可行的。薄荷會四處蔓生，要用電鋸不斷修剪才能讓它停留在低處。不用真茶不可能泡出像樣的薄荷茶，因此ＡＫＡ將一些茶樹基因混入薄荷當中。如今ＡＫＡ的基因科學已經進步到可以打造出在月球環境條件下茂密生長的茶樹，甚至是咖啡，但月球人對薄荷茶的品味已經養成了。

瑪莉娜始終痛恨薄荷茶，將來也會繼續恨下去。

她坐在一票保鑣之間，做著咖啡的白日夢。濃烈、烘出鮮明氣味的阿拉比卡咖啡，散發著熱氣，內含囂張的咖啡因。上等西北咖啡總是泡得很慢，帶著深情：水從高處往下沖，好成就完美的曝氣，接著攪拌（用叉子，不是湯匙），然後放著讓它的味道定下來。它準備好時會讓你知道。輕壓，雙手環住工匠精心製作的馬克杯，她呼出的氣息和杯中冒出的熱氣在冰涼早晨的門廊前混合，灰色雨水敲響排水溝，沿著這家人當作排水管使用的鍍鋅鐵鏈成片傾瀉。群山已在厚雲後方隱身數天，霧氣縮小視野，樹木顯得近在屋邊。風向袋鬆垮，淌著水。雨沿著曬衣繩兩端流向中央，匯聚，滴落。狗拖著腳行走和哼叫的聲音，三個房間的距離外傳來的音樂。

老媽的輪椅壓得木板嘎吱響，電視上不管播哪個節目她都要一直、一直、一直問東問西：現在是怎樣，那是誰，她怎麼會在這，那又是誰？汽車胎痕形成的地圖集。每種輪胎壓上門前泥土地都會產生獨特的聲響，她們要是聽到認得的就會去開門，聽到不認得的就躲起來。放著讓東風吹拂的風鈴孤伶伶地奏出五聲音階，東風也會將細屑般的多重抗藥性結核病菌吹上普吉特海灣，灌入艾倫—梅．卡爾札的肺中。

瑪莉娜的意識彈回月球開發法人的茶店了。她放下薄荷茶。所有保鑣也都放下杯子，從位子上起身。瑪莉娜衝向門口。

去找艾芮兒，海蒂在她耳邊喊叫，**艾芮兒需要妳**。

武裝傭兵的人流湧出門外，沿著通往議會樓層的樓梯傾瀉而下。他們擠滿月球開發法人議會，抽刀，拿出泰瑟槍。接著第二波人潮湧進來，占據對顧問們具威脅性的位置，手放在刀柄或泰瑟槍套上。第三組受雇的刃衛守在門外。議會成了喧鬧的地坑：董事、法律顧問、武裝入侵者都在吼叫。

「發生什麼事了？」亞別娜大喊。

「我他媽正準備搞清楚。」艾芮兒將輪椅旋離桌前，一名傭兵將劈啪的藍色電擊棒尖端甩到艾芮兒面前，俯瞰她，蔑視她。

「我連不上網！」亞別娜大喊。不速之客吼著，議會代表吼著，月球開發法人成員拚命想掙脫一雙雙限制他們行動的粗壯手臂。這片混亂有個中心，寧靜的颱風眼。強納森．阿猶德坐在座位上，雙手按著大腿，眼神低垂。他轉身和艾芮兒對上眼。

抱歉，他用嘴型說。爆炸聲宛如突來的真空，使議會陷入沉默。燒結物碎片從天花板落下，眾人紛紛閃避。是槍，有人開槍了，真槍。女槍手站在地坑中央，高舉武器，瞄準著天花板。槍是黑色的，粗短，跟四周格格不入。議會內沒人看過真槍。

這時，強納森．阿猶德緩慢起身。

「各位公民，我親愛的朋友們。我要運用我身為月球開發法人總裁的權限，解散月球開發法人董事會，軟禁所有董事，因為他們已對月球的穩定、安全、利益帶來顯著而立即的危險。」

地坑內和層層座位都傳出反對的聲浪，但傭兵已將董事上銬，帶他們從緊急出口離開。尖叫使一張張臉孔變得緊繃，肌腱收縮如扭力桿，嘴邊沾滿憤怒的唾沫。

「他能這樣嗎？」亞別娜悄悄問艾芮兒。

「他已經做了。」艾芮兒說，然後推著輪椅前往議會底部的中央。兩名傭兵立即上前阻止她，一人拿刀，另一人拿電擊棒。「讓我過去見我的客戶。」

兩名傭兵一動也不動，不過月之鷹停下來了，距離緊急出口剩下兩步。他臉色慘白。

「艾芮兒，我可以信任妳嗎？」強納森．阿猶德說。

「強納森，你做了什麼？」

「我可以信任妳嗎？」

「我是你的律師。」

「我可以信任妳嗎？」

「強納森！」

四名傭兵護送強納森・阿猶德穿過逃生門撤退，這時大廳內累積了一段時間的能量爆發出第二波喧囂。保鏢、保全、刃衛、鬥士的人海淹沒門邊的傭兵，攻入議會。電擊棒對打、擋住敵襲，戳刺、放電。許多肉身痙攣，倒臥在一片體液中。警衛和傭兵在嘔吐物、血液、尿液中打滑，跌倒。這是一場骯髒、混沌的鬥毆，參與者是十幾個單位的簽約合作對象，各有利益衝突，沒人搞得清楚誰代表哪一方。會議代表紛紛蹲到桌子底下，滑到椅子上，瑟縮在議會中央低處。艾芮兒握住亞別娜的手。

「別放開。」

艾芮兒瞄到交戰人群後方的瑪莉娜了，她兩手各拿一根電擊棒，懂得判斷什麼樣的敵人占上風，不該硬碰硬。又傳出槍聲了，接著第三響。房間內所有人都定在原地。

「這不是你們該打的仗。」拿槍的女人大吼：「退到一旁，我們會放了所有旁觀者。」

亞別娜握住艾芮兒手的力道變強了。

「他們不會傷害我們。」艾芮兒低聲說。傭兵和保鏢退到兩旁，傭兵從緊急逃生口撤離，拿槍的女人最晚離開。整個事件不到一百秒就落幕了。

瑪莉娜關掉電擊棒，收到卡朗洋裝內側的精巧皮套內。

「他媽的發生什麼事了？」

「我的客戶剛剛發動了政變。」

6 二一〇五年雙子月

月球的城市燈火閃爍如鑽石塵。月塵之海，艾莉西亞心想，同時感到振奮和恐懼。這男人，這每走一步、每採取一個動作就受重力削減生命的虛弱男人，是從那裡來的。他姓柯塔，和她有血緣關係，但又是徹頭徹尾、斬釘截鐵的陌生人。

那一束塑膠管很輕，但拿著它走四十階後，感覺變得像生鐵管那麼沉。拐它們過彎時，它們又化身為叛逆的賤胚，撞在台階上發出隆隆、嗡嗡響，像什麼淒涼的樂器。她還繫著工作腰帶、焊接防護面具，一包工作用燈掛在背上。等到她踹開門，將管子拖到海洋塔頂時，她的大腿和前臂已灼痛得像火燒過。只有一小段時間能在迅速變換的暮光下欣賞黃昏海景，聆聽大西洋大道人車噪音和空調運轉軋軋聲另一頭的巴拉海灘碎浪。十數扇公寓窗戶傳出十幾種音樂和人聲。日落前的氣溫尚可忍受。她架好燈，鈉燈燈光凸顯白晝日光下不容易注意到的事物，也為它們抹出陰影。針，膏藥，菸屁股。內褲散布在衛星天線的後方，鳥舍內棲息的禽類窸窸窣窣。大麻園散發出甘美的夜晚芳香。

晚點再說吧，那是女維修工的津貼。

她戴上焊接防護面具，用鑰匙打開淨水器的開口，檢查紫外線陣列。沒任何問題，這年頭生產的紫外線燈根本不會壞。紫外線可毒辣了。她每裝一部淨水器就會將整個社區的人召集過來，解釋紫外線如何確保水質安全，告訴他們紫外線引發的結膜炎有多恐怖。「感覺就像沙子跑進眼睛裡，永遠弄不出來。」然後她會讓大家看照片，看角膜炎導致的紅眼、潰爛，大家就會發出一陣「哇」。沒有人的手指會誤入歧途，跑到她的淨水器去。

她切斷紫外線陣列的連線，拿下防護面具。天色全黑了。她檢查管線的走向。先關掉供水是對的，她的手指通過第一截U字管時，半透明的塑膠碎屑剝落了。紫外光會侵蝕聚乙烯。

她得換掉所有管子，而她這趟已經帶了許多過來。

管子移下後都粉碎了。淨水器要是再運轉個幾小時（也許是幾分鐘）就會故障。下方傳來大吼，抱怨水被關掉了。不是每個人都接獲通知，都知道管線女王正在處理海洋塔的供水問題。**我們付她錢是為了什麼？**

為了將自來水引入巴拉總管，同時讓FIAM水力的官員來買單，事情才不會穿幫；為了安裝管線，將管線牽下山丘、拉上高塔、接上每一棟公寓的廢管線；為了裝幫浦、供給幫浦電力的太陽能板、屋頂水塔、過濾器和這部淨水器，你才能給孩子喝乾淨、澄澈、新鮮的水。你們付我錢就是為了這些。如果我把這些報酬花在可靠的二手華泰皮卡車或男用足球鞋或公寓的新集線器或保養級的指甲修剪和甲床重建，你們會嫉妒我嗎？水管工程對指甲可傷了。

她點開耳機上的播放清單，開始動工。夜色越來越深了，裝到第三根管子時，諾頓打電話來想約炮。

「我在工作。」

「妳下班後？」

「換你上班。」

她旋緊連接器的同時，一個想法在她心中轉啊轉的，一個經常冒出來的想法：也許她應該換一個更好的男友。諾頓愛裝模作樣，還成天抱怨，散發出一股茫然的冷漠，但那又是被自覺沖淡後的冷漠；她覺得很迷人。他對「管線女王的男友」這個身分感到驕傲，儘管他不懂她為什麼要做這些。她賺比較多錢，他看了不爽。她有在工作這點就已經令他惱怒了。她應該要讓他養，接受他的支持和寵溺，男人就該這樣對女人。諾頓是保全。安全是關鍵，安全很重要。你碰得到名人和有錢人，但保全可以從背後暗算別人。

她從來沒把所有人都知道的事實說出口：最好的保全，待遇最好的保全，是機器人。只有三流單位雇用人類。不過他有計畫，兩人可以一起達成的志向。買下海邊別墅，和一輛像樣的車。不是華泰皮卡車，她開這種車到處跑讓他抬不起頭。奧迪，奧迪就是像樣的車了。**我可以把工具放在奧迪後座嗎？**她問，而他老是說：**妳跟我在一起，什麼工具都不需要**。

她不想要諾頓規畫的未來，遲早得在某個時間點上甩掉他。不過他很窩心，床上很合得來（行程表倒是要先合得起來）。

她勾住最後一根水管，轉開水，檢查接合處，解除氣塞。她聆聽水管中的嘩啦聲和撞擊聲，接著戴上焊接防護面具，重新啟動紫外線陣列，鎖上淨水器開口。

海洋塔，你們乾淨的自來水來了。

她的耳機再度發出嗶嗶聲，這次不是諾頓打電話來，是警報。她點開鏡片，app便在抵達地點上標出一個細十字。南南東，二十公里外。她從大麻園抓起一把嫩葉，坐到矮牆上，腳懸在離地八十公尺的牆面外，鞋跟敲擊水泥，眺望海洋。又停電了，街道陷入黑暗。適合觀測太空船降落，卻對社區安全不利。附近住宅區屋頂上的發電機軋軋作響，攤位和商店靠太陽能電力照明。她的細十字線指出：三百公里外。離地一百五十公里。她讓那個數字引導她凝望柔和、溫暖的夜色。天空發光了。三道火焰從熱電離層畫了一條拋物線，在金黃、緋紅的天空中下墜。她屏住呼吸。二十年前，七歲那年她和婕曼姑姑一起上高處看月亮，她也看得忘了呼吸，一口氣憋到現在。

看到月亮了嗎？看到那些光了嗎？妳的表親就在那裡，妳的家人，跟妳一樣姓柯塔。妳的姑婆亞德里安娜就在那裡，她非常有錢，大權在握，是月球之后。就在那裡。接著她看到星星墜落，上頭帶著火斑，其他的事情再也不重要了。如今她已知道那些星星是貨物，稀土、藥物性食品、氦－3。柯塔氦氣點亮萬家燈火。核融合原本應該會為燈火管制畫下句點才是。它便宜又取之不盡，是永遠明亮、嗡鳴的救世主。不過所有救世主都會吃癟。核融合的重點不在於產生的能源，要緊的始終是它在電力買賣市場所能產生的利益。三件包裹緩慢墜落著，披帶重返大氣層所致的靜電，那景象美得不可思議。她更喜歡自己天真、充滿好奇心的時期，姑婆像扔糖果似地大把丟星星到地球上。

亞德里安娜．柯塔曾寄錢給她留在地球上的兄弟姊妹，因此巴西的柯塔家曾過著舒適的上流生活。後來的某一天，金援停止了。亞德里安娜．柯塔關上天空，不過她的姪孫女仍會看著火弧從月球劃向地面，感覺心跳加速。

天色黑了，戲已落幕。黑暗的海洋上，回收船正要去接收貨艙。艾莉西亞．柯塔拾起工具袋和焊接面具。清掉舊管的工作可交給其他人。她將草葉塞進剪短上衣的口袋內，準備品味它為廉價、襤褸世界帶來的呵笑恍惚感。每次她看到空投貨物以亮眼星星之姿墜落，憎恨、耀眼的機會都刺得她痛苦萬分。她是巴拉的管線女王，不過她當初要是在上頭那個世界誕生，又能成為什麼樣的人呢？

前門的保全小鬼給了她一個裝現金的信封。

「謝啦，柯塔小姐。」

她在皮卡車上算錢。又一筆瑪莉莎的學費，給琵亞奶奶的藥物，跟諾頓出去過一夜。指甲彩繪，剩下的存進戶頭。管線女王將車駛入大西洋大道的車尾燈流中，背棄她的月亮是射入天空的一把刀。

艾莉西亞只用過警笛兩次，就跟用其他app的次數一樣。第一次是剛買時，第二次是向朋友炫耀，之後就忘了它的存在。整理軟體時，她好幾度考慮刪掉它，但微笑的警車小圖示總是會顫抖著說：**你需要我時，就會派上用場**。

今天早上她就需要了。當時她人在亞曼多朗巴迪大道上，沒開自動駕駛，十一歲的卡歐、十四歲的瑪莉莎和救主基督庇護所的瑪利亞．阿帕雷西達修女坐在後座。

她的按響汽笛傳達急迫性，障礙燈閃藍光——又是小小的汽車駭客行徑，就跟警察交通網辨識標誌一樣。萊伯倫的每一輛車都認為她開的是緊急救難車。能讓別人閃路的招數，她都用了。她飆過美洲大道和艾爾頓洗拿大道的路口。

瑪利亞．阿帕雷西達修女拍打屋頂，湊向駕駛室，對著司機的窗戶大吼。

「妳要去哪裡？聖母醫院要左轉。」

「我沒要去聖母醫院。」艾莉西亞大吼壓過警笛的尖嘯：「我要帶他去巴拉多爾醫院。」

「那裡的費用妳負擔不起。」

「我行。」艾莉西亞大吼。「只要別再出什麼亂子。」她以掌根重壓喇叭，闖過十字路口。自動駕駛車像瞪羚般逃竄。

她打點好他的儀容、填飽他的胃才送他出門。每天都如此。乾乾淨淨，衣服熨過，鞋子也亮晶晶。打點好儀容、填飽胃，還準備像樣的午餐，菜量夠他吃，也夠他跟人交換。靠保全給她的錢，計畫性存款。艾莉西亞還撥了緊急救助電話，以防萬一。他永遠成不了一流人才，他的腦袋不是那樣運作的，但他始終守規矩，也為柯塔家爭光。

卡歐遲到半小時，學校保全便打電話給艾莉西亞。她拋下工具。附近居民已在一條塞滿玉米環保塑膠水瓶和人類排泄物（裝在綁起的袋子裡）的水泥淺溝內發現他的蹤跡，聖母醫院的社區修女跟他在一塊。艾莉西亞滑下水泥斜坡。他的頭糟透了，稀巴爛，他可愛的頭。一切都有問題，她不知如何是好。

「把皮卡車開下來到樓梯那裡！」瑪利亞．阿帕雷西達修女大喊。附近居民將艾莉西亞從灌漿灌得很隨便的陰溝中拖上來，而她倒車來到街道與陰溝交會的低處彎道上。一雙雙手將那孩子傳到艾莉西亞的貨車後方，瑪利亞．阿帕雷西達修女在那裡放了一些泡棉墊，並且幫卡歐調整成復甦姿勢，將別人遞給她的水瓶一把抓過去，清洗傷口。好多血。

「好，上路！」瑪利亞．阿帕雷西達修女大喊。

「他的背包在哪？」艾莉西亞問。他一再一再央求她買巴西隊長的背包給他，而她拗不過就順了他的意思。他好開心、好驕傲，差點擠進去裡頭睡覺。如今它不見了。

「艾莉西亞！」瑪利亞．阿帕雷西達修女大喊。艾莉西亞盪進駕駛座，警笛響起。

車子甩入巴拉多爾醫院的救護車停車處，武裝保全包圍皮卡車。

「推輪床來！」艾莉西亞朝身材結實、伙食吃得很好的保全的臉尖叫。有些手文風不動，有些伸向武器。他們認得管線女王。艾莉西亞衝進急診室櫃台，身子探向桌子另一頭。

「我的皮卡車上有個十一歲小孩，他半邊頭凹進去了，需要立即治療。」

「我需要妳的保險資料。」櫃台人員說，她的白色桌面上擺著花。

「我沒保險。」

「巴拉多爾醫院提供醫療保險服務。」櫃台人員說。艾莉西亞將付款終端機搶過來，舉到眼前，按下拇指，再轉回去給櫃台人員。

「這樣就適用了？」

「是的。」

「讓他進去。」

護士打電話叫保全將艾莉西亞架離卡歐，急救護士接手將孩子推進病房。

「莉，讓他們做分內的工作。」保全說：「等他穩定了，醫生就會讓妳見他。」

她坐下來，憂心忡忡，瑟縮在等待室不舒服的座位上，接著再換一個窩法，然後再一個，每個姿勢都讓她覺得骨頭不對勁。她在座位與自動販賣機之間不斷往返，誰瞄她一眼她就瞪死誰。兩個半小時後，醫生出來找她了。

「怎麼樣？」

「我們穩定他的狀況了。能借一步說話嗎？」

醫生帶她到隱祕的問診室去，然後將幾張墨水暈開的紙放到病床上。

「我們在他口袋裡發現這個。這是他的字跡嗎？」

「他的字比這工整。」

「這是寫給妳的。」

上頭有個地址，一個簽名。艾莉西亞不認得簽名，但聽過那名字。小孩的字跡，成人埋下的深意。

「我可以帶走嗎？」

「視妳要不要把警察扯進來。」

「警察不會為我和卡歐這種人工作。」

「那就帶走吧。」

「謝謝你，醫生。我會回來的，有件事要先去辦。」

艾莉西亞走進健身房時，只有新來的男子盯著她看。有些年紀較大的男人認得她，紛紛停止舉重、揍沙包，向她點頭致意。她大步從櫃台以及「限男性」的牌子旁走過，經過蒸氣浴、按摩浴池，穿過黑暗迷宮一路來到深處的辦公室。兩名穿健身房T恤的保全擋到她面前。

「我想見蘇赫．奧斯瓦多。」

較年輕的保全正要張開他的笨嘴拒絕她時，年紀較大的那個搭他肩膀阻止他。

「當然好。」警衛對隱藏麥克風含糊地說了幾句話後點點頭。「請進，科塔小姐。」

蘇赫．奧斯瓦多的辦公室舒適、小巧得像縱帆船的客艙，到處是銅和上蠟的木頭，裱框的綜合格鬥選手照片蓋滿整面牆，設備俱全的酒吧立在實木百葉窗下方，中國的電音金曲迴盪在房間內，有存在感，但又不會強烈到影響蘇赫．奧斯瓦多的專注力。他壯得像熊，又高又重，整個人從桌後方的椅子上滿出來。他正透過一排老舊的桌上型螢幕研究綜合格鬥競技賽事。冷氣很涼，而且還帶著些許薄荷味，但他滿頭大汗。他怕熱，忍受不了白天的陽光。他穿著一條熨燙平整的白色短褲和健身房的T恤。

他敲著其中一台老派螢幕。

「這男孩，我想我也許會羈押他。他真是個陰毒的小混蛋。」蘇赫．奧斯瓦多的聲音又粗又低沉，童年時代的結核病使他的嗓子隆隆響，更顯厚實。巴拉人傳說他曾接受天主教教士級的神學訓練，艾莉西亞相信這傳言。「妳怎麼想？」他將螢幕轉向她，讓她觀賞籠中鬥。

「蘇赫・奧斯瓦多，你要我看哪一個？」

他笑了，手勢優雅地將螢幕壓平到桌上。

「妳原本有機會當上好選手。妳守紀律又有專注力，而且胸中燒著一把怒火。管線女王，需要我為妳效勞什麼？」

「我受委屈了，蘇赫・奧斯瓦多。」

「我知道。妳弟狀況如何？」

「頭骨有三處破裂，嚴重腦震盪，腦部大量失血。醫生說損傷難以避免，只有大傷小傷的差別。」

蘇赫・奧斯瓦多在胸前畫了個十字。

「他之後會怎樣？」

「也許需要終生照護。醫生說他可能永遠不會完全康復。」

「該死。」蘇赫・奧斯瓦多用低沉、圓潤的嗓音說：「如果是錢的問題……」

「我不是來要錢的。」

「很高興聽妳這麼說，我不想收妳利息。」

「吉拉特傳了一段訊息給我，我要回訊。」

「很榮幸能幫妳這個忙，艾莉西亞。」蘇赫・奧斯瓦多湊上前：「要明講到什地步？」

「我要他們永遠別再威脅我的家人或任何人，我要眼睜睜看著他們的水資源帝國瓦解。」

蘇赫・奧斯瓦多往回靠，椅子嘎吱響。儘管艾莉西亞覺得辦公室很涼，他的光頭上還是凝結了油亮的汗珠。

「妳是鐵手。」

「你說什麼?」艾莉西亞說。

「妳沒聽過嗎?那是柯塔家的名號，我們兩家往來很久了。我祖父跟妳曾祖父買過賓士。」

「我知道我們曾經是有錢人。」

「那是米納斯吉拉斯州的綽號，礦坑傳出來的。意思是，抓力強、有意志力也有野心的人，他想從世上拿走什麼就拿什麼。鐵手。妳的姑婆，上了月球的那個，就是正牌的礦工。茂・迪・費洛。」

「亞德里安娜・柯塔，她取消了對我們家的金援。所有錢都在月球上，她就這樣撇下我們。」

「而妳忘了你們曾經被稱為鐵手，也許她只是在等待轉機。我會為妳動手，艾莉西亞・柯塔。卡歐的事讓我很沮喪。對小孩下手……他們打破規矩了。我一定會讓吉拉特兄弟嘗嘗真正的疼痛再送他們上路。」

「謝謝你，蘇赫・奧斯瓦多。」

「我尊敬管線女王，所以才這麼做。我們都欠妳人情。但請妳了解，我做事不可能不收費，就算受妳委託也不例外。」

「當然了。」

「我母親——願上帝和聖母保佑她——她晚年過得很舒適，住在很不賴的公寓內，有海景可看，隨時有電力可用。她有陽台，有私人司機可以帶她去參加彌撒、雞尾酒會，或是去跟朋友打橋牌。她還想要一樣東西，我認為妳能處理。」

「說吧，蘇赫・奧斯瓦多。」

「她一直都想要水景。噴泉、小天使還有那些吹號角的傢伙。貝殼，小鳥浴池，水花聲。這會讓她的人生圓滿。管線女王，妳能幫她安排嗎？」

「蘇赫．奧斯瓦多，能替老太太的人生注入一點活水是我的榮幸。我可以請你再幫一個忙嗎？」

「妳如果可以在一個禮拜內動工，那就沒問題。」

「我要你把卡歐的巴西隊長背包拿回來。」

諾頓跑到公寓來了。

「你不該到公寓來。」艾莉西亞說。沒開門閂，左眼湊上縫隙。門後的她讓隱藏泰瑟槍滑到地上後，一腳踢開它。在她請求蘇赫．奧斯瓦多幫助而他尚未動手的節骨眼上，任何不請自來的客人都得面對她的嚴陣以待。走廊攝影機顯示諾頓是一個人來的，但這不代表什麼。吉拉特兄弟有可能脅持了他的家人。貼在牆邊的瑪莉莎撿起泰瑟槍，有備無患是不變的道理。

「我得跟妳談談。」

「你不該來我公寓。」

「呃，那我可以在哪裡跟妳談？」

涼亭。瑪莉莎傳訊息到海洋塔的通訊群組去，艾莉西亞和諾頓抵達樓梯頂端前，屋頂賊窟就淨空了。微風從山丘上吹拂而來，使夜晚氣溫降到可容忍的程度。艾莉西亞窩到沙發椅上。她先前丟了六瓶南極洲啤酒到保冷袋裡，此時悠哉地打開木頭扶手上擺的那罐，遞給諾頓。他別過頭去。他的頸部肌腱、喉嚨、喉頭上的血管都因憤怒緊縮。艾莉西亞大口灌下瓶中飲料，親愛的、神聖的冰啤酒。

「你為什麼要來我公寓？」

「妳為什麼要去找蘇赫．奧斯瓦多？」
「為了公事，你不能過問我的公事。」
諾頓開始踱步了，這是他的習慣動作。**你知道你生氣時手部動作有多令人煩躁嗎？**艾莉西亞想。
「而我卻不能來妳公寓。」諾頓說：「我當初是不是該跟妳簽什麼合約？」
「諾頓，少說屁話。」艾莉西亞無法忍受別人的笑聲。諾頓明白了一個道理，永遠不要把艾莉西亞．柯塔當作笑柄。
「我知道大家去找蘇赫．奧斯瓦多都是為了什麼。妳為什麼不來找我？」
艾莉西亞爆出真心的大笑。
「你？」
「我是保全。」
「諾頓，你跟蘇赫．奧斯瓦多不是站在同一個擂台上。」
「要蘇赫．奧斯瓦多幫忙得付出代價，我不希望妳虧欠蘇赫．奧斯瓦多。」
「蘇赫．奧斯瓦多的八十歲老媽即將擁有全巴拉最頂級的水景了，就在她家陽台上。附小天使雕像和其他有的沒的。」
「別對著我笑。」諾頓突然大吼，閃現的黑色怒意和快如刀又激動的轉身令艾莉西亞屏住呼吸。他的憤怒很美。「妳每次需要幫助都跑去找蘇赫．奧斯瓦多，別人會怎麼看我？誰要雇用照顧不了自己女人的保全？」
「諾頓，談這些記得多想三秒。」艾莉西亞放下半空的酒瓶。「你不用照顧我，我不是你的女人。如果你那些保鑣掛的朋友因此不尊重你，你要不就換一批朋友，要不就換一個女朋友。」

艾莉西亞話一出口就後悔了。

「妳想分就分。」諾頓說。

「你想分就分。」艾莉西亞模仿他。她知道這句話糟到不能再糟，卻無法阻止自己說出口。二世還在世時，曾說她將來得跟自己的陰暗面搏鬥。「你為什麼不能根據自己的想法做個一次決定？」

「喔，那我要閃到其他地方去啦！」諾頓咆哮，氣呼呼地走人。

「好啊！」艾莉西亞朝他背影大喊。屋頂門被大力甩上。她不會跟他下樓，她甚至不願讓自己在樓梯間享受回嘴踩他痛處的快感。他才該回來找她。「隨便你。」

她等了三分鐘、四分鐘、五分鐘，接著她聽到下方停車場傳來越野摩托車的引擎聲。不用看也知道是諾頓的車。他幫電動馬達外加了幼稚的催油門聲，不可能錯認。

「賤人。」她說，然後將半空酒瓶砸向屋頂的另一頭。瓶子沿著空間的長邊飛行，在水泥圍牆上摔得稀巴爛。「賤人。」

屋頂門軋地打開了。

「莉？」

瑪莉莎來到涼亭陪艾莉西亞，兩人一起看著半月從大西洋上升起。大道上的街燈閃爍，熄滅了。

「希望他撞車。」艾莉西亞說。

「妳才沒那麼想。」

「沒有嗎？」

「妳不許任何人笑妳，自己卻笑他。」

「閉上妳的爛嘴，小妹。」

瑪莉莎擺動雙腿，艾莉西亞從保冷袋中拿出瓶身布滿水珠的啤酒。

「幫我開。」瑪莉莎十歲那年就開始喝啤酒了。

瓶蓋在月光下飛旋。

她好愛諾頓剛除完毛的卵蛋的觸感。好愛皮膚的滑順軟嫩，保養油的柔和，感覺好像脫離他肉體獨立的愛蹭人的小動物。她喜歡它沉甸甸地窩在她掌中，她就可以用拇指和食指圈住陰囊。輕輕拉扯它們時，它們會屈從或因驚訝而緊縮。她好愛它們的飽滿和脆弱，用鞋帶或橡皮筋或髮圈就能把它們變成兩顆美妙而腫脹的欲望蘋果。她喜歡用指甲輕彈他緊縮的卵蛋，第一次這麼做時，他撞上床頭板，差點腦震盪。

艾莉西亞的手掌圈住他剃光毛的生殖器。諾頓的傢伙很大，光滑又抹了油，像是自負的怪物，像是巨大的雨林樹幹傲然矗立在矮樹叢淨空後的土地上。巨大，帶有優雅的弧度。她許久之前就知道該如何讓他待在臨界點，將他帶到高潮的邊緣又拉回來，全靠她握住大雞巴的那隻手的操弄。她將龜頭按入掌中，以拇指搓揉冠狀溝形成的粗線。他呻吟，倒回枕頭上。

她藉此得知這不是分手炮——他為她剃了毛。

她用拇指指腹按住龜頭上的三角形，也就是兩道弧度（很像愛心，她心想）與尿道口的交會處。她幫它取的名字是小愛心。她不知道它的學名，但知道碰觸它、搓揉它、彈它、震動它時，分布於這幾平方公分內的神經會給她絕對的支配權。

他保全隊上的其他人肯定看到他剃毛了，都是為了她。

他們的腦海中會產生一、兩個聯想。

她曾幻想將來有一天要幫他噴泡沫、除毛、抹油，而且要用老式的直柄剃刀親密地幫他處理，做到卵蛋合起來像糖果的程度。她想像他的表情混合著恐懼、信任、喜悅。

她彎腰，以舌尖觸碰那顆小愛心。

諾頓抖了一下，彷彿尿道受到高壓電擊。他的腹肌收縮，屁股繃緊。如今他把注意力放到艾莉西亞身上了，她便引導小愛心到她真正希望的位置去。

事後她翻身下床，赤腳走向浴室，然後移動到冰箱那裡。

「有瓜拿納[3]嗎？」

「在波西米亞啤酒後面。」

她蹲在藍光中挪動啤酒罐，冰箱燈閃爍著。這是男人的冰箱，啤酒、咖啡、軟性飲料。性愛總是會影響她的液體平衡。有出，有進。她啵一聲按下拉環，滑回黑色被單下方。

黑色亞麻床單，在她看來是新買的。為回頭炮準備的乾淨床單。耶穌與聖母瑪利亞，小小的銀色列島。

他側躺，一腳縮起一腳伸直，將被單擁在懷中。他知道這麼做會讓自己顯得可愛。他的膚色比她深了三階，深褐色對肉桂色。她喜歡望著他。

燈光熄滅了。

「媽的，等我一分鐘。」裸體的諾頓趴在房間地上爬來爬去，點亮艾莉西亞帶給他的香氛蠟燭。它們可以壓制男性房間的酸腐味。艾莉西亞比較喜歡燭光照射下的諾頓公寓，不想看高解析度版本。

她真的需要幫自己換一個更好的男友。

「卡歐回家了。」她說。瓜拿納開始發揮效用了，糖分與咖啡因。

「他的情況如何？」

「他接下來的兩個月不會上學，我準備幫他找家教。他的身體右半邊受到傷勢影響，得學著當左撇子了。」

「靠，我想去見見他。」

諾頓令她欣賞的一點是：他把卡歐當作自己的弟弟。諾頓令她不欣賞的一點是：他試圖把卡歐教成像他的人，小混混。

「你可以到我公寓見他。」

「謝謝妳，莉，我很感激。」

當他放下男人那套誇張的言行模式說出真心話時，她就會心軟。

「吉拉特兄弟怎麼了？」

「你不會想知道的。」屍體封在新高架鐵軌的水泥基座內了。「沒有人會再威脅卡歐了。」

「莉……」

艾莉西亞翻身側躺，諾頓閃避她的視線。這是她用來取得控制權的另一個工具。

「我們以前還有另一個家族名，你知道嗎？茂·迪·費洛，是流傳在米納斯吉拉斯州的老名號，意思是大人物、重要人物，該做的事都會去完成的人。我以前是大家口中的『鐵手』。所以你就閉嘴別再問了。」

諾頓突然從床上彈起來，撞到艾莉西亞的手，黏膩的瓜拿納全倒在她胸部上了。

3　同名木質葛藤植物製成的碳酸飲料，有提神作用。

「靠，諾頓……」

「不，聽我說聽我說，我現在在幫一個姓柯塔的人工作。新合約，昨天才開始。感謝妳問那句。妳總是說柯塔家族沒幾個人，沒人知道你們名字的由來，沒人知道你們到底是哪裡來的。呃，我服務的對象就姓柯塔，而且他是從月球來的。」

「沒有人是從月球來的。」艾莉西亞摸找沒沾到精液的衛生紙。**這男人需要了解準備溼紙巾的必要性**。

「妳說這話不太對，莉，彌爾頓就是從月球來的。」

「好，工人確實會從月球回來。」巴拉人得知有一個當地人要上月球開採氦-3時，大家都很開心。那人在重力開始侵蝕他的骨頭前回到地球，帶著足以讓他搬離巴拉、住進南區的財富，一年後遭到謀殺。他所有財產都是電子錢，凶手一毛也沒拿到。

「他不是工人，他在那裡出生。」

艾莉西亞彈坐起來，瓜拿納灑在諾頓的黑色被單上。她翻身跨坐到他身上，陰部使勁抵住他的雞巴。

「他是誰？告訴我。」

「什麼什麼柯塔。盧卡斯．柯塔。」

「盧卡斯．柯塔已經死了。馬肯齊一族消滅柯塔氦氣時，他就遇害了。」

「也許是不同——」

「世界上只有一個盧卡斯．柯塔。你對月球有任何了解嗎？」

「我知道他們會打手球，上面的人也可以決鬥殺人，不過其他事情我其實不在乎。」

艾莉西亞又扭了一次腰，諾頓發出呻吟。

「我的家人在上頭。你確定他叫盧卡斯．柯塔？」

「來自月球的盧卡斯．柯塔。」

「他是怎麼……算了。」

「他病得很嚴重，非常虛，被醫生團團包圍。」

「盧卡斯．柯塔在地球上。」艾莉西亞從諾頓的雞巴上起身，向他展示美妙之地的全貌。「諾頓．阿迪羅．達倫齊．巴拉．迪．弗瑞塔斯，如果你今後還想再進來這裡，就得讓我跟盧卡斯．柯塔談談。」

女僕制服小了一號。上衣釦子間的縫隙被撐開，裙子也太緊、太短了，她不斷將它往下拉。褲襪上的襯料滑到很低的位置，她不斷將它往上拉。他們竟然希望工作人員穿這麼蠢的鞋子辦事，太荒謬了。她已經花了一大筆錢賄賂飯店經理，他起碼可以提供合身的制服吧。

巴拉半數人口從事服務業，不過艾莉西亞從未見過五星級飯店的內裝。砸錢的地方使用大理石和鉻，全都擦得亮過頭了，而且彷彿都採稍息姿勢過久而顯露疲態。廚房和行政區域是水泥和不鏽鋼材質。她懷疑世界各地的高級飯店都長這樣。走廊散發出許多人呼出的氣息以及慵懶地毯的味道。

裘賓套房。

站到門鈴前方時，恐懼襲向她。

諾頓搞定了一套保全系統，但如果還另有一套該怎麼辦？

會有法子的。她按下門鈴，房門吱一聲開啟了。

「我來整理房間。」

「進來。」

他的聲音令她吃了一驚。他開口時，艾莉西亞才發覺自己根本不知道來自月球的男人該有什麼樣的嗓音，不過她不是因此嚇到。盧卡斯．柯塔說起話來像是病懨懨到了極點，疲倦、吃力、喘不過氣。他葡萄牙文的口音很怪。他坐在輪椅上，待在全景窗邊，明亮的沙灘、海洋、天空襯著他的剪影。艾莉西亞不確定他是面對，還是背對著她。

她走向床。在這之前，她從未見過如此寬敞、味道如此清爽的床。五種功能不同的醫療機器人隨侍一旁，床邊桌上擺著十幾種藥物。她觸碰床單，發現床產生了波動。是水床，很合理。

某物在她的脖子側邊抽動，她舉起手。

「碰那昆蟲，妳就會死。」盧卡斯．柯塔以老邁病患的嗓音說：「誰派妳來的？」

「沒人派我來的，我是……」

「毫無說服力。」

昆蟲腳的觸感使艾莉西亞整個人一抖，它跳踢踏舞似地爬行到耳後方的柔軟地帶。想將它撥開的衝動強到令她難以按捺。她並不懷疑盧卡斯．柯塔在唬她，因為她讀過生化昆蟲毒素傳遞系統的文章。在月球上，那是阿沙默家的愛用武器——她思考、領會著，儘管那昆蟲只要再挺進一毫米，她就會中，神經毒素，死在自己的尿液和嘔吐物中。

「我再問一次，誰派妳來的？」

「沒有人……」

她感覺到極細的針戳刺皮膚，發出嗚咽。

「我是鐵手！」她大喊。

昆蟲飛走了。

「那是不能辜負的名字。」盧卡斯．柯塔說：「剩下的名字呢？」

艾莉西亞一陣乾嘔，雙手試圖尋找支撐點，以及水床海景中的確定性，緊繃的恐懼使她顫抖著。

「艾莉西亞．瑪莉亞．杜．賽歐．艾利娜．迪．柯塔。」她上氣不接下氣：「茂．迪．費洛。」

「上一個茂．迪．費洛是我母親。」

「亞德里安娜。路易斯．柯塔是我祖父，他的名字取自他的祖父路易斯。亞德里安娜的名字取自她的姑婆。她的公寓裡有一台電子琴。」

一隻手舉起，擋住海洋與天空的熾熱湛藍。

「來亮處吧，鐵手。」

她現在才發現他從頭到尾都還沒看她一眼，始終背對她坐著。光線壓垮他的陰暗身軀，使他委靡，變得半透明，顯露病態，就像是受光的蜘蛛。他的雙手是由多瘤的肌腱和腫脹的關節組成的，喉嚨、臉頰、眼睛下方、嘴唇的皮膚都很鬆垮，那樣貌比一般人的老態還悲慘，比死狀還可怕。

盧卡斯．柯塔望著太陽，偏光鏡片染黑他的雙眼。

「你們怎麼能跟這玩意兒共存？」他問：「它怎樣才不會持續閃耀、使人分心？你們看得到它在移動，事實上也相信它會動……而這正是一個陷阱，不是嗎？它使你盲目，看不見真實。你們只能別過頭去，才能了解真實。」

他瞥了一眼艾莉西亞，而她感覺黑色鏡片彷彿剝下了她臉上的皮膚、刮下她顴骨上的肉、將所有神經撕到只剩纖維質地。她並沒有畏縮。從三層鏡片輻射出的熱度非常顯著。

「妳的長相有我們的影子。」

盧卡斯．柯塔推著輪椅離開窗邊，來到室內的昏暗涼爽處。

「妳要什麼，柯塔小姐？錢嗎？」

「對。」

「我為什麼該把我的錢給妳，柯塔小姐？」

「我弟……」艾莉西亞開口，但被盧卡斯．柯塔打斷。

「我不是慈善事業家，柯塔小姐，但我會論功行賞。明天來見我，同一時間。想一個新方法進門，只有妳才辦得到的方法。向我證明妳是鐵手。」

艾莉西亞撿起整理房間時會置換的飯店盥洗用品，內心依舊七上八下，暈眩不已。她原本有可能死在這張床上。針尖與她只有幾毫米的距離，一瞬間就能為一切畫下句點。

他沒說好，也沒說不好。他說：**向我證明**。

「柯塔先生，你怎麼知道我不是真貨？」

「制服小了兩號，妳身上的味道也不對勁，客房服務人員會散發特定的味道，因為化學物質會滲入皮膚中。我們月球人的嗅覺敏銳度似乎大過地球人。妳離開時請幫我叫真正的服務人員來整理客房，我接下來要睡覺打發時間。」

工作間的門一甩上，艾莉西亞就脫下制服。上衣太緊了，裙子太短了。她穿著內衣和下滑的褲襪從諾頓身旁擠過，坐上科帕皇冠飯店地下停車場內的車子。

「它停在我的皮膚上，我他媽的皮膚上。」開車回諾頓公寓的路上，她尖聲對著他說。「我現在還感覺得到。」

她直衝他的淋浴間。

「我應該要殺了他。」諾頓說。結滿水珠的布料後方是她的剪影，而他望著。

「別動他。」

「他想殺妳。」

「他不想，只是要自衛。但我覺得自己好髒。它停在我身上，是一隻昆蟲啊，諾頓。我再也不會覺得自己乾淨了。」

「我可以幫忙。」諾頓說，然後溜到簾子後方，衣物脫到潮溼的磁磚上，跨出褲子，抖落四角褲。「他長什麼模樣？妳被昆蟲機器人嚇個半死，完全沒提到這個。」

「他讓我徹底發毛，諾頓。」艾莉西亞說。她背對他，水沿著她的肌膚和玻璃流下。「他感覺像是偽裝成人的其他種生物，遠看還好，但近看會發現每個部位都有點歪。恐怖谷效應。所有東西的形狀都不對勁，太長或太大或上半部太重。根本是外星人。我聽說上頭出生的人會長得跟地球人不太一樣，但我從來沒想到……」

「家人是沒得選的。」諾頓說，並走進淋浴間，貼住艾莉西亞溫暖、潮溼的身體側面，而她倒抽一口氣。「好啦，髒掉的點在哪？」

她撥開頭髮，歪頭向他展示脖子的柔軟處，以及刺殺昆蟲曾磨蹭的耳下部位。他親吻了這幾個地方。

「乾淨點了嗎？」

「沒有。」

「現在呢？」

「一點點。」

他挪動手，托住她完美的臀部。她一擠，使肌肉密合，縮腳圈住他的大腿，將他勾向她柔軟、黝黑的肌膚。

「那妳明天還要去見他嗎？」

「當然要。」

「很英俊的男孩。」

「這是他參加五人制足球隊時的照片。」艾莉西亞把卡歐穿背心、短褲、長襪、咧嘴笑的照片傳到盧卡斯．柯塔的鏡片上。他慵懶地倚靠著泳池，冷水輕流。他多次邀請艾莉西亞下水，但她很排斥。她坐在棚下方的躺椅上。那天的太陽非常毒辣，大海像是處在垂死狀態。

「他踢得好嗎？」

「不怎麼樣。一點也不好。他們選他是因為我。」

「我哥有一支手球隊，神之若望青年隊。他們並沒有他想的那麼優秀。」

艾莉西亞又傳了另一張卡歐的照片過去。他在海灘上裝大人，鼻子、顴骨、乳頭上塗了一條條藍色防曬油。

「他……卡歐的狀況如何？」

「他現在能走路，經常撞倒東西，而且還需要枴杖。他再也不能踢球了。」

「如果他不擅長運動，也許這狀況對他來說還算是好的。任何運動我都非常拙劣，我搞不懂運動的樂趣在哪裡。我有一個舅舅也叫卡歐。」

「卡歐的名字就取自他。」

「我媽離開地球前夕，他死於結核病。我媽曾經把我舅舅、阿姨的名字都告訴我，這些人都沒有上月球。拜倫、愛默森、愛麗絲、亞德里安娜、路易斯、艾登、卡歐。路易斯是妳祖父。」

「路易斯是我祖父，路易斯二世是我生父。」

「生父。」

「他在我十二歲那年跑了，丟下我們三個。我媽陷入絕望。」

「在月球上，我們會為這類事情簽約。」

就是現在了，跟他討錢，認親。他讓妳進了飯店。她找上沃利科娃醫師，請對方將自己指定為代班按摩師。艾莉西亞也做了變裝：穿運動型內搭褲和背心，坐在他的泳池邊。快開口討錢。一張圖片出現在艾莉西亞的鏡片上，錯失時機了。

「這是路卡辛侯，我兒子。」

他非常俊俏，身高高得很詭異，月球人的特徵之一，不過身材比例很好。濃密又有光澤的頭髮，一看就知道氣味很乾淨清爽。眼睛帶有亞洲人的韻味，因此顯得寡言，性格似乎有幾分淒美的脆弱，顴骨令人墜入愛河，嘴唇是永遠都吻不膩的那種。不是她的菜（她偏好肌肉發達、無外顯的知性表徵），不過非常、非常可愛。這種人會令女孩子瞬間心碎。

「他多大？」

「今年十九了。」

「他……路卡辛侯過得好嗎？」

「就我所知，他很安全。阿沙默家在保護他。」

「他們的據點是忒。」盧卡斯調查艾莉西亞的背景，同樣地，艾莉西亞也針對他和他的世界做了功課。「他們從事農業和環境工程。」

「傳統上，他們是我們的盟友。根據傳說，每條龍都有兩個盟友……」

「和兩個敵人。阿沙默家的敵人是沃隆佐夫家和馬肯齊家，陽家的敵人是柯塔家和沃隆佐夫家，馬肯齊家的敵人是柯塔家和阿沙默家，沃隆佐夫家的敵人是阿沙默家和陽家，柯塔家的敵人是……」

「馬肯齊家和陽家。這是簡化版的說法，但就跟所有陳腔濫調一樣，具有幾分真確性。」盧卡斯．柯塔說：「我成天為他擔心。這是種優雅的恐懼，由許多成分組成。我擔心自己做得不夠，擔心自己不知道現況，擔心我無能為力，擔心我就算有能力影響局勢，也可能採取錯誤的行動。傷害妳弟弟的人有什麼下場，我聽說了。」

「我得確保他們永遠不會再靠近卡歐或我們當中的任何人，永遠別想。」

「我媽如果是妳，也會採取一樣的行動。」盧卡斯吸了一口放在泳池邊的茶。「她總是不解，你們為什麼一個也沒上來？我想這是她生命中的一大失望。她為家族打造了一個世界，但沒人要它。」

「我長大後認為，是她背棄了我們，她收回財富與權勢，讓我們沒落。」

「我相信你們還住在同一棟公寓裡。」

「它快解體了。我出生前電梯就壞了，斷電的時間比供電長。配管配得很好。」

「我媽會在我們十二歲那年，帶我們在地球黯淡期上地表去，向我們展示燈火排列成的各大陸以及上頭的光之網，大城市燈火形成的團塊。她告訴我們：**這些燈火是我們點亮的**。」

「他們靠賣電賺更多錢，而非自用。」艾莉西亞說：「不過柯塔水力確實向巴拉達蒂茹卡區的兩萬居民提供了穩定又乾淨的水源。」

盧卡斯．柯塔露出微笑。笑很耗力，對他的身體造成很大負荷，因此更顯得珍貴。

「我想去看看，想看我媽成長的地方。我不想見妳的家人……那樣不太安全，但我希望看看巴拉，看月亮沉入大海，像是在上頭鋪出一條路。幫我安排吧。」

租來的多功能休旅車是一顆玻璃球，裝滿了門窗，令艾莉西亞本能地感到不自在。它就像是教宗會坐的那種車，揮揮手，賜福信眾。無處可躲，無處可藏，只有信念和強化玻璃救得了你。她在盧卡斯對面如坐針氈，車子緩慢行駛在大西洋大道上。

沃利科娃醫師原本立場堅定地拒絕讓盧卡斯．柯塔離開飯店，後來兩人唇槍舌劍了一番，當中的熱情和凶殘令艾莉西亞吃了一驚。病人和醫生吵起來像愛侶。沃利科娃醫師開著一輛皮卡車跟在後方，上頭堆滿急救機器人。

「這是我家。」艾莉西亞說。紫丁香色的涼風，東方海洋深藍，燈火一條街、一條街，一層樓、一層樓地亮起，讓巴拉得以炫耀它的舊時光彩。不過你得忽略路面上的坑洞、缺牙般的人行道磁磚、排水溝中的垃圾、寄生電纜和通訊天線、榕屬植物般爬滿所有立面的白色塑膠水管。

「帶我去看看。」盧卡斯說。諾頓命令多功能休旅車開上破碎的路邊石。艾莉西亞不想讓他開車，但「對自動駕駛系統下令」可以帶給他足夠的動力和權限。

「我想出去。」盧卡斯．柯塔說。諾頓誇張地掃視街道，他要壞就是能耍得這麼可愛。艾莉西亞開門，展開升降台。盧卡斯．柯塔移動幾公分後就降落到巴拉星上了。「我要用走的。」

「你確定嗎？」艾莉西亞說。車門開啟前，沃利科娃醫師就來到他身邊了。

「我當然不確定。」盧卡斯說：「但我要走。」

兩名女子扶他從輪椅上起身，撐住他腋下，再遞給他枴杖。盧卡斯行走在人行道上，枴杖敲得喀喀響。艾莉西亞每一刻都沉浸在恐懼中，擔心磁磚鬆脫、空罐擋路、小孩子騎腳踏車衝過來、危險的風吹沙，提防著任何可能絆倒他，害他重摔在地的事物。

「哪一間公寓？」

「有國旗色風向袋那一間。」

盧卡斯．柯塔撐著枴杖站了好長一段時間，仰望公寓燈火。

「令堂離開後，我們改裝過。」艾莉西亞說：「我聽說那原本是富裕人家住的，所以才那麼接近頂樓。住越高，代表越有錢。不過現在只代表你爬的樓梯階數比別人多。根據我讀到的資料，月球人如果有得選，會盡量住低處。」

「因為輻射。」盧卡斯．柯塔說：「我們會在經濟負擔能力範圍內，盡量遠離地表。我在神之若望出生，一直住到我媽打造了博阿維斯塔。那是一條熔岩管，長兩公里。她封住它、形塑它、在裡頭填滿水、種植物。我們住在奧里莎巨臉鑿出的公寓內。博阿維斯塔是月球上的奇觀之一。我們的城市是充滿光線、空氣、動靜的大峽谷，下雨時……那景象美到超乎你想像。你們說里約很美，是瑰麗之城，但跟月球上的大都市相比不過是貧民窟。」他背向塔樓。「我想去海灘。」

如今燈火已熄滅，海灘成了狐群狗黨、打炮或吸毒青少年的保護區。諾頓不悅地歪嘴，但還是扶著盧卡斯走下階梯，踏上海灘。盧卡斯的枴杖沉入沙中。他害怕地往後一縮，試著將它抽起。

「小心，小心。」沃利科娃醫師告誡他。

「跑進我鞋子裡了。」盧卡斯說：「我感覺得到它在灌滿我的鞋子，太可怕了，讓我離開這裡。」

艾莉西亞和諾頓將盧卡斯領到人行道上。

「把它弄出我的鞋子。」

艾莉西亞和諾頓扶穩盧卡斯，沃利科娃醫師則脫下盧卡斯的鞋子，倒出一道道細沙。

「很抱歉。」盧卡斯說：「沒想到我會有這種反應。我感覺到它，『塵』這個字就在我腦海中冒出來了。塵土是我們的敵人。我沒辦法克制自己的反應，這是我們最早學習的知識。」

「月亮就在上頭。」諾頓輕聲說。殘月掛在東方地平線上，月球的城市燈火閃爍如鑽石塵。月塵之海，艾莉西亞心想，同時感到振奮和恐懼。這男人，這每走一步、每採取一個動作就受重力削減生命的虛弱男人，是從那裡來的。他姓柯塔，和她有血緣關係，但又是徹頭徹尾、斬釘截鐵的陌生人。艾莉西亞在遙遠的月亮下方，小幅度、無聲地顫抖著。

「我媽說我們家的人以前習慣在新年一起到沙灘上放紙燈籠入海。」盧卡斯說：「大海似乎會用某種方法將它們往遠處送，最後遠到沒有人看得見。」

「我們現在還是會那麼做。」艾莉西亞說：「在除夕夜。每個人都會穿上白色和藍色的衣服，葉瑪亞最愛的顏色。」

「葉瑪亞是我母親的奧里莎。她並不信奧里莎那套，但喜歡那概念。」

「我覺得月球上有宗教很怪。」艾莉西亞說。

「為什麼？我們是不理性的物種，而且恣意出口我們的不理性。我媽是現主姊妹會的贊助人。現主姊妹會相信月球是社會實驗的實驗場：新政治制度，新社會制度，新家庭和親族制度。他們的最終目標是打造出可維繫一萬年的人類社會體系，認為一萬年後人類將會成為宇宙物種。要我信奧里莎還比較容易。」

「我認為那是很樂觀的想法。」艾莉西亞說：「它認定我們不會炸死自己，或死在崩潰的氣候系統中。我們會前往其他星球。」

「**我們**也許會。姊妹會完全沒針對地球人說什麼。」盧卡斯．柯塔再度望向如今已化為一片黑暗的海洋，月亮在黑浪上拉出一條顫動的光。「我們在上頭戰鬥，死亡；建造，毀壞；我們愛，我們恨，我們過著你們無法理解的熱切人生，你們下面這些人完全不在乎。我想走了，海讓我很焦慮。在陽光下看它，我還能承受，但在黑暗中，它沒有盡頭。我一點也不喜歡它。」

諾頓和艾莉西亞把盧卡斯弄進多功能休旅車。車門關上，艾莉西亞看到盧卡斯露出寬慰的表情。諾頓命令車子駛入車陣，幾輛摩托車和他們會車兩次，令他緊張起來。艾莉西亞回頭望，確認他們沒鑽進休旅車和沃利科娃醫師的醫療皮卡車之間。

「柯塔小姐，」盧卡斯說：「我想給妳一份工作。」盧卡斯觸碰玻璃隔板，關掉車上麥克風。前方的諾頓什麼也聽不到了。「妳是才華洋溢、有野心、英勇果敢的年輕人，也有頭腦，懂得尋求機會並把握它。妳已經建立了一個帝國，但妳還能做到更多。這個世界什麼也給不了妳。我母親給過妳長輩邀約，而我也給妳同樣的邀約。跟我去月球，幫助我奪回馬肯齊家和陽家偷走的事物，我就給妳獎賞，妳的家人就再也不用過貧窮的生活。」

「我需要時間考慮。」

「當然了，只有蠢蛋才會漫不經心地奔向月球。妳有妳的水資源帝國，所以我才沒要求妳替我工作，而是邀妳跟我一起去月球。我要妳為這決定付出成本，妳有兩天的時間可以考慮。我在地球上的時間不長了，也許只剩三、四個禮拜，再久，我就會死在火箭前往軌道的途中。照現狀看，我的身體還是可能遭受永久性的損傷。想清楚後來飯店找我。不要再說謊或偽裝了。」

7　二一〇五年天秤月至天蠍月

接下來是一道閃光。

地面緊跟著晃動。

然後是金屬雨。

月之鷹提供的馬丁尼實在好過頭了，不過艾芮兒動都沒動，讓它繼續擺在懸崖邊那張擦得亮晶晶的石桌上。

「我以為某些方樓一定會安排馬丁尼時間。」月之鷹說。

「我今天早上沒那胃口。」

他們在橘亭雕飾棚下的小石桌對坐，旁邊就是天蠍座α星中央區的巨大拱頂。夜間車水馬龍通行於橋梁和穿越道上，發出悶響。太陽線轉暗，變成夜晚的亮度，街燈閃爍，日光沿著太陽線移動到方樓另一頭的大道上。艾芮兒上次坐在這觀景樓面對寬闊遠景，是在早上。上次她坐在這鷹巢時，月之鷹命令她安排一場王朝婚禮。柯塔家與馬肯齊家聯姻，路卡辛侯與丹尼結為連理。造景樹上結的香檸檬仍有婚禮布置留下的銀漆痕跡。

「你欠我一個解釋，強納森。」

「董事會預計提出不信任案，而我先發制人。」

「你把他們當成人質挾持。」

「我是逮捕他們。」

「我們的法律系統並沒有『逮捕』這個程序。你綁架、挾持了他們。他們現在在哪？」

「他們在各自的公寓內接受看管，我已經調低他們的呼吸量防止他們胡來了。這招可以讓人乖乖聽話，效果好得不得了。」

「月球開發法人的公司組織規章沒有任何一條賦予你綁架、挾持公司董事會的權限。」

「這裡是月球，艾芮兒。我們愛幹啥就幹啥。」

「你希望我拍拍屁股就走嗎，強納森？你如果搞我我就會那麼做。外頭有八千份令狀，只有我夾在你們兩邊之間。」

「有人把董事會預定在那場會議上踢走我的情報洩漏給我。」

「維迪亞・拉歐。」

「拉歐預測了他們的意圖，不信任案。董事會把我拉下台的行動是地球策畫的，地球各國開始跟我對立。」

「你為什麼要跟我簽約，強納森？」

「維迪亞・拉歐的機器是透過辨識模式來進行預測的，那些模式是人類往往無法察覺的。拉歐追蹤一系列金流的源頭，穿過一層又一層空殼公司，最後發現是主權基金。居中斡旋者是妳很熟的人，妳哥。」

艾芮兒將她的奧斯卡・德拉倫塔手拿包夾到腋下，將椅子轉向一旁。

「說什麼夢話，強納森。根本是妄想症。我不幹了，合約終止，我不再是你的代理人了。」

強納森．阿猶德的手伸到桌子另一頭抓住艾芮兒的手腕。就一個巨漢而言，他的動作快極了。

「陽家試圖刺殺盧卡斯，但他活了下來，逃離月球，接受VTO的庇護。」

「讓我走，強納森。」她和強納森．阿猶德四目相接，他鬆開了抓握。月之鷹也是個壯漢，他的手指在她的棕色肌膚上留下蒼白的壓痕。「你雇我是為了把我當成擋箭牌。」

「對。」

「去你的，強納森。」

「對，那妳還要走嗎？」

艾芮兒瞄了一眼馬丁尼，冰涼，濃烈，神聖。她舉起杯子，啜飲一口。理智，確定，美味。

「我安全嗎，強納森？」

「他想攆走我，而我先發制人了。」

「強納森，你如果以為我哥只擬定一個計畫就太蠢了。」

其他參加者在西八街樓層梯脫隊。瑪莉娜已經獨自跑一小時又十分鐘了，她會繼續跑，直到其他人加入。這就是新長跑的信念，永遠會有其他人加入。長跑永不止息。

瑪莉娜在新公寓窘迫不安，有如困獸。她現在不再過著勉強餬口的日子了，新的慰藉和安全對她來說並不夠。回歸地球訓練班的身體性帶給她飢渴，她想為身體尋求其他語彙。她想起長跑：身體、塗上顏料的肌膚、彩色線段和代表各奧里莎的流蘇，融入整體的經驗，無意識的意識當中，時間和距離蒸發，肉體極限瓦解——一頭外緣黑暗的多足怪獸，唱著歌。

他想起卡林侯。淋漓汗水沿著他胸大肌和大腿上的螢光漆流下，他們脫離跑者狂喜狀態後的肅靜意志。他上擂台的前一夜，兩人躺在她床上，他黑色天鵝絨般柔軟的肌膚抵著她的。在克拉維斯法庭上，她看著他在哈德利·馬肯齊的血泊中最後一次發怒、狂喜。

她聽著運動和健身頻道傳出的呢喃，她巴西柔術指導者的低語，還有布萊斯·馬肯齊將神之若望占為首都後，聖靈離去途中的悄悄話。長跑已來到梅利迪安，它需要群聚效應。一開始就得是永恆的，永遠都要有肉體在其中運動。梅利迪安和神之若望不同，沒有遠離中央大道的環狀維修隧道供肉體不斷流動、吟唱。有人設計了一條路線，複雜地繞行維修通道，穿過人民大道的七層樓，全長七十公里。接著是水瓶座方樓的五條大道，長三百五十公里。最後是遍及三座方樓的路線，全長一千零五十公里。

跑新長跑全程需要六十小時，在地月兩界都是連續奔跑時間之冠。時間這麼長，就有演變成耐力賽、引發潮流的危險性，儘管它不是競賽也不是挑戰。它是紀律，是超越性的活動。警報系統確保長跑永不中斷，至少會有一具肉體在路徑上運動。瑪莉娜不是發起人，是維繫者。她在無人、悠長的筆直通道上扮演工作人員的角色，就快滿兩個小時了。她在無人、悠長的筆直通道上發現了私有的超越性體驗。她想到地球，想到逐漸委靡的骨骼、增長中的肌肉質量。她想到自己再也不能跑步。得在輪椅上坐好幾個禮拜，之後的幾個月還得撐助行器和枴杖。要等一年她才敢穿上布料有延展性又小的衣服出去跑步。就算上路了，跑步也就只是跑步而已。不會有聖靈、嗓音、共同體。

她想這些是為了不去想艾芮兒的事。

六十秒內抵達會面點。瑪莉娜看到跑者沿著西二十六街樓層梯跑上來了，兩人將在第十八街橋的入口會合。

Que sues pes correm certeza，女人說，意思是「妳的腳步真穩」。她的衣著和彩繪都是紅色的，短褲和運動上衣印了贊果的雷電。瑪莉娜很欣賞那一身打扮，她自己的長相跟那種穿衣方式搭不起來。

Corremos com os santos，瑪莉娜說，意思是「我們都和聖人一起跑」。接著女人就改用地語說話了。瑪莉娜的雙唇總是無法順暢地吐出那古老的語言。兩個女人調整出一致的步調，一起過橋。現在是晚上，她們就像跑在兩面無盡光牆之間。

「妳和艾芮兒．柯塔一起工作？」女人說。

「算是吧。」

「我就覺得是，我看過妳。艾芮兒幫我擺脫了一段發展得很糟的愛侶關係，對方報復、跟蹤我，搞那些有的沒的。只有我沒被限制重重的合約綁住。大家都說愛侶關係是最容易解除的，別相信那些話。下次見到艾芮兒幫我道個謝，我叫阿瑪拉．帕迪拉．戚布彥，她不會記得我的。」

「她的記憶力可驚人了。」瑪莉娜說。就這樣，她又開始想艾芮兒的事了。

一身奧旬綠的瑪莉娜．卡爾札和一身贊果紅的阿瑪拉．帕迪拉．戚布彥一起喝著雞尾酒。長跑由其他人接棒了。她們就像履行完六週合約的塵工，直衝酒吧。那是阿瑪拉的祕密景點，東三十五街牆上的幾個凹穴，桌椅都是天然岩壁鑿成的；店主知道所有人的名字，因為它一次只能容納八個人。

「有件事我要老實說，」瑪利娜說：「我從來沒喜歡過藍月。」

「我也是，我喜歡有水果味、偏甜的酒。」

瑪利娜舉起她的卡比羅斯卡輕敲阿瑪拉的芭樂巴迪達。

「Eternamente.」意思是「永遠」，這是長跑者的道別之語。

「Eternamente.」瑪莉娜用她蹩腳的葡萄牙文說。跑步後喝酒，這打破了瑪莉娜的專業原則和運動原則。自從月之鷹發動政變後，艾芮兒比從前更需要瑪莉娜的幫助，但她承受不了通風大公寓帶給她的幽閉恐懼。艾芮兒在一大票法律人工智慧的團團包圍下斥退一支又一支令狀大軍，亞別娜則沉默、熱切地從旁協助，查找案例、先例、過往判決，很清楚這項工作幾乎落在她的能力範圍外，會消耗她所有精力，但也會讓她在喀巴遜研討班的成績往上衝。她在廚房裡掛了一張吊床，但目光是落在金凳上。

「妳以前是在神之若望工作，還是在上頭？」

「負責處理薪資帳冊。」阿瑪拉舉杯：「永遠別惹會計。」

「妳看起來像塵工。」

「我挺喜歡塵工的調調。」

阿瑪拉害羞地低下頭去。

「很適合妳。」

「那，妳跟艾芮兒是？」

「我算是陰錯陽差成了她的員工。我有製程管理架構下計算演化生物學的博士學位。當初我受雇去路卡辛侯奔月派對上端盤子，結果有人試圖刺殺拉法．柯塔。我拿過的資格證照比柯塔家所有人加起來還多，下場是當艾芮兒的保鑣、私人助理兼酒保。」

杯中的卡比羅斯卡怎麼消失得那麼快？吧台的迪米悌已經在準備第二杯了。

「妳會想再喝一杯吧？」阿瑪拉說。

何不用酒精將她流失的體液都補回來？

「我主修人工智慧客製邏輯學，」阿瑪拉接著說：「下場是當別人的薪資會計。起碼這裡有工作，人類永遠都需要領薪水過活。」

第二杯卡比羅斯卡就跟第一杯一樣濃烈、美味、慷慨。

「敬薪資帳冊。」

「妳在月球待多久了？」瑪莉娜問。

「看得出我是地球人？我原本以為妳會把我當作第二代月球人。我家的人認為我高成這樣很難看。我原本是菲律賓人，住呂宋島。我媽是牙齒矯正醫師，我爸是銀行員。對，我知道，上層中產階級核心家庭養大的好人家的小孩。所有人都期盼這種小孩表現傑出，他們全都跑去上美國一流大學，都拿到了很好的學位。後來有個高個子壞小孩搭上火箭，向地面上的人揮手道別，前往月球。他們到現在還是不能理解，三年八個月過去了……」

「我待了一年十一個月，又四天。」

「難怪妳卡比羅斯卡灌那麼快。」

第二個空杯令瑪莉娜吃了一驚，迪米悌將杯子收走。第三杯酒的原料已經在吧台上排開了。

「告訴我，是什麼讓妳選擇留下？」

「有什麼值得我們回去？爛政府，廉價的恐怖主義，上升的海平面，妳親吻的下一個人有可能害妳染上致命肺病。」

「家人？」

「家人說得通。妳家人在哪裡？」

「美洲西北角，奧林匹克半島，安吉利斯港再往內陸一點。妳應該會接一句：『真美的地方，有山有海有森林。』確實是。我見過一次雪。有次氣候異常，它突然就冒出來了，在很高的山上。一抹白。是雪！我們開車沿著以前的國家公園道路上山。隔天就融得差不多了，雨下在雪上的畫面非常醜。」

「妳打算回去，對不對？」

「我沒辦法住在這兒。票已經訂好了。月環有我的座位，循環太空船上有我的鋪位。」

阿瑪拉喝完她的第一杯雞尾酒，迪米悌送上新的飲料：阿瑪拉的第二杯酒，瑪莉娜的第三杯。她肯定是透過副靈給他指示。

「妳告訴艾芮兒了嗎？」

瑪莉娜搖搖頭。

「如果妳在面前都開不了口，妳怎麼會有機會向她攤牌？」

原本盯著杯子的瑪莉娜抬起頭。

「我和艾芮兒的故事可長了。」

「我今天請了妳整晚的雞尾酒。」

「兩個小時前我們才剛結為跑友。」

「我認為妳早就想找人聊這件事了，並且已經想了很久。而我準備再請妳一杯卡比羅斯卡。」

「這是什麼？卡比羅斯卡療法？」

「這是跑者脫離亢奮狀態的過程。」

「再請我一杯卡比羅斯卡吧。」

第四杯卡比羅斯卡來了，就跟前幾杯一樣棒。瑪莉娜顫抖地啜飲調酒，感受這間小洞穴酒吧帶給她的溫暖和貼近。它就像一件石衣，舒適地裹著她。

「我可以突然拍拍屁股就走，但我沒辦法斷乾淨再離開。懂嗎？」

阿瑪拉用吸管吸她的巴迪達，同時皺眉。

「連結永遠會在。」

「她永遠有事需要我幫忙。史上最大的需要會出現的，而我到時候得拋下她。」

「如果妳告訴她，她會要求妳留下。」

「她不會的，她從來不求我什麼。但我會知道她在想什麼。我有可能會留下，之後我就會恨她。」

瑪莉娜起身。「我得走了，我必須回去了。很抱歉，謝謝妳請我這些雞尾酒。」

「起碼喝完那杯吧。」

「我不該喝的。我最近試著要她別喝琴酒，如果我在半醉狀態下進門……」

「妳已經賺到這杯了。」

「不，我不行。海蒂，幫我叫一輛三輪摩托。」瑪莉娜彎腰親吻阿瑪拉，向她道晚安。阿瑪拉將瑪莉娜拉進懷中，輕聲說話。

「喔，真抱歉。是這樣的，我為今天晚上想了一個計畫，我早就注意到妳了，一直把妳放在心上。我調動班表，為了和妳一起跑步。我的邪惡計畫是：把妳引來這裡，灌妳雞尾酒，試著誘惑妳或至少跟妳約會個一次，結果我根本沒機會，永遠不會有機會。因為我所有的才能在愛的面前都是無力的。」她溫柔地親吻瑪莉娜：「Eternamente。」

ＡＫＡ主管層級越高，維安規格就越低調，到最後根本和環境融合為一，人類無法察知。艾芮兒深信，這些嘰嘰響的昆蟲、振翅的鳥翼、隱匿的皮毛、低處葉片中閃爍的眼睛都能神不知鬼不覺地殺死她，毫無懷疑。絕對不要信任活物，她和母親在這方面心意相通。不過枝幹下的陰影涼爽，而且有落葉腐壞的刺鼻氣味。公園小徑都淨空了，只有金凳的命令才能做到如此地步。

「她真的有用處嗎？」露西卡．阿沙默問。兩個女人在沙沙作響的粉紅色碎石子小徑上漫步、閒晃。這是柯塔氦氣崩解、博阿維斯塔毀滅、拉法．柯塔死後，兩人第一次見面。

「我也許毀了這女孩的職業政客之路。」艾芮兒說：「她將來會以為每個議題都可以靠公然差遣傭兵來解決。」

露西卡．阿沙默笑得很大方，聲音飽滿又輕如鈴鐺。她和拉法的尼卡赫婚約是艾芮兒協調訂立的，這段關係打從一開始就有愛情的成分，明眼人都看得出來。相對地，拉法與瑞秋．馬肯齊的婚姻就不是那麼一回事了。

「我應該要直接叫她回忒的。」露西卡．阿沙默說：「天知道她接下來又會被捲入什麼。」話說得圓滑，但艾芮兒聽得出背後的憂心。政治暴力衝擊了梅利迪安穩定又乏味的公家部門，沒人知道這創傷會有多深，爆炸碎片又會噴得多遠。

「她不是局內人。」艾芮兒說。

「我想，現在人人都是局內人了。」露西卡．阿沙默在碎石子小徑上止步，枝幹、樹葉、地上常春藤間的細小動靜也隨她打住。艾芮兒感覺到十數隻含有毒液的眼睛望著她。「我們兩家人始終走得很近，不過我今天是以金凳大酋長的身分與妳會面。月之鷹採取了前所未有的行動，我們無法預測後果。這讓我們很不安。」

「月之鷹要的，不過是一個承諾。」

「我給不了的承諾。ＡＫＡ跟其他龍不一樣，我們的管理制度複雜而且多層次，有許多意見要諮詢，有許多票數得鞏固。有人認為這制度慢又不便，又沒效率，但我們總是認為權力應該要盡可能分立、塞到多方手中。AKA的動作慢，但腳步很穩。我們只是沒有足夠的時間可達成共識，就這麼單純。」

「就算只有低調的暗示，月之鷹也會很感謝……」

「我沒有那種權限，金凳沒有發言權。」露西卡繼續往前走，艾芮兒配合對方速度推動輪椅，樹林裡的監視者也跟上了。「我們兩家始終走得很近。我們就像柯塔家，不是群龍當中最富有或權力最大的一方。我們與其他家族的敵對關係保持距離，才替自己掙到一席之地。無法置身事外時，我們就靠審慎的聯姻解除危機。科托科會持續觀察，但我們不會急著給承諾。」

「哪一派贏，你們就挺哪一派。」艾芮兒說。

「對，我們非這麼做不可。VTO、分裂為二的馬肯齊家都仰賴地球與他們的關係，陽家也不例外，只是程度較小。我們就不是了，月球就是我們的一切。不過我們有句話常掛在嘴邊：人就是得吃飯，就是得睡覺。」

「我該把這些轉告給月之鷹嗎？」

「那就是金凳的答案。」

樹林裡有動靜。突如其來的翅膀搏動，鳥兒沖天，蝴蝶掠過艾芮兒的臉龐，快速移動的矮小生物沿著小徑邊緣衝刺。護衛離開了，封鎖線解除。艾芮兒知道大酋長離開時，她應該要在原地等待。她豎耳傾聽：枯葉乘著水瓶座方樓變幻莫測的風，撒到碎石子地上；腳步和輪胎壓出窸窸窣窣，是跑者和點心攤的台車。

陽夫人將達瑞斯的袖子拉下來蓋住手腕，達瑞斯又將它們翻上去。

「這是流行的穿法。」他說。

陽夫人屈服了，不過她還是一把抓走他指尖的電子菸。

「我不會容忍這個。」

達瑞斯的鞋子在光滑的石子上踩得噠噠響。太陽大殿是沙克爾頓隕石坑壁上開鑿出的立方體空間，開闊寬敞，完美方正，毫釐不差。陽家喜歡在這裡接待客人和客戶。

「是艾芮兒．柯塔。」達瑞斯說。艾芮兒．柯塔穿著紅色艾曼紐．恩加羅洋裝，接受太陽企業要人的環繞，宛如層層軌道中央的明亮恆星。儘管坐在輪椅上，她還是會和每一雙眼睛對望。建築物的視覺花招嚇不倒她。

「跟她在一起的人是誰？」達瑞斯問。

「那個年輕人是亞別娜．曼努．阿沙默。」

「大酋長的姪女。」達瑞斯說。大殿的透視會欺騙眼睛，他以為自己走了好幾公里，但完全沒前進一步。

「你有在留意。」陽夫人說：「很好。這有什麼含義嗎？」

「阿沙默家和柯塔家傳統上就是盟友。」

「他們半數後代正接受阿沙默家的庇護。」

「就像我接受陽家保護這樣。」達瑞斯說。

「年輕人，別用那種酸溜溜的語氣說話，不然我會親自毒死你。」陽夫人說：「第三個女人是她的私人保鑣，沒什麼好擔心的。」

「她用電子菸殺過一個男人。」達瑞斯說。

「你是自己查到的，還是讓副靈調查的？」

「我自己想起來的。」達瑞斯說：「妳就是希望我用回想的？」

擠成一團的主管們讓出位置，眾人紛紛向陽夫人低頭行禮。

「奶奶，這是艾芮兒．柯塔，月之鷹的代表。」陽知遠說。

陽夫人伸手，艾芮兒與她握手。妳不該那麼做的，達瑞斯心想，妳應該要吻陽夫人的手。

「陽夫人。」

他們持續介紹彼此、寒暄，而達瑞斯仔細觀察艾芮兒．柯塔。她坐在輪椅上，視線將空間內的所有人都掃了一遍。她的注意力就像是她施捨的恩惠，就連太陽企業的主管都趨之若鶩。為什麼她還不走路？她三、兩下就能掏出動手術的錢。那張椅子有什麼力量嗎？能給她什麼優勢嗎？包括陽夫人在內的所有人都得彎低身子向她說話。達瑞斯試圖了解她的意志：選擇失能和權威，捨棄健全和匿名性。他學了一課。

「這是達瑞斯，現在接受我的監護。」

「妳很迷人，柯塔小姐。」

兩人視線交會，她眼底的炯然目光令達瑞斯嚇了一跳。他說話太俏皮了嗎？她看穿他了嗎？

「很高興聽你這麼說，達瑞斯。」

她對他起疑了。

「我一直很想見妳，艾芮兒。」陽夫人說：「年輕人需要明白堅持不懈的價值何在，沒有堅持就成不了大事。跌跤，與世界脫節一段時間，接著爬到聲望和權勢的顛峰，這就是堅持不懈。來吧達瑞斯。」

他們回頭談正事了。知遠和艾芮兒討論著公務，讓月球繞地球打轉的職員們（從回收死者業務到負責將眼幕裝到所有新入境者的官員）。誰能供給空氣，人類員工就為誰工作。那太陽的行政人工智慧會為誰工作？月之鷹還是董事會？

「你真輕浮。」陽夫人帶著達瑞斯遠離會議的路上斥罵他。

「妳很無禮，」達瑞斯說：「當她的面講那些。」

「我是沙克爾頓的老佛爺。」陽夫人說：「老佛爺總是很無禮。你聽說過三皇吧。」

「聽過傳言。」

「事實比傳言豐富多了。它們是我們為懷塔克里．戈達德銀行打造的量子電腦，有能力做出高準確度的未來預測。你喜歡的話，也可稱之為預言。我們當然在系統上開了一個後門，此後三皇就為我們進行了一些預測。它們是討厭的玩意兒，把事情搞得很複雜，從來不曾有一致的意見。唯一的例外是：艾芮兒．柯塔會成為月球傳奇中的要角。」

「所以我們才視她為仇敵。」

「她還不是，將來也許會是。到時候我說不定早就過世，被查巴林回收了，不過你會做好準備。」

「我會的，曾祖母。」

達瑞斯的雙腳在光滑石子上踢踏響。陽夫人來時和去時，達瑞斯都沒聽到她的腳步聲。

亞別娜無法停止顫抖。空氣很溫暖，而且還帶有辛辣的月塵味，凡是在忒不斷擴張的隧道、筒田迷宮中長大的人聞到都會很開心。岩石，岩石，無盡的岩石對她產生壓迫。哈德利是岩石和金屬組成的，絲毫沒有讓人鬆口氣的生命跡象或色彩。無生命的金屬，僵硬而冰冷。亞別娜覺得她彷彿在這走廊上行走了好幾年，道路肯定有轉彎或分岔過，但她還是不斷前進，手輕拂艾芮兒輪椅的右扶手尋求慰藉，幽閉空間恐懼使她發著抖。

「他們原本可以從車站帶我們過去的。」亞別娜說。

「我才不要在殺死我兄弟的刃衛護送下走向鄧肯．馬肯齊。」艾芮兒說。

「他們也試圖謀殺妳。」瑪莉娜走在無聲前進的輪椅左側。

「妳怎麼有辦法踏進這裡？我真搞不懂。」亞別娜說。

「那是因為妳不了解律師與客戶間的關係。」瑪莉娜說：「艾芮兒代表月之鷹前來，她是以律師兼代理人的身分上門。她個人的感覺，她和馬肯齊家過去的恩怨在這裡沒有討論的餘地。她不是艾芮兒．柯塔，因此鄧肯會尊重她。」

「她似乎還是抹殺了她的個人完整性。」亞別娜說。

瑪莉娜突然止步。

「妳沒資格跟艾芮兒談什麼完整性。」

「妳們兩個都閉嘴。」艾芮兒開罵：「要知道，我他媽還沒死啊。」亞別娜發現她的惱怒背後隱藏著憂慮。

接著，一扇門出現了。門後有一道電梯，出電梯後有個馬肯齊金屬的金髮女子微笑著。一絲不掛，沒有毛髮，以最明瞭的方式證明她身上沒武器、無害。她身後有一個天花板低矮的房間，岩石和金屬建材，窗戶像是瞇起的眼睛。光束從低矮天花板的豎井內射下。

「還是有鏡子。」艾芮兒低聲說。

五道人影站著，接受嵌燈牆光的照耀。亞別娜聽過簡報，認得這些人。是新馬肯齊金屬的董事會，成員全都是男性，當然了。鄧肯・馬肯齊比亞別娜想像的還要高大，一身招牌灰色，副靈像是油膩的灰色光球。她發現自己被這男人的氣勢壓倒了，恆光宮的瘋狂建築只是一種舞台特效。他本身就有存在感和重力。

「鄧肯。」

「艾芮兒。」

她怎麼有辦法和他握手？她怎麼有辦法和他說話，還念出他的名字？亞別娜很確定她一定沒辦法自我貶低到這地步。她一定得學習專業客觀性，但有些原則是不容妥協的，妥協就會失去公信力、對自我的信念。她佩服艾芮兒的公私分明，但不確定自己是否尊敬這種行為。

「感謝妳來哈德利。」鄧肯・馬肯齊說。

「在測試我嗎，鄧肯？」

「有一部分是。而且我也不覺得待在梅利迪安會安全。」

馬肯齊金屬的女人帶來一托盤的飲料，艾芮兒毫不猶豫地表示她不喝，連多看一點都沒有。飲料沒端向亞別娜和瑪莉娜。

「妳想要我做什麼，艾芮兒？」

「月之鷹想知道他是否能繼續享有馬肯齊金屬的支持。」

「我弟站在哪一方？」

「你該不會要讓那麼瑣碎的事情影響你的判斷吧？」

「三百五十人死亡，設備損害和稅收減少加起來共二億五千萬比西，很難稱得上瑣碎。」

「你弟已經要求和我這個月之鷹的律師會面了。我以為你會知道這件事，還是說，你安排在月之鷹附近的線民不說話了？」

「阿德里安堅決保持中立。」鄧肯・馬肯齊邀請艾芮兒走向一排椅子，亞別娜發現那裡根本沒有她或瑪莉娜的座位。在月之鷹的律師身邊實習，大半的時間都得站著。還好艾芮兒曾建議她穿舒服一點的鞋子。「我們需要穩定，艾芮兒。月之鷹發動政變，再加上我們家尚未落幕的家務事，市場上的疑慮消除不掉。資本痛恨不確定性，而我們是生意人。哪一方能提供最穩定、有保障的投資環境，讓馬肯齊金屬有利可圖，馬肯齊金屬就支持哪一方。」鄧肯・馬肯齊往椅背一靠，其他董事無意識地應和。「那就是馬肯齊金屬的立場，馬肯齊一族之首的立場。

「我父親上來月球是為了打造一個世界，他自己的世界，擺脫政府、跨國財團、帝國的控制和限制，也脫離了董事會和投資基金。他在前期作業上投入自己所有的財富，一分錢都沒漏：派遣五個探礦機器人上月球，接著設立建設中心，然後是生產與運輸設施，然後是住居基地。獲利總是全部投回去，從來不拿任何人的錢，從來不接受外來投資或讓人認購馬肯齊金屬的股份。他不斷戰鬥，不讓地球諸國將我們變成殖民地，高舉外太空條約，強化其效力。他反對月球開發法人的設立，後來這組織還是被強加在月球上，但他確保其權力分散、稀釋，使地球諸國永遠無法向月球的自由工作者徵稅。我父親一直到死前都在力挺我們的自由和獨立。因此，請妳告訴強納森・阿猶德，馬肯齊金屬支持他。」

亞別娜見艾芮兒・柯塔已準備要接話，但鄧肯・馬肯齊舉起一隻手。

「只要他支持我對抗布萊斯。」

艾芮兒看著小水滴從馬丁尼酒杯的斜面滑下，在杯身與杯腳的交會處遲疑、聚積、鼓脹、受自身重量影響而顫抖，然後滑向杯底。

「真美。」艾芮兒．柯塔說：「這西北半球最美的事物。」

時速高達八百公里的列車正穿越著凋沼。培利—艾托肯極線是月球上最早建設的鐵路，為兩極的冰塊與碳氫化合物保留區服務，不過論重要性，赤道一已經超越了它。艾芮兒、瑪莉娜、亞別娜是極地特快車觀景車廂內僅有的乘客。亞別娜在玻璃球內坐立難安，覺得自己毫無防備，過於接近真空。想像出來的輻射線令她皮膚發癢。遠方是馬肯齊金屬精煉機榨取完畢的土地。每個隕石坑壁都遭到夷平，所有紋溝都被廢土填滿，荒野上覆蓋痂一般的探測車輪胎痕、棄置的機器、橫條木板、報廢的儲藏所和避難所。

比常見的和緩隆起地形和柔軟灰色沃土有趣多了。

艾芮兒將杯子推給桌子另一頭的服務生。

「請收走。」

服務生點了一下頭，一把撈走杯子，沒在液體表面掀起漣漪，杯子上的小水珠也沒有擾亂。

「如果妳再耍這招，」艾芮兒對瑪莉娜說：「我就會拿杯子砸穿妳的臉。」

「那就代表這招有效。」

「親愛的，妳要是恭喜我或試圖搬出什麼積極的鬼話，我也會那樣對妳。」

瑪莉娜掩住她緊繃的笑聲。亞別娜不了解這兩個女人為何持續對彼此展現低調的侵略性，也不了解所有挖苦和嘲弄背後的笑聲。艾芮兒不尊重瑪莉娜，輕視她，甚至公然侮辱她。然而，亞別娜在哈德利質疑艾芮兒的人格完整性時，瑪莉娜卻突然訓了她一頓，凶狠得像械鬥者。

「他會說話算話嗎？」瑪莉娜問。

「鄧肯這人是有一些榮譽感的。」艾芮兒像王牌手球員，突如其來的話題轉變也接得住。「跟他那個狗屎老弟不一樣。」

「我還是不懂我們為何不能透過網路跟他們談。」亞別娜說：「我們去了哈德利、恆光宮——要不是露西卡姑姑在梅利迪安，我們還得跑到忒去。」

「法律涉及個人。」艾芮兒說：「私人契約，私人協定，當面協調。面對龍，就得獻上寶物。他們可能會收，可能會讓你留著。沒有什麼比自己的性命更珍貴的了。」

「妳知道我們還有哪裡沒去嗎？」瑪莉娜說。亞別娜皺眉，艾芮兒點點頭。

亞別娜想通了。「沃隆佐夫家！」

「我還沒收到會面的要求。」艾芮兒說。

「VTO支持月球開發法人董事會嗎？」亞別娜問。

「艾芮兒會知道答案。」瑪莉娜說。

「艾芮兒會知道答案，」艾芮兒說：「但其實艾芮兒不知道沃隆佐夫家站在哪一邊，她不喜歡這種感覺。她打算去找可能知情的人談一談。」

那版畫真的非常小，不比她的兩根拇指併在一起大。艾芮兒得湊上前才看得出那微小的身影站在弧形世界的上緣，較小的第三道身體站在一段梯子的第一階，而梯子靠著新月的下緣。

「我要！我要！」艾芮兒讀出微小的標題。下方還有一段題詞，不過是以書寫體寫成的，她看不懂那種字體。

「威廉．布雷克。」維迪亞．拉歐說：「西元十八、十九世紀英國藝術家，詩人，空想家，預言家，神祕主義者。這些領域他都精通，罕見的人才。」

艾芮兒沒聽過威廉．布雷克，但她對維迪亞這個人認識夠深，知道不該裝博學冒犯他。儘管地點不怎樣，午餐吃起來倒是很棒。月人社的用餐房夠隱祕又樸素，是可以阻絕網路的套房。不過在艾芮兒的經驗中，會員限定的俱樂部很少會有優秀的廚房。拉麵普通到不能再普通，不過生魚片非常新鮮，艾芮兒懷疑才剛從魚身上切下來。

「我們的調酒師在地月兩界都算頂級的。」維迪亞．拉歐在月人社大廳與艾芮兒碰面，握住輪椅把手時說。

「我實在太忙了，沒空安插雞尾酒時間。」艾芮兒說，知道在這關頭，她可能永遠享受不到雞尾酒時間了。

在樸素用餐房的小桌子旁，艾芮兒的注意力又被拉回版畫上了。它的造型簡單，幾乎可說是過分簡化了，傳遞的訊息算是明瞭的寓言，但它的蝕刻成果帶有活力和能量，能吸睛、捕捉觀者的想像力。

「想要的得不到。」艾芮兒說。維迪亞．拉歐的嘴角抖了一下，艾芮兒讓拉歐失望了。

「我非常仰慕布雷克。」拉歐說：「他看到的總是比別人多。」

「那幾個人腳下的地表比真正的月球還像月球。」艾芮兒試著說。她發現每張桌子旁的牆面上都有一張小版畫，就掛在燈上方。碧賈浮強化畫質，顯示它們風格全都相同，出自同一位藝術家手筆。裝飾，可以開啟話匣子。

「有趣的發現。」維迪亞．拉歐說：「事實上，就我們的觀點來看，他們腳踩的可能是地球，月球人所見的地球。」

「那不是西元十九世紀的人想得到的概念。」艾芮兒說。

「布雷克是例外。」維迪亞・拉歐從包包中拿出一個皮夾，放在桌上。艾芮兒看了一眼內容物。

「紙幣。」艾芮兒說。

「我認為這樣比較妥當。」

「你要跟我分享什麼黑暗的祕密？」

「妳想知道VTO為什麼還沒要求與妳會面。」

艾芮兒的閱讀力始終不強。她集中注意力制止嘴唇的蠕動，同時閱讀文件開頭的大綱。閱讀紙本耗的力氣又更大。她張開嘴，將文件放到桌上。

「他們會割開我們的喉嚨。」

「對。我們不是士兵，也沒擁有軍隊，甚至沒有警力。我們是工業殖民地，頂多雇用私家保鑣和組織民兵。」

「你的三皇告訴你的。」

「預測準確率百分之八十九。」

「還有誰知道這件事？」

「我們會告訴誰？我們沒有自衛能力。懷塔克里・戈達德已經開始分散、鞏固投資組合了，這是防衛措施的一環。」

「去死吧你們這些銀行員。」

維迪亞・拉歐微笑。

「那就是事情的核心。我們無法團結，我們只是一個個個體、家族、企業，全為了私利採取行動。」

「你說陽家在三皇上開了個後門，他們知道這件事嗎？」

「我會尋找模式，試圖進行推論。就陽家最近的投資和撤資狀況來看，我猜他們不知情。」

「他們怎麼會漏看這種事？」

「很簡單，他們問的問題不對。」

艾芮兒讓紙張鋪滿小桌子。

「這需要相當大的太空運輸容量。」

「地球諸國沒辦法負擔這種運載量。」

「我關於VTO的問題獲得了解答，但我不懂他們為什麼要這麼做。」

「VTO有別於其他龍的特殊之處是，具備地球分支，因此無法抵禦政治壓力。」

「神啊。」

「對，我們是該呼喚，向不同名字、不同性質的神發出呼喚。很抱歉，艾芮兒。要喝茶嗎？」

艾芮兒聽到前後不一致的發言，差點笑出來。茶，磨碎薄荷葉放入杯中，再以沸水浸泡，依個人口味調整甜度。放諸四海皆通用的社交潤滑劑。已知的事物，提供慰藉的事物。好東西，杯中的小反抗。星子墜落，世界衝突，先知與預言家哭喊時，只有它為伴。一杯茶。

「謝謝你，我想我會喝的。最後一個問題，維迪亞。」艾芮兒將散落的紙張收集起來，整理好，放進資料夾。「我們還有多久的時間？」

「喔，親愛的，已經開始了。」

乏味，是玻璃地的安靜殺手。一公里又一公里，一小時又一小時地移動在黑玻璃、黑玻璃、黑玻璃上。注意力軟化、融解，意識轉向內在。娛樂、遊戲和其他使自己分心的事物有助於集中精神，不過會帶來另一種陷阱：分心。太陽企業的探測車安裝了多重感應器和警報器，可針對上千種內部或外部意外提出警告，避免工作小隊失事，不過沒有地表工作人員會徹底信賴人工智慧，想活命的人不會那麼做。

華格納．柯塔發展出獨有的玻璃工作論，而且這套方法跟他的兩個人格都相容。光明人格時，他的大腦會在同一時間接收許多情報，因此他可盯著玻璃和地平線、監測探測車系統、玩追寶石遊戲、一次聽兩個串流音樂頻道。黑暗人格期，他的注意力狂熱而密集，因此可以不斷盯著黑色玻璃，直到進入深層存有與覺察當下的狀態。藍色地球高掛玻璃地上，一動也不動，逐漸虧缺，而華格納進入了黑暗期。在完全光明或完全黑暗期，月狼會成為最頂尖的老大，但在轉換期會很脆弱，容易犯下失誤。

太陽企業的寧靜海控制中心傳來訊息：他們和阿姆斯壯平土小隊失聯了。巨大的月球推土機是玻璃地的苦役，十部並排，這森巴線可以將寬達一百公尺的月壤壓得平整如肌膚。森巴線是柯塔氦氣過去使用的名稱。

華格納眨眼叫出公用頻道：「計畫變更，我們要離開玻璃地了。控制中心和阿姆斯壯平土小隊失聯。」幸運八號球玻璃小隊吹了個嘲弄意味濃厚的口哨。太陽企業公開吹捧太陽能帶有多宏偉，跟工作天數這現實面完全搭不上線，如今奚落這月球傳奇的人可不只地表工人了。「我們接下來的任務是調查、攔截、重新啟動。」太陽企業寧靜海控制中心將座標傳送到華格納的鏡片上，華格納再傳給探測車，並鎖定太陽能板上的一道東南向弧線隊伍。「還有額外紅利。」幸運八號球小隊發出參差不齊的小歡呼。

我們收到了來自軌道的影像，寧靜海控制中心說。華格納細看新疊上的地圖。月球推土機的森巴線幾乎可在地球上用肉眼觀測：十組軌道，間隔完全相等，毫無誤差地朝東寧靜海平原移動。

「有不尋常嗎？」華格納問。

它們有單純的群聚演算法，因此傾向一起行動，控制中心說，**不尋常的地方是，它們正朝夸布列筆直前進**。

「那是？」

ＡＫＡ的新農業中樞。有一隻生態系統工程小隊正在那裡工作。接著是一陣停頓。

「推土機有可能會直接壓過它。」華格納加速前進，時間還是會有點緊迫。「你警告他們了嗎？」

我們無法提醒他們。我們已經聯絡ＡＫＡ了，他們也無法聯絡上生態工程小隊。

通訊失敗的原因有上百種，推土機失常的原因有十數種，這些原因的組合令華格納．柯塔膽寒。

「我翻過地平線後會試著用區域網路聯絡他們。」

夸布列位於太陽能帶南側四十公里外。華格納在目的地十公里外接收到網路訊號，試圖聯絡農場。連針掉到地上的聲音都沒聽到。剩下五公里時，推土機映入幸運八號球小隊的眼簾。巨大的機器排成完美的舞蹈隊形，高度是幸運八號球探測車的五倍，寬二十倍，它們正將月壤推到夸布列筒田的透明封蓋上。

華格納從未看過這種景象，他的隊員也沒看過。月球上沒半個人看過。

最初的震驚褪去後，他發現夸布列沉默的原因很顯著。通訊塔倒塌，將光線反射進筒田的鏡子不見了，只剩吊杆垂下的支架。

「老大。」潔拉說：「通訊塔有可能是推土機弄倒的，不過鏡子是一片一片被打破的。」

「我宣布我們進入第一級地表變異。」華格納說。這是最高等級的地表威脅，人類生命面臨即刻的危險，應該提供所有助力。「潔拉，通知忒。隨時準備發送901代號給VTO。」

「忒準備派出三支小隊。」潔拉回報。

華格納讓探測車緩緩往前推進，保持五感敏銳，不只用視力去看，不只用觸覺去感受。其中一輛推土機掉頭面對幸運八號球玻璃小隊。華格納煞住車，右轉。結果月球推土機也轉向，配合探測車的速度和位置移動。

「他媽的是怎樣？」潔拉用私人頻道對華格納說。

「潔拉，向控制中心回報這狀況。」

華格納再度讓探測車前進，推土機又配合它的動向移動。

「我不想逼它。」華格納說。

「我也不想要你逼它。」潔拉說。

一輛推土機推起的一大片沙堤傾圮如碎浪，掩埋了最後一片玻璃圓頂，使其窒息。推土機重整隊伍，之前攔截幸運八號球小隊的那一部也入列了。森巴線朝北北東前進。

「老大，寧靜海控制中心要我們……」潔拉說。

「現在的狀況是第一級地表變異，」華格納說：「人類生命面臨即刻危險。」他讓探測車緩緩開到主氣閥邊緣。「奈爾、梅利德、傑夫、奧拉跟我一起行動，潔拉，把奈爾的攝影機畫面傳給忒。」

「忒？」

「推土機朝那裡過去了。」

華格納的隊員從座位跨到月壤上，潔拉舉起照明燈組，打亮整個區域。

「奈爾，」華格納在月壤上的一組痕跡旁蹲下。「拍下這個。」

「機器？」

「機器人的足跡。」銳利的三尖蹄印又淡又小巧，但華格納辨識出它們後，發現夸布列四周地面布滿了這種足跡。「看。」一系列足跡被推土機的胎痕抹淡了。

「總之，留下足跡的某玩意兒比推土機先到。」奈爾說。

月狼華格納起身。

「潔拉，請照亮主氣閥。」

照明燈組轉向，聚光在外氣閥的狹縫上，狹縫埋在一塊堅硬燒結物下方。氣閥開著，銳利的光線照亮坡道上的物體，就在氣閥門內。

「要我拍它嗎？」潔拉問。

「不用，」華格納說：「我們要下去。」

「老大，你他媽小心點。」潔拉用私人頻道說。她沒說，也沒必要指出一個事實：華格納．柯塔的小隊從未有半個成員喪生。

「潔拉，我要妳等著接我的指令。」

灰牆反射冷硬白光，氣閥機關拖著長長的影子。華格納揮手示意隊員走下坡道，走向氣閥設計圖上不存在的圓形物體。長長的影子落在幸運八號球小隊的前方。

潔拉說：「我們的狼有什麼看法？」

「狼很害怕。」

頭燈燈光在坡道上那個物體的上方晃啊晃的。真空的殺人手法很陰毒，但死者不是因真空而死。小隊成員挪動位置，讓潔拉的燈光徹底照亮屍骸。這名年輕男子穿著農工的防水靴和多口袋背心，胸骨到肚臍開了一道傷口，血與腸子閃著光。

「肏。」奧拉輕聲說。

「你要把這傳到忒嗎？」華格納問探測車上的人。

「什麼玩意兒幹得出這種事？」潔拉問。

「我會查出來的。」奈爾蹲在死者前方。「他的鏡片也許還有足夠的電力做近場通訊。」她的面罩觸碰到他的額頭，結凍的眼珠反射她的頭燈燈光。華格納覺得奈爾對死者採取的親密舉動令人毛骨悚然，屍骸之吻。「畫面傳過去了。」

他們發掘的記憶片段短又激烈。移動，奔跑，接著轉頭，某物撲向鏡片，又矮又快、由刀刃組成的玩意兒。銀光一閃，接著倒地。垂死抽搐。逐漸死去的視野邊緣，有小巧雅致的三叉鐵蹄。

「耶穌瑪利亞……」梅利德親吻她戴手套的指節。

華格納舉手，**別出聲**。他的月狼感官隱約捕捉到某物。不是聲音，真空中沒有聲音。是顫動，擾動。

「潔拉，打亮遠處左側角落。」

陰影變化，縮小。農場探測車後方的黑暗中，潛伏著不是探測車的他物。

華格納的月狼感官發出尖叫。

「跑！」他說。

機器捨棄偽裝，暴衝。華格納的眼角瞥到四肢、刀刃、感應杆。小巧的鐵蹄，探照燈打在金屬上的光芒。沒了。他奔跑著，梅利德在他身旁，奧拉超前他一大步，奈爾落後他一大步。

「潔拉！」華格納大喊。她已經動起來了，探測車彈過外氣閥邊緣，在坡道中段落地，然後在灰塵密布的燒結路面上甩尾。車子側滑向華格納，他抓住防護桿，盪到座位上。

「奈爾？」梅利德大吼。華格納的操作系統畫面上，奈爾的副靈從紅色褪色成粉紅色，最後是白色。華格納回頭一瞥，看到奈爾的身體從三把精準的鈦金屬刀刃上滑落，仆倒在地。刀刃切開她的身體，脊椎至胸骨，俐落地劃開地表活動衣的緊實織料。血液飛濺，蒸發，凍結。她猶豫了一秒，慢華格納一步，因此喪命。華格納高速運作的感官打量屍首後方的玩意兒，判斷它是以殺戮為唯一功能的機器人。長腳，而非輪子。尖銳的蹄能當作武器，也能摺疊成扁平鏟狀，好在沙地上奔跑。在月球的許多地形上都能快速、安定地移動。四隻手，其中三隻前端是刀刃，另一隻是抓鉤。刀刃比彈射物迅速、穩當。頭部是一團感應器，重裝電池。機器人踩過奈爾的屍體，感應器鎖定華格納的面罩。它看到他，認知到他，一跳一跳地追過來。

它後方的內氣閥開啟了。

幸運八號球探測車全速駛達坡道頂端，飛起——十、十五、二十公尺。另外兩部機器人從開啟的內氣閥躍出，然後是第三隻。老天，它們動作真快。探測車重重落地揚起一大片灰塵，差點往前翻覆，不過潔拉力挽狂瀾。潔拉的開車技術比人工智慧還好。他掀起窗玻璃，透過後方攝影機觀察殺手。它們壓低身體，猶豫不決地尋找著獵物。

「我正在求救。」華格納用私人頻道對潔拉說。

「去忒比較快。」潔拉說。

「我不想讓那玩意兒靠近忒。」華格納說：「就以這邊為會面點。」他將通用模擬系統程式碼傳給潔拉，然後打了兩通緊急電話，一通給VTO緊急救難網，另一通還是給太陽企業寧靜海控制中心。華格納叫出車輛狀態顯示儀表。他得假定追殺自己的玩意兒的電池存量比探測車還大。電力剩下百分之四十。少了奈爾後，探測車輕了一點。他無動於衷地運用月狼的計算能力估量乘客與電力耗損之間的關係。奈爾的屍首慢慢從刀刃上滑下的畫面又在他眼前上演。他看過其他人死亡的場面，意外地死，愚蠢地死，醜陋地死，廉價地死，但那些都是意志行使的結果。是在克拉維斯法庭的光亮木料和舊血的溫暖中上演，不是在死滅農場的外氣閥坡道上。殺戮之刀是哈德利·馬肯齊的所有物，拿刀劃開原主喉嚨的那隻手，是卡林侯的。**哥，我現在該怎麼辦？**

電力存量百分之三十五，獵殺機器將在會面點的十公里外趕上他們。VTO為什麼沒回應？華格納問副靈「影子」能不能逃到附近的精煉區去，給了一串名字，但得到的答案都一樣：他無法擺脫它們，得跟它們作戰。

我們是玻璃小隊，負責修補太陽能板。我們有燒結機、抬太陽能板的起重機、電路帶和維修機器人，對手是三部殺戮機器。

用它們的武器對付它們。

「潔拉，讓我開車。」華格納接過操縱系統畫面。「抓好了。」

潔拉開車技術比較好，但他現在要做的事只有月狼辦得到。華格納咬緊牙根，讓車子甩尾。承載數十億年歲月的月塵從輪胎側滑軌道噴射出一道弧。他一度以為車子就要翻覆了，但太陽打造的探測車穩固又安定。華格納重踩引擎，朝獵殺機器直衝而去。尖銳快腿帶領它們四散開來，但速度不夠快。華格納擦撞其中一部機器，使它滾動了一百公尺，腳和刀刃一陣亂舞。他的左前輪逮到一隻鐵蹄，將它碾碎。機器人身子一歪。華格納煞車，然後打倒車檔。慣性使他往前飛，肋骨被安全帶重勒一把，撞擊撼動整輛探測車。機器人翻過車上空，灑下碎片雨。華格納咬緊牙根，再度甩尾掉頭，全速衝向另一部受損的機器人。它搖搖擺擺起身，讓感應器鎖定的手，舉起刀刃。太慢了，慢過頭了。鈍重車頭撞倒它，驅動車輪將它壓個粉碎。探測車顛簸著，幸運八號球小隊大吼、歡呼。

「兩部。」潔拉說。

接著傑夫的副靈變白了。

「潔拉，接過去。」他把操縱系統畫面甩給潔拉，她毫不猶豫地接下。奧拉在公用頻道尖叫。華格納重拍緊急解鎖鈕，從座位上起身。就在這時，月狼的感官救了他一命，甩來的刀刃劃過他頭盔上空。

「它在探測車頂！」

「老大，要我停車嗎？」

奧拉還在尖叫，不過他的副靈是大紅色的，紅色代表生命。

「停車就只有死路一條。」

探測車顛簸、彈跳。華格納發出集中精神的嘶聲，在座位上保持平衡。他空出的手取下一旁工具架上的鐽子，往上方猛力一刺。對方的刀刃受到重擊，他透過腕骨感覺到「鏘」的震動。在攻擊與重新擺好作戰架式的短暫空檔內，他翻到探測車頂跪著。

殺戮機器也撐在那裡，下肢大張，蹄爪勾住橫桿和桁架。其中一支刀刃徹底沒入傑夫的頭盔和頭骨，另一支一再、一再、一再地戳刺奧拉，後者在防護桿內不斷閃避。最後一支刀刃以華格納為目標。機器人的刀刃卡在傑夫的頭顱內，它也等於受困原地。成排感應器上沾染一抹真空凍結的血液，它就是殺害奈爾的機器。這一切，華格納都是在鐽子擋下刀刃的瞬間察覺到的。機器人重新站穩腳步的瞬間，他拿鏟子的銳面往前一戳，切斷其中一隻蹄的內部電線。爪子抽動一陣，接著就飛走了。機器人將所有的感應器都鎖定在他身上，準備發動一系列劍擊亂舞，速度快到人類根本無法抵擋。月狼之眼看出機器鏡片反映出的決策，快了機器大腦一步。華格納貼平車頂，迅速爬離刀刃攻擊範圍。

「潔拉，甩尾掉頭！」

華格納用上所有力氣緊攀車頂，也許這樣還是不夠應付潔拉的凶狠耍尾。圓杆和建築橫梁在華格納肋骨下方噠噠響。他一滑，再滑。翻下車頂，掛在探測車的側面。他冒險鬆開一隻手，伸長，抓住滑下來的鏟子。機器人失去平衡，倒下。卡住的刀刃從傑夫的頭盔中抽出來了。華格納和鏟子一起擺盪，命中目標，接著敲下一記又一記。機器人落地了，刀刃亂甩。

「潔拉！」

突來的加速差點把華格納的肩膀扭到脫臼。他掛在防護桿上，痛苦地轉頭，看到倒地的機器人起身，收起受損的腳，衝向探測車。

「去死！他媽的去死一死就是了！」華格納喊叫。

一輛探測車衝出低矮的隕石坑壁，六輪懸空。落地，顛簸。受損的機器人轉身，太遲了。探測車撞上它的頭，它的手腳、感應器箱爆開了。探測車側滑，揚起的一大片煙塵飄向幸運八號球玻璃小隊，遮蔽視線。塵埃落定後，最後一部機器人已化為一團廢金屬，另一輛探測車則和幸運八號球並肩前進。它的圓杆和嵌板上飾有AKA的複雜幾何圖案。AKA的駕駛打信號要他們停車。華格納鬆手落地，然後調整成跪姿。他站不起來，無法說話，止不住地發抖。一隻手抓住他的肩膀。

「小狼。」他只允許潔拉使用他過去在柯塔氦氣的綽號。「穩住了，小狼，穩住。」

「狀況回報。」華格納從不斷打顫的齒間擠出這幾個字，他冷得像死人。

「我們還能活動。」

「我是說……」

「傑夫死了。」

「奈爾也是。」

「奈爾也是。」

「我從來不曾失去任何隊員。」華格納說：「任何人。幸運八號球玻璃小隊從來沒有人丟掉性命。」

AKA小隊長蹲在他面前。

「你還好嗎？」

影子標出對方的名字：阿卓亞・葉阿・博凱。華格納點點頭。

「那些是什麼東西？」阿卓亞問。

「他還驚魂未定，妳看不出來嗎？」潔拉凶她。

「我只是想確定它們沒有其他餘黨。」阿卓亞說，她的黑星地表工作小隊隊員翻下座位，踩上月壤。

華格納搖搖頭。

「他需要幫助。」潔拉態度堅定，只有她的雙手按住華格納肩膀，讓他保持挺直的姿勢。「他媽的月球飛船跑哪去了？」

「VTO沒回應。」阿卓亞說。

「不可能。」潔拉說。

華格納身體冰冷，冷得駭人。頭盔、太空衣、一具具身體進出他泛黑又有紅色血液微粒旋轉著的視野。

「醫療人員！」阿卓亞大喊。其中一名黑星小隊隊員跪到華格納身旁，從小牛皮袋中抽出皮下注射針，旋開針蓋，就位。

「抓住他。」潔拉和阿卓亞抓住華格納肩膀，醫療人員將針刺穿地表活動衣、皮膚、肉。華格納開始抽搐，彷彿有一條電線伸進他的主動脈，接著一波舒適感湧向他和他的心臟，呼吸和血液的急流回歸熟悉的節奏。「這樣應該會穩定下來。」醫療人員說。華格納感覺到潔拉和阿卓亞將他抬到座位上，並放下防護桿。

「夸布列毀了。」華格納低聲說：「推土機還在路上。」

「發生什麼事了？」阿卓亞問。

「我還是聯絡不上VTO。」潔拉說：「媽的到底怎麼了？」

接下來是一道閃光。

地面緊跟著晃動。

然後是金屬雨。

路卡辛侯的陰莖長而有彎度，龜頭四周肥厚。亞別娜的手沿著它往下滑，圈住滑順、圓脹的卵蛋，接著移動到他完美的肚子，再到胸部。它們堅挺又翹，乳頭很大。完美。

亞別娜嘆了一口氣。

她用拇指和食指揉捏路卡辛侯的乳頭，而他呻吟著，潤澤的豐唇微啟。她湊上前去，胸抵胸，肚碰肚。他的陰莖堅硬無比，龜頭在她的肚臍休憩。她撥弄他長及臀部的柔亮黑髮，擁吻他。

她幫他換上雙性人模組的時間已達一個月。他第一次撩起可愛的小女僕短裙，脫下女用內褲，陰莖從鼓起布料下滑出的瞬間，她便達到了高潮。令人著迷的逾越行徑。第二、第三次與雙性版路卡辛侯網路性愛的調味料在於：他不知道她對他的虛擬化身做了什麼。第四、第五、第六次的刺激來自她對路卡辛侯的控制權，她可以根據自己的想法恣意改變他，給他塑膠肌膚，給他女神才有的複數乳房，給他外星人的陰莖。她的觸覺都會反映這些。第七次，她發現自己給他的胸部比自己的還棒。

她將路卡辛侯推倒到軟墊上，跨坐到他身上，才能在幹他時欣賞他晃動的胸部。他的陰莖呈現卡通造型，日漫感的版本。長在他身上非常棒，一路連結到忒的網路節點，不過他不知道她把他搞成什麼模樣。她好愛她的長屌女孩路卡。

終於完事後，她從他的身上翻下來，側躺欣賞自己的傑作。

「卡喬和阿菲說得對。」路卡辛侯說：「我的奶確實比妳的棒。」

「靠。」亞別娜說。

「妳可以先問過我啊。」

「你會介意嗎？」

「不會，但那不是問題所在。」

遠距離戀愛就跟任何人類性愛一樣，需要合意。亞別娜在路卡辛侯不知情的前提下性塑他的虛擬化身，是逾矩的行為。

「卡喬和阿菲不該告訴你的。」

「阿菲對妳很不爽，為了研討班上的某事。」

「那不代表她可以洩我的底。」

「所以說，妳原本就會告訴我？」

「對。」亞別娜說謊。他知情後，祕密行事的刺激就消失了。「她讓你看了？」

「是。」

「你喜歡嗎？」

「我喜歡雞巴的部分。」

「不客氣。奶子呢？」

「我還不確定，妳看了會興奮嗎？」

亞別娜猶豫著。

「靈感來自格里戈里．沃隆佐夫。你也知道，他以前是一頭沃隆佐夫大熊。嗯，他現已經不是了。」她朝路卡辛侯的虛擬化身點點頭。

「變成雙性人了？」

「現實世界中的。」

「哇靠。」路卡辛侯．柯塔坐起身。**喔天啊，看看我給了你什麼樣的屁股**，亞別娜暗想，**多像杏仁**。他又說了一次：「哇靠。什麼時候的事？」

「魔羯月。花了好一段時間傷口才癒合。」

「格里戈里。我從來沒料到他會這樣。」

「他很棒。」亞別娜說。路卡辛侯的虛擬化身坐在軟墊邊緣，盪著腳。半個月球外忒的網路性愛房內，他本人一定也做著同樣的動作。「路卡，」亞別娜問：「你有沒有幫我換過外觀模組？」

格里戈里．沃隆佐夫的模樣極度驚人，亞別娜說的每一句話都千真萬確。過去那個對路卡辛侯．柯塔需索無度的俄羅斯紅髮大個子男孩，如今成了苗條、豐臀的紅髮女子，長著一對日漫風的眼睛。

「唷，路卡。」她說：「很高興聽到你的聲音。」

「呃，是啊。」路卡辛侯結巴：「妳看起來……」

「棒呆了？真窩心的評語。你看起來就跟過去一樣性感，路卡。」

路卡辛侯．柯塔臉紅了。他人在忒的歐由科阿布索屋的房間內，距離梅利迪安有四分之一個月球那麼遠。格里戈里．沃隆佐夫總是摸得透他的想法。

「那你比較喜歡哪一個？」

「我聽不懂妳的意思。」路卡辛侯結巴。

「過去那一個格里戈里，還是這一個？讓我協助你做判斷吧。」格里戈里退離鏡頭。她身穿芭蕾短裙洋裝搭短版外套，露指手套，薄到家的內搭褲和淺口跟鞋。脖子上掛著十字架和康斯坦丁聖母像，頭髮別著金色蝴蝶結。她一層一層剝掉身上的衣服，胸罩解開後落地，她的眼睛同時盯著鏡頭，充滿挑戰意味。路卡辛侯倒抽一口氣。

「你什麼都還沒看到，路卡辛侯．艾弗斯．茂．迪．費洛．艾利娜．迪．柯塔。」

她勾住內褲的腰帶，將它往下拉。

這時，燈光閃動，熄滅了。格里戈里．沃隆佐夫從他的鏡片上消失。房間晃動，塵埃撒落，外頭傳出尖叫。

華格納從探測車下方往外窺看。岩石與金屬雨在幾分鐘前止住了，如今地上布滿小石塊和四處潑濺的熔融金屬。

「回報。」華格納呼喚。

老大，潔拉回應。梅利德、奧拉也都喊了老大。

幸運八號球小隊爬出掩護物。探測車一團糟，多了上百個刮痕和裂縫。潔拉檢視損害，有損害的電纜就重牽，幫穿孔的維生系統導管貼上補靪。華格納和階級與他相等的AKA小隊長在兩輛探測車之間的坑疤土地上碰面。

「那是什麼？」華格納問。

「忒告知我們，馬斯基林隕石坑有發電廠爆炸。」阿卓亞說。

「核融合電廠？」華格納感覺到肚子和卵蛋一縮，立刻叫影子檢查輻射劑量。這是月球人內建的新本能：保護DNA免受輻射汙染。

「如果馬斯基林隕石坑的發電廠爆炸了，我們人不會還在這裡。」阿卓亞說：「某物炸開了五十公尺深的月壤，直穿外層與中層，使內側沉箱裂開。」

公用頻道傳來各種低語。

「撞擊器？」華格納問。

「如果是，VTO應該會警告我們才對。」阿卓亞說。

「VTO也應該會來救我們。」潔拉站在幸運八號球探測車上說。

謎團層層相疊。華格納不喜歡謎團，謎團會殺人。東寧靜海死太多人了，唯一安全的地方是地底，背對天空和覆蓋你的石頭。

「那是精準得很不幸的撞擊器。」潔拉還在東補西補，插電線。

「意思是？」阿卓亞說。

「意思是，馬斯基林隕石坑被盯上了。」潔拉說：「我跑了幾個質量與速度參數，得知擊中它的東西如果不是龐然大物，就是速度極快的小東西。如果是大東西，我們早就看見了。」

「有誰看到任何東西嗎？」阿卓亞問。每一個黑星小隊隊員和幸運八號球小隊隊員都表示沒看到，攝影機也沒拍到任何東西。

「我只是要說，我們幹掉的機器人不是我們或AKA打造的。」潔拉說：「馬肯齊家在這一區開闢了許多戰場，但他們還有點腦，不會把陽家或AKA扯進來。馬斯基林隕石坑遇襲，而VTO在L2點上有部質量投射器，它只要指向某個地方就會化為槍枝。」

「為什麼他們……」阿卓亞開口，被潔拉打斷。

「我們怎麼會知道？我們只是小兵，地表工人。附屬人力。」

「車子能動嗎？」華格納問

「勉強可以。」潔拉從探測車頂跳下來，違反所有安全守則：人員應輕巧地降落到月壤上。「壞了幾塊太陽能板，在這種情況下，我可不想被什麼東西追著跑。」

「跟我們回忒。」阿卓拉說，並翻上她的司令官席。

二〇六〇年代中期，一支挖掘機器人大隊向南寧靜海挺進，展開太陽能發電機，開始挖掘。它們的施工又精準又謹慎，孔洞以螺旋狀深入寧靜海地底。月壤裂開就加以燒結，碰上月海玄武岩就加以鑽磨，一次推進一公分地緩慢前進。兩個月後，挖掘機器人就這麼在馬斯基林隕石坑的西方鑿出深一百公尺的豎井，牆面上還貼著三條螺旋狀坡道。它們開上蜿蜒的坡道，進入陽光當中，然後挖出自己的收容所，在裡頭待命。

艾福阿．阿沙默和短期契約工組成的車隊翻越地平線而來，停妥住居拖車，然後以月壤在上頭築起防護層。從平板拖車上卸下通用建築桁架、使氫通過月壤地床而產生水的萃取器、兩噸南后帶來的屎尿。

艾福阿．阿沙默將全數財富都投入了這個寧靜海的小槍管中，花在屎尿上的錢格外多。出完錢就要出力了。建築桁架組裝成縱貫豎井的鐵塔，而且到地表後還往上延伸一百公尺。燒結機將月壤塑造成黑色玻璃鏡——艾福阿．阿沙默和她的工作人員從底部開始一面一面往上掛。機器人在豎井上方攤開透明的防衝擊碳蓋，密封住它。而艾福阿．阿沙默就在這屋頂下方創造了一個生態系統。她徒手將南后的屎尿混入挖掘過程中粉末化的廢土，不斷持續作業，直到她得到一片耕地。那天，她挖起一小把土壤，品嘗它，確定它是肥沃的。她的工人徒手將土壤散播到螺旋狀的壁架上，打造水耕植物和灌溉系統、收集多餘氧氣的氣體交換體系、引導鏡子和粉紅光陣列的馬達。接著艾福阿．阿沙默一路從南后拖了一支秧苗車隊過來，和農夫們在粉紅色光下勞動。月球的夜晚漫長，他們靠雙手在螺旋狀壁架上種植幼苗。

艾福阿．阿沙默對她的資助者說：我要打造一個農場，餵養全世界。風險很大。她等於是要說服投資者，月球將沿著赤道發展，而非環繞兩極。還得讓他們相信，運用陽光、月壤的極端設計具備可行性，甚至還得證明這比現存的、最多人利用的架田更加低成本、高效率。這一天，艾福阿．阿沙默打開遮板，利用鏡子陣列將逐漸高升的太陽送下豎井，喚醒寧靜海底部的花園。

密閉的花園變成兩座，接著是五座，生根，也長出了隧道，接著變成五十座，最後衍生成忒這個花園之城——寧靜海平原上的三百個玻璃圓頂。

如今它被圍攻了。

幸運八號球小隊和阿卓亞・葉阿・博凱的黑星小隊登上西方低矮的紋溝，停止前進。如今，行蹤不明的推土機都映入華格納・柯塔眼底了。一百部推土機耐心十足地以月壤掩埋忒的透光圓頂。

截斷光源，封住人造光陣列的電力來源，作物就會枯死。華格納立刻佩服起這招：殺死農場，世界挨餓。

華格納站到阿卓亞身旁，和她一起從不怎麼高的地方遠眺。他黑暗人格之心不斷琢磨種種想法和策略，隨後一一拋棄。兩輛載滿工人的探測車，對上殺人推土機大軍。

「也許我們可以駭回去，或埋爆破炸藥。」阿卓亞說。

「絕對不可能靠近的。」潔拉插嘴：「老大……」

華格納已經盪到探測車的座位上了。忒受斜坡、壕溝、護堤層層包圍，此時有二十部機器人從裡頭衝出來，舉刀攻向他們的陣地。

8 二一〇五年天蠍月

……明白了吧，就算只是要做一個簡單的磅蛋糕，也得用上比珠寶還要珍貴的物資和技巧。品嘗蛋糕，就是在品嘗我們生命中的一切。

在任何人都可以列印任何東西的年代，蛋糕為什麼是完美的禮物？答案就在此。

兩輛探測車沉默、迅速地奔跑著，橫越寧靜海南側，朝西方而去。希帕提婭就在他們前方，地平線另一頭。二十部追殺他們的機器人則在後方。

希帕提婭是希望，是天堂。他們也許可以靠殘存的電力抵達那裡，而那裡也許會有某物可以對付那票殺戮機器。他們現在的位置和希帕提婭之間也許有某物可以救他們。他們的電池也可能會故障（儘管使用上總是很節制），到時候機器人就會跳上來展開大屠殺。華格納每隔十分鐘就會跑上雷達桿窺看地平線另一頭，而他們總是在，每次都比上次靠得更近。完全不可能甩開它們，因為兩輛探測車會留下難以磨滅的新胎痕，箭一般指向希帕提婭。

太多希望和假如了，它們的下場都是被刀刃刺穿。不過華格納的恐懼和擔憂是以羅伯森為中心。死亡沒什麼，一想到挫敗可能是他最後的感受，他就幾乎要被恐懼癱瘓了。東北半球的通訊塔倒了一大堆，天空無比沉默。他無法聯絡太陽企業寧靜海控制中心。月球天翻地覆了，所有底線都被越過，華格納卻只惦記著他留在梅利迪安的十三歲小男孩。他想像羅伯森在那裡等著他，毫不知情地等待著，問阿莫爾，阿莫爾也不知道出了什麼事，於是他越問越多人，沒人有答案。

華格納的耳塞向他內耳爆出震耳欲聾的噪音，白色強光籠罩面罩，使他盲目。他感覺到幸運八號球探測車翻滾了一陣後，在他腳下止住。傳輸訊號掛了。他試圖叫出影子，什麼也沒冒出來。他的視力恢復了，視野中還有東一塊西一塊的黑色與螢光黃色，耳鳴持續著。華格納試圖眨掉視野正中央的黯淡色塊，但辦不到。他的鏡片掛了。

不可能的。

他試圖叫出駕駛系統畫面，什麼也沒有。他的太空衣狀態、維生系統、體溫、生命跡象指數、隊員狀態都沒有顯示。華格納試圖命令幸運八號球小隊移動、回報，傳令失敗後，便嘗試推開防護桿，踩上地面。什麼也沒了，他失去了所有控制權。他瞄隊友一眼，沒名字，沒虛擬標牌，沒副靈。

一定有手動駕駛的切換開關，所有月球地表裝置都有許多冗餘安排。華格納試圖回想他在太陽XBT探測車上接受的訓練。一隻手往上伸，巴了某按鈕一下。防護桿升起，座位緊急彈射到地面上。潔拉的頭盔抵上華格納的。

「我們要是待在沙上就死定了。」潔拉發出遙遠而模糊的喊叫，頭盔的阻絕以及空氣悶住了它。

「那些玩意兒在後面追我們。」華格納咆哮：「發生什麼事了？」

「電磁脈衝。」潔拉喊道：「只有它能一次癱瘓這麼多東西。」

東方地平線有沙塵揚起，一會兒後，一支探測車隊出現了，車身劃一地印著AKA的幾何圖形。黑星小隊隊員跳到地表上，背上都掛著又長又黑的一串東西。華格納認出那些東西的真面目，頓時覺得它們都帶著滑稽感，因為太不合時宜了。弓，老教母那些地球英雄的故事裡才會出現的東西。弓與箭。帶頭的探測車架起雷達天線，十幾名弓箭手則在這段時間內圍成一圈，握弓，箭在弦上。弓箭或許是複雜、陰險，充滿滑輪和穩定重物的裝置，不過它們可是地球中世紀的武器。箭身安定、加過重，而且搭載圓柱狀箭頭。華格納的黑暗人格智能繼續探究這不合時宜的事物：弓箭的彈道就跟彈運的乘客艙一樣精準，還有，彈射物小，引起的太陽風效應規模也會小一點。箭容易列印，只要靠人類肌肉就能發射。人工智慧的箭法神準，在月球重力下，AKA的弓箭手可以射中地平線另一頭的目標。非常聰明的電磁脈衝彈頭運輸系統。

精明。

弓箭隊隊長的地表活動衣不斷變色，形成文字。

回。

衣服轉白，接著形成新字。

車。

上。

沒守在雷達天線旁的AKA小隊員已開始拿鉤子勾住機能停止的探測車，華格納再度摸找手動駕駛優先的操作開關。結果潔拉幫他按下去了，上車、嵌入底盤、防護桿降下的期間，他想像她面罩下方掛著一抹賊笑。

沒。

死

透，變色地表活動衣說。

那就是弱點所在，華格納想，AKA弓箭手同時也衝向他們的車子。電磁脈衝是有效率的長程攻擊武器，但距離低於安全限度的情況下（這就是他跟逃亡同伴的處境。），你就跟攻擊目標一樣脆弱。

車輪旋轉，拖車繩繃緊，華格納在安全帶束縛下激烈晃動，幸運八號球探測車一陣顛簸，開始移動了。地表活動衣將華格納和他的世界、隊友、副靈、狼幫、愛人、他家的小男孩阻絕開來，他抬頭仰望牙狀的地球，讓細小的光線注入面罩。在無人知曉、沒有宣言或徵召的情況下，他成了一場詭異戰爭的士兵。

「妳不跟我們一起走嗎？」露娜．柯塔說。儘管愛麗絲教母老邁的小腿肌肉抽筋了，她還是蹲下來和露娜對望。

親吻。

「列車上的座位不會夠的，我的天使。」

「我要妳來。」

幼兒房再度一陣搖晃。上頭的機器正將一噸又一噸的月壤堆到忒的窗戶上，掩埋它，悶死它。一小時內已停電、復電好幾次了。

「路卡辛侯會照顧妳的。」

「我會的，露娜，我會帶妳過去。」

露西卡．阿沙默徹底利用金凳的影響力，幫露娜和路卡辛侯訂到了車票。愛麗絲教母知道她把另外兩名逃難者的班次換到下一班去，才訂到了這兩個位置。她永遠不會告訴露娜，甚至不會告訴路卡辛侯。

「我好怕，愛麗絲。」

「我也是，甜心。」

「接下來會發生什麼事？」露娜問。

「我不知道，我的甜心，但妳待在梅利迪安會很安全。」

「妳會安全嗎？」

「我們現在該走了。」路卡辛侯說，愛麗絲銜著這句話可以親他個一百年，但只親了他兩下。愛你，祝好運。

「去吧，路卡辛侯？」

他也好脆弱。照料的極限就在此，這裡是事件與權力交織成的冰冷之地，對於奉獻與愛無動於衷。

「照顧好自己。」

她關上幼兒房門時，忒再度震盪，燈光閃爍，亮度只剩一半。

「路卡辛侯，」露娜說：「可以請你牽我的手嗎？」

燈光熄滅了，忒發出怒吼，十二萬五千個嗓音困在黑暗地底。路卡辛侯將露娜一把抓過來緊攬在懷中，胸膛抵著她的臉頰。同一時間，慌亂的親子在狹窄隧道中推擠來去，試圖尋找車站、列車，救命之車。為什麼大家要移動呢？理智的做法明明是保持冷靜，等待緊急照明亮起。緊急照明燈會亮的，它們只會在備用電力耗盡時失靈，這是弗拉維亞教母教他的。萬一備用電力系統當機了怎麼辦？他將露娜轉向牆邊，自己擋在她和逃竄的人流之間。

「路卡辛侯，發生什麼事了？」

「又停電了。」路卡辛侯說，擁抱露娜，承受其他肉體的衝擊和壓迫，試著不要把黑暗想像成堅硬、崩壓而下的事物。如果電力系統停擺，空氣供給又該怎麼辦？他的胸口束緊了，恐慌使他無法克制地大口吸氣，他對抗著這股衝動。他在令人窒息的黑暗中，做出了一個決定。

「來吧……」他抓住露娜的手，將她拖在身後，於全然漆黑的隧道中逆人流前進。許多嗓音呼喚著失散兒童的名字，還有小孩和父母呼喚著彼此。路卡辛侯在盲目、六神無主的人群中擠出一條路。

「我們要去哪裡？」露娜問，她的手感覺好小、好輕，很容易就會滑出他的抓握。他更加使力，露娜痛得叫出聲來。

「你弄痛我了！」

「抱歉，我們要去神之若望。」

「可是愛麗絲教母說我們要搭列車去露西卡那裡。」

「我的小天使，沒人上得了車，沒有列車開得走。我們要搭彈運去神之若望。姊妹會會照顧我們的。金吉，開啟夜視模式。」

很抱歉，路卡辛侯，目前沒有網路訊號。

他陷入比黑暗的忒還要幽深的地方，伸手不見五指。

「金吉，」路卡辛侯低聲說：「我們得去彈運站。」

我可以利用內建地圖以及你的平均步幅，從我上一次連線地點開始為你導覽，金吉說，**會有些許誤差。**

「幫我。」

往前走一百一十二步，然後停止。

一隻手拉住路卡辛侯的手，拉得他跨出半步就停了下來。

「我找不到露娜。」

在黑暗、嘈雜、恐懼之中，路卡辛侯起初聽不懂一步之外的幼小嗓音在說什麼。露娜怎麼會找不到露娜？後來他才想起來：她的副靈也叫露娜。亞德里安娜奶奶總是嘟嘴又咂嘴來表達不滿，孫女怎麼會異想天開取那種名字？怎麼會選藍色月蛾（是動物啊）當副靈的外觀模組？

「網路斷線了，我的天使。緊跟著我，不要鬆手。我會帶妳去明亮又安全的地方。」

一百一十二步，然後停止。路卡辛侯跨入黑暗。**一步，兩步**，三步，**四步**。隧道感覺變得較空曠了，較少跟人擦撞，四周的聲音也傳得比較遠了。不過路卡辛侯每次跟其他人相撞都會停下腳步，默念目前為止的步伐數。在第五十次停頓時，露娜插嘴了。

「為什麼我們一直停下來？」

步伐數飛走了，就像節慶蝴蝶。路卡辛侯很想對他的堂妹大叫，宣泄他的挫敗感，但他抗拒著這股衝動。

「露娜？我在算我的步伐數，這真的很重要，不要打斷我。」不過那數字消失了，路卡辛侯的皮膚因恐懼起了雞皮疙瘩。迷失在黑暗中了。

八十五，金吉說。

「露娜，妳想不想幫忙？」路卡辛侯說。透過她手部肌肉的微小變化，他感覺到她點了點頭。

「我們要來玩一個遊戲，跟我一起數數。八十六，八十七……」

吹拂到臉上的氣流產生了變化，路卡辛侯知道自己來到十字路口。橫過面前的小徑傳遞著聲響。他聞到黴菌、水、葉片腐植質的氣味，忒的氣味。從黑暗城市深處傳來的空氣很冰冷，保溫系統已經故障了。路卡辛侯不想把這念頭放在腦海裡太久。

右轉九十度，金吉指引他。

「現在不要放手喔。」路卡辛侯說，露娜的手就握得更緊了。不過他們面臨著危機。金吉可以輕易幫他們計算步伐數，不過轉彎是更微妙的動作。角度一錯，他可能就無法沿著金吉計算好的路徑移動。路卡辛侯旋轉右腳踝，鞋跟踩上左腳背，感覺角度正確了，再將左腳挪到與右腳平行的位置，深呼吸。

「好了，金吉。」

前進兩百零八步，走第二走廊。

有兩條走廊。

「我們要走進牆壁裡了。」路卡辛侯不斷側滑腳步，直到他伸長的手指觸碰到滑順的燒結面。「感覺到了嗎？伸出你的小手。摸到了嗎？」

一陣沉默，接著露娜說：「我剛剛點頭了，不過我應該說嗯哼你才知道。」

「跟我走吧，一，二，三……」

走到一百零五步時，露娜突然止步大喊：「有燈！」

路卡辛侯的指尖刺痛得像觸電一樣，光是觸碰著光滑的牆壁就讓他快受不了了。它們就像乳頭一樣敏感、反應大。他望向無盡的黑暗。

「妳看到什麼了，露娜？」

「我看不到，」露娜說：「我是聞到的。」

如今路卡辛侯也依稀聞到生化燈的草味和黴味，掌握狀況了。

「它們死了，露娜。」

「也許只是需要一些水。」

路卡辛侯感覺到露娜的手在扭動，在他的抓握中滑動。他追隨她進入無數字指引的黑暗中。往左十二步，回道路徑上，金吉下令。路卡辛侯聽到纖維的窸窣，感覺到小手將他往下拉，知道露娜蹲下了，於是也在她身旁彎腰。他什麼都看不到，半個光子也沒浮現。

「我可以讓它們亮起來。」露娜放話：「別看。」

路卡辛侯又聽到纖維的窸窣，響亮的水流聲，溫暖尿意的氣味。溫暖的綠光從復甦的生化燈中灑出，亮度只能勉強照出物體的形狀，不過細菌從露娜的尿意獲得營養後就越變越亮了。是侍奉葉瑪亞的街頭小廟，黏在地面和牆面上的生化燈簇擁著3D列印小神像。光線如今連金吉提到的岔路都照亮了，路卡辛侯看到有個人倒在分隔兩者的牆邊。他原本會被對方絆倒，四肢著地，在黑暗中迷失方向。

「喏。」露娜拔下一把生化燈，遞給路卡辛侯。燈在手中的觸感是潮溼而溫暖的，他感到一陣噁心，差點把它們扔掉。露娜不悅地嘟起嘴。「要像這樣。」她將碟狀的小燈貼在額頭、肩膀、手腕上。

「這是馬里希尼的襯衫。」路卡辛侯抗議。

「今天是設計師款，明天進反列印機。」露娜大剌剌地說。

「這句話誰教妳的？」

「愛麗絲教母。」

兩人手牽手多走一大段路繞過倒在一旁的人，然後進入金吉指定的走廊。上方的噪音使隧道震動著，顯示有重物緩慢地在地表上移動。變幻莫測的忒之風捎來人聲、金屬撞擊、哭喊、低沉而有節奏感的嗡嗡聲等聲響渣滓。他們一下子左轉走上樓層梯，繞過彎曲的次要道路，一下子又轉進小徑，亂竄的暴民從遠處逼近。露娜轉過身去。

「他們會看到我們身上的燈光！」她用氣音說。路卡辛侯也轉過身去，隱藏身上的光源。

「他們擋在我們和彈運之間。」

「退回二十五號路，走上樓梯，就有一條舊隧道可以去彈運站。」露娜說：「你體型很大，可是應該進得去。」

「妳怎麼知道？」

「所有小路我都摸透了。」露娜說。

若是在日光下，路卡辛侯一定會毫不猶豫地繞過突出的機器、古老天然岩層，或從中、從下鑽過，循露娜的祕密通道前進，但此刻恐慌攫住了他，因為他自己的身體是唯一的光源，他不知道這條隧道有多長，不知道它會帶來什麼意料外的事物，接下來會變得多大或多小。他害怕自己會受困在黑暗中，生化燈亮度漸弱、閃爍、熄滅。看不見，無法移動。好幾噸的石頭壓在他頭上，遙遠的月球中心在他下方。

他感覺到燒結牆面壓迫他彎曲的背部、肩膀，於是定在原地。他卡住了。無法前進，無法後退。後代月球人也許會在未來發現木乃伊化或乾癟到不行的他，罩著一件馬里希尼的襯衫。他得離開這裡，得掙脫才行。不過他要是往前撞、傾斜身體，讓恐慌主導身體的行動，就只會越卡越緊。他得側身讓一邊肩膀通過，然後另一邊，接著才是臀部和腿。

「來吧。」露娜呼喚，她的生化燈在他前方舞動，像是柔和的綠色星星。路卡辛侯壓低左肩，衣服布料勾住、扯破了。抵達神之若望後，他會買一件新襯衫慰勞自己，而且得是英雄的襯衫。跨出兩步，他就通過那窄縫了。二十步後，他從二街的裂縫中冒了出來；在這之前他從來不曾注意到這條裂縫。露娜和路卡辛侯手牽手走下樓層梯，前往彈運站。彈運站的電力獨立於忒。填飽所有月球人的忒，擁有數量充足的彈運發射器。他們跨出氣閥，來到足以應對貨車的貨艙。

「金吉。」路卡辛侯說。彈運乘客艙在他面前堆了一排排、一列列，高達一百公尺，都跟發射井切齊了。

區域網路連線完成，金吉說。

「神之若望站。」路卡辛侯說。

金吉把一顆私人乘客艙叫下來，讓它在登艙室內就位，接著指定目的地。

我儲存了一份路線表，金吉說，**彈運網路已有人在使用，所以無法直達。**

「要彈射幾次？」路卡辛侯問。

八次，金吉說，**我會讓你們繞過遠端月面**。

「發生什麼事了？」露娜問，同時間，彈運乘客艙在他們面前開啟了。她憂心地看著加墊內裝、綁帶和防撞網、氧氣罩。

「我們要彈射八次才會抵達神之若望，」路卡辛侯說：「但是不要緊，只是多花一些時間而已。我們得走了，來吧。」

露娜畏縮不前。路卡辛侯伸出一隻手，露娜牽起它。他跨入乘客艙內。

「燈還在你身上。」露娜說。路卡辛侯剝下燈，黏著墊在他的馬里希尼襯衫上留下髒兮兮又黏膩的圓形汙漬。他將小小的發光圓碟放在乘客艙地板上，它們是好東西，存有信念，而他對物件的忠誠度高到近乎迷信。在金吉的指導下，他幫露娜繫好各種綁帶，接著把自己也固定好，感受記憶軟墊的軟化。它認知他的身體形狀，並調整出適切的狀態。

「可以上路了，金吉。」

彈射前程序，副靈說，**彈射後我就會進入離線模式，下次連線為抵達神之若望時。**

艙門關閉，路卡辛侯感覺到加壓氣閥也密封了，空調嗡嗡作響。艙內燈光是柔和的金色，溫暖、平靜、具安撫性的顏色。在路卡辛侯．柯塔看來很病態。

「抓住我的手。」路卡辛侯說，手指扭動著，鑽出防撞網。露娜的手輕而易舉地伸出網子，握住他的。彈運艙傾斜，下墜。

「哇！」路卡辛侯．柯塔說。

乘客艙進入發射隧道，金吉說。

「妳以前都是這樣？」路卡辛侯大叫，讓聲音壓過如今充斥艙內的嗡鳴和震動。

露娜點點頭。「很好玩！」

不好玩。路卡辛侯閉上眼，在乘客艙沿著磁浮軌道朝彈射器移動時不斷壓抑恐懼。路卡辛侯和露娜進入發射室，乘客艙一震。

準備進行高加速，艙內人工智慧提出警告。

「真像兜風！」路卡辛侯的話語中沒有控訴的成分。接著彈射器抓住乘客艙，使其加速，他身上的每一滴血液、膽汁、精液全都衝向他的腳底和鼠蹊部。他的眼睛發疼，深深陷入眼窩，卵蛋變得像鉛球。他感覺到體內每根骨頭都被推向肌膚。懸吊式束具是一張白金網，將他切成發抖的小肉塊，而他甚至無法尖叫出聲。

乘客艙停住了。

他沒重量，沒方向感，感覺不到上下。反胃。要不是裡頭只裝著早茶，他早就嘔出膽汁星叢了。他感覺臉變得又腫又圓，雙手不聽使喚還鼓脹，蠕動的肥厚手指抓著露娜的手。他聽得到血液在腦中奔流的聲音。亞別娜的某幾個朋友會搭彈運進行無重力性愛，而他無法想像有誰能在這種狀態下做愛，看不出半點樂趣。他還得被甩七次。

「露娜，妳還好嗎？」

「應該吧，你呢？」

她看起來跟平常沒兩樣，嬌小，自得其樂，還對自己遭遇的任何世界（宇宙級的也好，個體級的也好）都抱持無止境的好奇心。路卡辛侯心想，不知道她有沒有察覺一個事實：自己正包裹在一個加墊、加壓的鐵罐中，飛向月球的高空，以棒球手套似的遠方接收站為目標，無法改變路徑，全然地信任機械的精密度與彈道的精準度。

準備減速，人工智慧說。這麼快？根本沒有時間前戲，更不可能得到那些男孩津津樂道的高潮。

「我們要下去了。」路卡辛侯說。

毫無預警地，某股力量揪住路卡辛侯的頭和腳，試圖讓他個頭縮減十公分。減速過程很激烈，但維持的時間比加速短。路卡辛侯眼中有紅點舞動，接著他感覺自己頭下腳上地掛在防撞網中，氣喘吁吁。喘氣變成咳嗽，接著又變成笑聲。他止不住笑。撼動身體、折磨心智的笑拉扯著每一條緊繃的肌肉和拉長的肌腱。他笑到肺都快掉出來了，露娜受他影響也笑了出來。兩人頭下腳上地歡呼、咯咯笑個不停，彈運發射器則在同一時間接住他們，轉回頭上腳下的角度，準備進行下一次彈射。他們到了，活下來了。

「準備好再來一次了嗎？」路卡辛侯問。

露娜點點頭。

艙門開啟了，不該開啟的。路卡辛侯和露娜在連續彈射的過程中，艙門都該保持密閉。

請離開乘客艙，金吉說。

沙塵瀰漫的冷風吹入艙內。

請離開乘客艙，金吉又說了一次。路卡辛侯解開防撞網，踩上金屬網格，鞋跟感受到網格傳來的寒氣。他覺得這地方不久前才甦醒過來，空調扇發出巨響，但燈光微弱。

「這裡是哪？」露娜搶先路卡辛侯半秒發問。

拉巴克彈運轉運站，他們的副靈輕聲回答。金吉讓路卡辛侯看他們在地圖上的位置：豐饒海西側，距離神之若望四百公里。

「金吉，輸入前往神之若望的路線。」路卡辛侯下令。

抱歉，路卡辛侯，我無法執行，他的副靈說。

「為什麼？」路卡辛侯問。

基於電力限制，我無法發射乘客艙。古騰堡電廠輸送過來的電力中斷了。

路卡辛侯的肚子裡彷彿開了一道真空。跟它相比，搖晃、突來的加速、自由落體、電磁減速都沒什麼。

他們困在荒原中央了。

「電力還要多久才會恢復？」

我無法回答，路卡辛侯，我的網路連線並不完全，依附著本地建築。

「怎麼了嗎?」露娜說。

「系統在更新。」路卡辛侯說謊。他內心麻木，不知如何是好。露娜已經很害怕了，他從金吉那裡得到的答案只會讓她更慌。「我們可能還要在這裡待一下，妳不如去看看有沒有什麼可以吃或喝的?」

露娜東張西望，在寒冷中環抱著自己。拉巴克不像忒，沒有複數發射器和卸貨平台。這是一個偏遠的轉運站，無工作人員節點。每年只有一、兩天會有維修保養人員過來。路卡辛侯從高台上幾乎就能看遍每個角落，沒發現哪裡儲存著食物或水。

「這裡好可怕。」露娜表達心聲。

「沒關係，我的天使。這裡只有我們。」

「我不怕人。」露娜說，不過她還是小跑步離開，去探索她的小小新世界了。

「我們還有多少時間?」路卡辛侯輕聲說。

轉運站目前靠備用電力運轉。如果主電力沒在三天內恢復供應，你們就會面臨大幅度的環境惡化。

「大幅度?」

主要是保溫和空氣系統失靈。

「打電話求援。」

抵達這裡後，我就開始在緊急頻道上撥打求救電話了，目前還沒收到回應。全近端月面的通訊網似乎都有異常。

「怎麼會這樣?」

我們受到了攻擊。

露娜帶了一罐水回來。

「沒食物。」她說：「抱歉。你知道要怎麼讓這裡變暖一點嗎？我真的真的好冷。」

「我的天使，我不知道。」

他說謊，金吉可以在一眨眼的時間內辦到。路卡辛侯已接受自己永遠無法成為知識分子的事實，但就連他也懂得計算：調高一度，就會減少一小時的空氣量。他脫下馬里西尼襯衫，將露娜的雙手套到袖子裡。它像斗篷般披在她身上，彷彿今天是變裝日。

「妳還發現什麼？」

「有一件太空衣，硬甲衣，像博阿維斯塔那種舊式的。」

路卡辛侯體內湧現了化學物質：喜悅。太空衣，直接走出這裡就行了，簡單。

「帶我去看看。」

露娜帶他到外氣閥去。氣閥很小，一次只能給一個人使用。裡頭擺著一具硬甲逃生衣，可根據使用者的體型調整寬度，亮橘色的，就跟他從博阿維斯塔穿到神之若望的那件一樣。就只是在地表上走一小段路。一件太空衣。露娜剛剛說了，一件，但他沒聽進去。他應該要接收到訊息才對，得讓所有感官和神經保持敏銳，不能匆促做出假定或樂觀思考。「也許」會害他們死在這裡。

至於「將會」的部分是，空氣將會在三天內耗盡，我們只有一件太空衣。

「露娜，我們也許得在這裡睡覺，妳去找找有沒有能蓋的東西好嗎？」

她點點頭。路卡辛侯不知道他這些分散注意力的花招對露娜有多少說服力，但他就是比較想趁她不在身邊時，向金吉提出艱難的問題。

「金吉，最近的住居地在哪裡？」

最近的住居地是梅西耶，東方一百五十公里外。

「靠。」比硬甲太空衣的移動距離上限還要遠得多，走路求援成了死路。

「站內還有沒有任何地表可動裝置？」他曾經聽卡林侯使用過那個詞彙一次，地表可動，聽起來很威風、很能掌控全局。茂·迪·費洛。

緊急逃生硬甲衣是唯一的地表可動裝置，金吉說。

「肏！」路卡辛侯重捶牆壁，痛覺爆發開來，他差點跌倒在地。關節滲血了，他含住。

「你還好嗎？」露娜帶著一件保溫箔毯回來了。「抱歉，我只找得到這個。」

「我們有麻煩了，露娜。」

「我知道，系統沒在更新。」

「沒有，電力中斷了。我不知道什麼時候才會恢復。」

露娜很快就聽懂了，沒多問什麼。他們還有三天的空氣，最近的避難所在一百五十公里外。若有探測車，一小時就能跑完一百五十公里。

外頭有可能停著一輛探測車，而他從頭到尾都不會發現。

「金吉，你可以連上檢修記錄嗎？」

簡單。

「我要過去……」他想了個合理的數字：「三個月以來的所有資料。」

金吉拋出層層疊疊的維修日期、探勘者名單、玻璃小隊名單到路卡辛侯的鏡片上。他或許不太識字也不擅長解讀數字，但他解讀視覺化情報的能力超群。他可以從一大群人、一整面動個不停的情報中挑出一個人、一個物件、一個敘事的開頭，有算術、識讀能力的亞別娜對他這個面向讚嘆不已。

維修探測車的軌道與循環當中有一個異數，一條偏離的路徑。

「請放大這個。」金吉挑出這條胎痕，是一輛小探測車留下的，從荒地延伸而來，轉彎偏離正北，切進塔倫修斯隕石坑的堡壘中。「請讓我看這個。」這次跳出來的是影片：探測車掠過外部攝影機的邊緣，從古騰堡那裡切過來，朝荒原前進。目的地是鳥不生蛋的地方。那方向的一千公里內沒有半座住居地。路卡辛侯估計它時速三十公里，也許有四十公里。「請給我詳細資料。」金吉照辦了，而路卡辛侯再度利用他的視覺感受力從一團專業情報中挑選出他需要的資料。在最佳速度下的移動範圍是三百公里，若把途中太陽能板獲取的電力也考慮進去。就影片來看，路卡辛侯推測探測車的速度比最高速略低些許。

根據路徑判斷，它可能的起點之中最近的一個就是古騰堡。路卡辛侯試著計算最大行程，數字們如金屬般鏗鏘響。「金吉，算術。」路卡辛侯還沒把問題的最後一個音節念完，副靈就給他答案了。路卡辛侯的鏡片上列出探測車可能的所在地點，排成一個弧。這是根據它的最大行程、速度、行車方向推導出來的。最小距離十公里，最大二十五公里。「請放大。」小探測車上印有布萊斯・馬肯齊的商標，兩個相連的英文字MH。一個穿地表活動衣的人影兩腿開開地坐在探測車上。太陽高掛天空，時間顯示十天前。

一輛探測車，一件地表活動衣。路卡辛侯向拉巴克彈運轉運站問了最後一個問題，要是過不了這關，一切就會在他手中毀掉。

「我還有多少時間，金吉？」

這次數字並非以浮誇的效果或精明的圖表呈現出來。數字就只是數字，冰冷、無情、無人性。沒時間期盼、等待、衡量決策、估算可能性了。如果他們要活著走出拉巴克彈運轉運站，他現在就得上路。蒙混的每一秒都在消耗電力、空氣和水。坐在原地期盼好結果，或行動再期盼好結果。

沒得選，數字沒給他選擇的餘地。

「金吉。」

路卡辛侯。

「啟動逃生衣。」

內氣閥窗完美地框住露娜，她揮著手。路卡辛侯舉起白金包裹之手，他是怪物，是狠心遺棄堂妹的男子。是小偷。他把露娜的空氣、水、電力都灌入逃生衣內了。要是他失敗該怎麼辦？他要是回不來該怎麼辦？他想像露娜在金屬網格上發抖，身體越來越冷，越來越渴，期盼他回來，期盼電力恢復。

他不能再想了，只能思考他該做的事，保持思路清晰、精確。

「好，金吉，我準備要出去了。」

路卡辛侯觸碰外氣閥的月球夫人聖像。幸運與挑戰。他打敗過月球夫人一次，沒靠什麼，只靠一身皮囊，不過所有人都知道月球夫人從不原諒人。減壓的氣流聲越來越弱，最後歸為沉默。氣閥門開了，路卡辛侯跨出去，踩上月壤。在金吉引導下，他追隨馬肯齊探測車的胎痕前進。胎痕從一開始就很容易辨識，帶著他往北走。他不知道要走多遠，花多久時間，不過他會知道終點在哪裡。肌肉記憶會跟著人一輩子，路卡辛侯很快就融入穿硬甲太空衣走路的節奏了。動作很容易過大，因為它的觸覺系統過於敏銳，儘管這只是老舊、便宜的VTO款式。讓逃生衣自己忙就好。

很快地，其他車轍都轉彎了，只剩下馬肯齊探測車留下的兩道在引導路卡辛侯。太陽高掛天空，地表明亮，地球是牙狀的藍色銀器。路卡辛侯唱歌給自己聽，以免意識飄遠。逃生衣內灌了遊戲、音樂、好幾季的老電視影集，不過娛樂系統會耗電。他的歌也和步伐的節奏合一了，幻覺般在他腦海中唰啦唰啦迴盪。他發現自己唱的歌詞是自創的。

路卡辛侯，該打確認電話了，金吉說。

「唷，露娜！」

為了節省電力，他們只通語音電話。

「唷，路卡！」

脫離了身體、存在、形象的露娜的嗓音，路卡辛侯聽了覺得好陌生。他聽的是人聲，也是更高等、稀少、生猛、聰穎的聲音。他叫她我的天使，以前家人間的暱稱。小天使。在他聽來，她正像是小天使。

「還好嗎？喝水了嗎？」路卡辛侯留下指示，要她每二十分鐘喝一次水。這可以幫助她分心，別去想她在公寓內吃完早餐後就什麼也沒吃了。

「我喝水了。你什麼時候要回來？我好無聊。」

「我會盡快，我的天使。我知道妳很無聊，但什麼也別碰喔。」

「我不蠢。」露娜說。

「我知道。我一個小時後會再打電話。」

路卡辛侯在塔倫修斯的荒原上跋涉，一首進行曲的旋律卡在他腦海中揮之不去，快把他逼瘋了。他大可問金吉：我走了多遠，可能還要多久時間？不過答案可能令人沮喪。車轍不斷往前延伸。罩著紅金雙色的硬甲太空衣，路卡辛侯不斷踩出沉重的步伐，往前邁進。

有東西。路卡辛侯無聊的月球散步只有一個優點：他對塔倫修斯的地景變得很敏感，其單調性中若有任何變化都會注意到。

「金吉，放大。」

面罩顯示，近在咫尺的地平線上有探測車的天線和天線桿突出。幾分鐘後，探測車身冒出來了，路卡辛侯突然就來到了它身旁。他透過轉運站攝影機看到的穿地表活動衣的人影還直挺挺地坐在座位上。恐懼一度攫住他——那人影也許就要衝向他，拿石頭砸穿他的面罩了。不可能的，沒有人能在地表活動衣內存活那麼久。他繞過探測車，發現那是一件破裂的地表活動衣，右乳頭到臀部開了一條縫，更是沒機會了。這是個問題，又一個問題。他晚點再處理。

「硬點在哪裡？」路卡辛侯問，金吉便幫他標出端口。他拉出網路線，插上去。他想的沒錯，這輛探測車跟上頭乘客一樣，掛了。他齜牙咧嘴地拉出逃生衣的電纜，接上探測車，感覺電力從逃生衣電池傳到探測車電池的過程像是流失著超自然治癒力。他得讓探測車的人工智慧保持清醒才行，儘管這樣就無法保留開回轉運站的電力。各種資訊在他的鏡片上潑灑開來，他潛入深處尋找他所需之物。煞車沒踩，方向盤沒鎖死。有拖纜開關。路卡辛侯拉出拖纜，繞過自己肩膀，扣到安全帶上。

「露娜？我要回去了。」路卡辛侯鑽入安全帶內。探測車起先不聽使喚，接著觸覺感應器把動力傳導給引擎，克服了慣性。路卡辛侯拖著探測車原路折返。

月球上的胎痕永遠不會消失，地表就像被旅行痕跡重複刮寫的羊皮紙。

回程的胎痕永遠不會跟去程相同。

路卡辛侯讓探測車緩緩減速，直到靜止下來。金吉告訴他轉運站的充電點。若幫探測車電池充電，轉運站剩餘的電力幾乎都會耗盡，但他跨出氣閥踩上地表時就已經決定要走這條路了。他連結了幾條纜線，探測車便甦醒了，幾個小操作系統燈號和燈標亮起。

接著是地表活動衣。這樣想就對了：那是一個維生裝置，要下點工夫才能讓它恢復運作。不想要裡頭的死人。路卡辛侯試圖找出將屍體挪下駕駛座的最佳方法，她已經凍得無比堅硬了。他解開死去女子身上的太空背包，打開外氣閥。

「我要送一樣東西過去給妳。」他對露娜說。

「我會操作氣閥。」露娜說：「我還有水。」

路卡辛侯輕輕搖晃屍體，讓死者成仰躺姿勢，再將她抬起來。她的膝蓋彎曲了，一手垂在身側，另一隻手放在操作板上。他將她帶進氣閥，他們得一起跑完壓力平衡流程才行。他不能叫露娜自己一個人把結凍的屍體拖出氣閥。到時候它還是會冰得炙人，還是會太重。它是一具屍體。路卡辛侯倒退進入氣閥，直到他穿著太空衣的背部撞上內氣閥門為止。他將結凍的屍體拖進氣閥，不斷試圖調整它的位置，將自己的頭和身體塞到對方四肢和身體間的空隙，一面從牙縫間露出挫敗的嘶聲。路卡辛侯彷彿躺在地上，被屍體壓著；對方膝蓋在他肩膀上，他的頭盔夾在對方雙膝間，對方的頭抵著他太空衣的胯下甲。和結冰屍體六九。路卡辛侯噗嗤一笑，黑暗、恐懼、私密的一笑，沒有其他人會得知這個笑話。

「露娜，我要進去了。遠離氣閥，照做就對了。」

金吉開始讓氣閥加壓。路卡辛侯聽著越來越響亮的空氣尖嘯，從沒聽過這麼窩心的聲音。他用背部頂開氣閥，雙手環在屍體身上。他將它拖到空的彈運乘客艙內，關上門。他不想思考屍體溶解後會變成什麼鬼樣子，但至少露娜看不到它了。電力恢復後（如果會恢復的話），他們還可以搭其他乘客艙。

他蹣跚地跨出硬甲衣，全身力氣都消耗殆盡了。他從來沒這麼累，心靈、肌肉、骨頭、心臟都累壞了。事情還沒完，甚至還沒正式開始呢。該做的事一大堆，而且只有他辦得到，但他只想靠著牆把待辦事項拋到腦後，掙得小睡片刻的時間。

「露娜，我可以喝幾口妳的水嗎？」

他不知道她是從哪裡冒出來的，總之她把自己的瓶子遞給了他。他喝水，同時克制大口灌水的衝動。好想沖掉口中地表活動衣的味道，它上頭的水是他所知最接近尿液的玩意兒。

「露娜，我可以跟妳靠在一起嗎？」

她點點頭，窩到他身邊。她穿著他剩下的衣服，儼然是套著鬆垮衣料的八〇風流浪兒。路卡辛侯雙手環抱她，試圖在金屬網格上調整出舒服的姿勢。他怕自己會累到睡不著。他在發抖，寒氣已經滲入身體深處了。你還有好多事要做，多到要瘋了，害死自己的可能性有上千種，不過你已經起頭了。

「金吉，別讓我睡過頭。」他低聲說：「她解凍時叫醒我。」

「什麼？」露娜含糊不清地問。她是一小團暖意，瑟縮在他的肚子旁。

「沒事。」路卡辛侯說：「沒什麼。」

路卡辛侯醒來，試圖移動。疼痛刺穿他的肋骨，背部，肩膀，頸部。金屬網格在他臉頰上留下印子。他的腦袋遲鈍、麻木，一隻手瘦到動不了，因為露娜躺在上頭睡著了。他悄悄抽出手臂，沒吵醒她。她睡得像石頭一樣沉。路卡辛侯得去尿尿才行。途中，他想到了更好的主意。

「你在做什麼？」露娜醒了，看著他將貧乏的膀胱內容物注入硬甲太空衣。

「太空衣會回收它，到時候會需要水的。」路卡辛侯的尿液顏色又深又混濁，不該長那樣子的。

「那好吧。」她說。

「有什麼東西可以吃嗎？」路卡辛侯問。

「一些巧克力棒。」

「全部吃掉吧。」路卡辛侯命令。

「那你呢？」

「我沒關係。」路卡辛侯對著他凹陷的肚子說謊。在這之前，他從來沒嘗過飢餓的滋味。這就是窮人的感覺了，又餓又渴，空氣短少。空氣不足的狀況會來臨的。

「乘客艙裡的是一個死掉的女人嗎？」

「對，妳看了？」

「我看了。」

計畫的下一步令他恐懼萬分。一想到自己必須去做那些事才能啟動地表活動衣，他就驚慌。而驚慌像是碎片，一次又一次將他從陷入疲憊睡眠的過程中刺醒。要快，要靈光，別給自己思考的時間。路卡辛侯打開彈運駕駛艙門，抓住死去女子的雙手，將她拖到甲板上。她出來的模樣很彆扭，四肢僵硬。路卡辛侯透過地表活動衣感覺到她還沒完全解凍，他將她調整成趴著的姿勢。首先解開頭盔，惡臭差點害他吐出來。任何穿地表活動衣的人都很臭，但這是他從未聞過的氣味。他對抗著一次又一次的反胃感，胃彷彿提到了喉嚨口。把頭盔放到一旁，剝下織帶，然後以顫抖的手打開封釦。又一股惡臭湧出，他驚覺這是死亡的味道。路卡辛侯見過死亡，但沒聞過它。查巴林總是會搭軟輪胎小客車來帶走死者，不遺留任何髒亂、塵土、氣味。

路卡辛侯屏住呼吸，剝下地表活動衣。她的皮膚好白，要不是感受到血肉深處透出冰冷，他差點就摸下去了。接下來麻煩了。他得將手拉出衣袖。搞定第一隻手後，第二隻應該會簡單一點。死者的手套吸吮手指，手肘抗拒著他。他咒罵一聲，坐到甲板上，別過頭去，單腳踩在對方肩膀上為支點，使勁扯下頑固的袖子。很快地，另一隻也搞定了。接著他得讓屍體翻身，將地表活動衣往下拉，然後一次拉出一隻腳。

她站到女人身體上方，拉扯地表活動衣。屍體晃動著。地表活動衣拉到胸口，接著到肚子了。可怕刀傷內湧出的鮮血被往下抹，覆蓋女人肚子的小凹面。再拉一次，將地表活動衣扭到她的屁股位置。她的左臀部有一個鮮花刺青。路卡辛侯趴倒在地，化為啜泣、咆哮的人球。刺青讓它崩潰了。

「對不起，對不起。」他輕聲說。

他用雙手抽出一隻腿，左腳。接著右腳也擺平了。地表活動衣有如剝下的人皮癱在他手中，鮮血淋漓的女人仰躺在地，盯著電燈看。

現在他非得穿上地表活動衣不可。他脫下硬甲太空衣的內襯，扔進反列印機。腳套進地表活動衣褲腳，又快又俐落，扭一下，地表活動衣就拉到胸口了。不要去想皮膚的潮溼感。一手穿進去，兩手都好了。他的手伸向收縮繩，準備拉起密封墊。他拉緊張力調節帶。地表活動衣對他來說太短了，肩膀、腳趾、手指原本會有的緊繃感將變成疼痛。排泄物收集器是女用的，這也是他得忍受的部分。他撈起頭盔時，列印機叮叮地吐出一件熱騰騰的新內襯，粉紅色，露娜的尺寸。資源短少，因此做出來的衣料很重，不過露娜就是需要內襯衣才能和硬甲太空衣互動。

「我的天使，我需要妳幫我一個忙。」

露娜從氣閥帶了一捲壓力膠帶來，貼住地表活動衣上的裂縫，然後繞著路卡辛侯打轉，纏了整整三層。

「別用太多，我們也許還用得到。」路卡辛侯斥責她：「妳現在穿上內襯衣，我來處理太空衣。」

「這些衣服怎麼辦？」

路卡辛侯差點叫露娜丟著別管，接著才恍然大悟：這樣等於是丟掉珍貴物資。有機物的有無，也許會左右他們在庇里牛斯山脈上的死活。

「丟進反列印機，列印成壓力膠帶。」

「好。」

路卡辛侯思考時間不超過一秒，就決定不去動乘客艙甲板上趴著的那堆珍貴有機物了。

露娜穿著粉紅色內襯衣回來，還帶著一小捲壓力膠帶。她瞄了一眼敞開的硬甲太空衣，露出苦瓜臉：「尿味。」她跨進去，太空衣便感應她嬌小的身軀，調整內部觸覺感應骨架，撐住她整個人。

「喔！」太空衣密封時，她叫了一聲。

「還好嗎？」路卡辛侯問。露娜從未進過太空衣。

「很像他們帶我離開博阿維斯塔時用的藏身裝置，更小一點。不過還是比較好，因為我可以動。」

露娜沿著地面鋪材鏗鏗鏘鏘地走動。

「我走兩步，它就會跟著走。」

「真的很簡單，太空衣會搞定所有事。」

電力、空氣、水已滿格，副靈宣告。接下來的每口氣、每滴水、每一步都得消耗太空衣上的存量。

「我先通過氣閥。」路卡辛侯說：「我在另一頭等妳。」

路卡辛侯站在樓梯上等待氣閥增壓，時間彷彿過了一世紀。偷來的地表活動衣上纏著壓力膠帶，他相信它的作用，卻又無法完全放心，想像空氣突然開始從氣閥排出時膠帶也鬆脫的情景。不會鬆脫的，設計上它就是能應付那狀況。但他還是沒有完全信服，而且過小的太空衣已經讓他的手指和腳趾抽筋了。燈光閃爍，氣閥開啟。露娜跨出門外。

路卡辛侯從背包中拉出傳輸纜，插到露娜硬甲衣的溝槽內：「聽得到我說話嗎？」

沉默，接著是一陣咯咯笑。

「抱歉，我剛剛點頭了。」

「如果靠纜線連接，我們可以更省電。」

路卡辛侯對下一步很自豪，是他把探測車從拉巴克拖回來的路上想到的。一輛探測車，一個座位。他將穿硬甲太空衣的露娜放到座位上，然後再坐到她大腿上調整好位置。硬甲衣很滑，座位不平穩。開快車時滑落就是死路一條，這問題他沒事先想到。下一刻，他就有了解決之道。撕下幾截壓力膠帶，將自己和露娜的小腿、大腿、身體綁起來。他聽到通訊連線傳來她的咯咯笑。

「還好嗎，我的天使？」

「我很好，路卡辛侯。」

「那我們走吧。」

金吉已經和探測車的人工智慧連結了。一動念，膠帶和纜線纏在一塊的露娜和路卡辛侯便加速駛離拉巴克轉運站，撇下那一根根翹起的號角，奔馳於多石的豐饒海月壤之上。

鄧肯・馬肯齊上次踩上地表是十年前了，但他拒絕使用硬甲太空衣。一日羊夫，終生羊夫。這件地表活動衣是新的，根據中年男子的體型量身列印，健康問題也都考慮到了，不過鎖住密封處、拉緊綁帶等儀式對他來說就跟信仰一樣熟悉。上地表前的檢查作業就是小小的禱告文。

他邁開大步走上斜坡，身後哈德利那座黑暗又森然的大寶塔帶來物理性壓迫。他的頭幾步像外行人似地踢得塵土亂飛，不過他抵達射擊區時已找回老羊夫的漫步方式。他好想念這情景。五個穿地表活動衣的人向他致意，射擊派對的會場設在一排排鏡子間的維修道路上。

「讓我看。」

一名穿硬甲太空衣的羊夫從身後滑出一把長長的傢伙，她的太空衣有訂製的太空魔怪噴漆。她舉槍，瞄準目標。鄧肯・馬肯齊拉近畫面，辨識出小徑另一頭的玩意兒，射擊距離非常遠。

「要是他射壞我其中一面鏡子……」他開玩笑。

「她不會的。」由里・馬肯齊說。槍手開槍了，目標爆開，來福槍退出散熱片般的小玩意兒。槍手轉身面向鄧肯・馬肯齊，等待指示。

「那基本上就是我們在蛇海戰爭用的那種高斯來福槍，不過我們提高了加速度。你可以射擊視線範圍內與槍口等高的目標，或在人工智慧幫助下朝地平線另一頭射擊。」

「硬甲衣我看了不太開心。」鄧肯・馬肯齊說。

「更強大的加速器帶來的後座力很凶狠。」由里說：「穿硬甲衣才會有更高的穩定性。最糟的情況發生時，它也能提供一些保護。」

「撐得了二十秒，是比十秒長嘍。」瓦索斯・帕列奧弗利羅說。

鄧肯斥罵他：「姓馬肯齊的不會臨陣脫逃。」

「老闆，他說得有理。」由里說：「這不是我們的戰爭，阿沙默一族從來就不是我們的盟友。」

「我們以為沃隆佐夫一族是盟友，結果呢？」鄧肯．馬肯齊說。

「我沒有冒犯您的意思，」由里緊咬不放：「不過我們現在特別脆弱。VTO正在消滅我們東北半球上的所有發電廠，哈德利無法承受軌道攻擊。光是攻擊鏡子陣列就能有效地中斷我們的生產，我可以讓您看看模擬畫面。」

「列印五十把。」鄧肯．馬肯齊對公用頻道下令：「把找得到的待過軍隊的月光菜鳥全找來簽約。我需要硬甲太空衣，不要上頭那些鬼玩意兒。」他戴手套的手指朝槍手身上的尖牙、火焰、骷髏圖案彈了一下。「我要所有人一看就知道我們是誰，我們代表什麼。」

他轉身，在耀眼鏡子間的走廊上大步前進，進入外氣閥那一方黑暗。他上方的哈德利尖頂正放出一萬顆太陽的光芒。

「蛋糕，」路卡辛侯．柯塔說：「最適合拿來送給什麼都不缺的人。」

科艾利諾離開拉巴克後已行駛了一個小時，抵達梅西耶E西北方坑壁的和緩坡道。露娜幫探測車取了一個名字。探測車本來就該取名字，她對這點很堅持。為了殺時間，路卡辛侯提出反駁：取名字很蠢，機器就是機器。副靈也有名字，露娜爭論，而探測車最後還是決定叫科艾利諾了。路卡辛侯接著提議唱他們都會唱的歌，然後他試圖回想弗拉維亞教母告訴他的床邊故事，結果露娜記得比他清楚。他們玩猜謎遊戲，結果也是露娜比較厲害。現在，路卡辛侯開始發表他的蛋糕論。

「送東西太簡單了。如果你想要什麼，碳點數也夠，你就會把東西列印出來。東西一點也不特別，為什麼要送別人自己也能列印的東西？讓一件禮物產生特殊性的，是你放進去的想法。禮物真正珍貴的部分，是物質成分背後的思想。要特別，就必須贈送稀有、昂貴或耗費你許多工夫的物件。爸有次給了亞德里安娜奶奶一些咖啡，因為她五十年沒喝咖啡了。它又貴又稀有，因此滿足了兩個條件——稀有和高價，但它還是不比蛋糕好。

「要做蛋糕，你就得用上天然、非列印的材料，例如鳥蛋、脂肪、小麥麵粉，還得投入你自己的時間和心思。你做每個蛋糕都得規畫——要做海綿蛋糕還是要做磅蛋糕？要做多層蛋糕，還是許多小蛋糕？要給一個人吃，還是為特殊場合準備？要做橘子、佛手柑、香料奶茶口味的嗎？或甚至要做咖啡口味？要加糖霜還是蛋白霜？要放進盒子裡，還是要綁緞帶？要讓飛行機器人送進對象家中嗎？還是要在聊到一半時來個驚喜？它會發光會唱歌嗎？你該嚴肅還是嘻嘻哈哈地送禮？對方有沒有過敏或無法忍受的東西？會不會有文化、宗教信仰問題？切蛋糕時還有誰會在場？誰會吃到，誰不會吃到？它到底會是大家分著吃的蛋糕，還是給人熱情獨享的蛋糕？

「蛋糕很奇妙。只要在正確的地點、時間送出去，只靠一個杯子蛋糕也可以表達：**這整個宇宙現在除了你，沒有別人存在，而我給了你這甜蜜、質地美妙、香氣瀰漫、感動的一刻**。有時候只有巨大又愚蠢的蛋糕有效，比方說有糖霜蝴蝶和鳥，外加小機器人唱肥皂劇歌曲的那種，我還化全妝從裡頭跳出來。這能治癒人心，化解長年失和。

「蛋糕有它們的語言。檸檬糖霜蛋糕說：**這段關係對我來說變質了**。橘子蛋糕說的話相同，但帶著希望。磅蛋糕說，世界一切安好，所有事物都很棒，都被放在中心，四大元素調和。香草蛋糕說：謹慎，無聊。薰衣草說：期盼，或悔恨。有時兩者皆是。糖霜甜漬玫瑰說：**我認為你在欺騙我**，不過玫瑰糖霜會說：**讓我們訂立合約吧**。藍色水果適合憂鬱的日子，當你感覺真空罩頂，真的需要朋友或友善的肉體時可吃。紅色和粉紅色的水果代表性愛，所有人都知道。奶油蛋糕永遠不能一個人吃，這是規矩。肉桂是期盼，薑是記憶，丁香是給傷患吃的，身體或內心受傷都適用。迷迭香是悔恨，羅勒是安然無事。**看吧，我不是說了**，就像這樣。薄荷很恐怖，薄荷蛋糕是爛蛋糕。咖啡是最難做的，它說：**我願意移動天空中的地球，討你歡心**。

「那是蛋糕的社交面向，接著還有科學的部分。妳知道月球上的蛋糕比較好吃嗎？妳要是去地球吃蛋糕一定會很失望。那裡的蛋糕又扁又重又硬，這跟孔隙大小和團粒結構有關。月球蛋糕的團粒結構比地球的好太多了。我們做的每一個蛋糕都涉及三種科學：化學、物理學、建築學。物理學跟熱、氣體膨脹和重力有關。膨鬆劑會向上推，對抗重力。重力越小就升得越高。妳也許會想，假如低重力會讓團粒結構變得更好，那在無重力環境下是不是就能做出完美的蛋糕？事實上沒辦法，膨鬆劑會朝四面八方膨脹，最後妳只會得到一大球滋滋響的麵糊。烤它時，會非常難將熱導入蛋糕中心，成品中間會溼答答的。

「接著是化學。我們有四大元素，蛋糕也有。對我們來說是空氣、水、資訊傳輸、碳，對蛋糕而言則是麵粉、糖、脂肪、蛋或其他種類的液體。兩百五十公克的水，兩百五十公克的糖，兩百五十公克的奶油，兩百五十公克的蛋，也就是差不多五顆，加起來就會得到最基本的磅蛋糕。打發奶油和糖，這我都是親手做，才會有人味。脂肪封住空氣，創造出泡沫的質感。接著打蛋，蛋的蛋白質會包裹住氣泡，它們就不會在烘烤時裂開、垮掉。輕手混入麵粉，要輕，不然麩質就會延展。

「麩質是小麥中的蛋白質，有彈性。沒有了它，我們烤的任何東西都會是扁的。延展太過頭，烤出來的東西會變成麵包。麵包和蛋糕是小麥的兩種極端走向。我總是用低蛋白小麥製成的低筋麵粉，很軟的特製品。這種麵裡頭原本就有膨鬆劑，會產生化學反應、釋放氣體，吹出麩質泡泡。這就是我的蛋糕又甜又短又膨鬆的原因。

「烘焙就像是建造城市：最關鍵的就是將空氣圍起來，留住。麩質形成柱子與天花板，支撐糖與脂肪的重量。它得站起來，得撐住，確保內部事物安全無虞，有空氣有水可享用。我們得創造一個外殼確保蛋糕溼潤、輕盈。糖辦得到，它會讓派皮變色，維持住比蛋糕內部低的溫度。焦糖化就是關鍵，它就像防止岩石內空氣外洩的氣密系統。

「上面的部分都解決後，現在就要烘烤了。烘烤總共有三個步驟：升溫，定型，褐變。隨著蛋糕溫度上升，我們打進去的所有空氣都會膨脹，延展麩質。接著，在攝氏六十度左右膨鬆劑發揮效用了，二氧化碳釋放，蛋中水分蒸發，接著咻一聲，我們的蛋糕就膨脹到最終高度了。大約攝氏八十度左右，蛋白質開始凝聚，麩質失去延展性。最後就輪到美拉德反應了，這就是我剛剛提到的褐變，它會封住蛋糕表面。如果方法正確，它還會封住蛋糕的水分。

「接下來最困難的部分來了，如何決定取出烤爐的時機？這要依據許多小細節進行判斷，溼度、通風度、氣壓、周邊溫度。這是一門藝術。妳認為它準備好了，就拿出來，放十分鐘左右，讓它脫離容器，再放到架子上等涼。盡量不要剛烤好就塞一片到嘴巴裡。

「接著我們進入蛋糕的經濟學。拿出烤爐。但我們沒有烤爐，大多數人甚至沒有廚房，都在熱食店吃外食。熱食店的爐子跟烤蛋糕用的完全不一樣，得訂作才行，而全月球大約只有二十個人知道要怎麼打造與視線等高的烤爐。

「好啦，再談四大元素：麵粉，糖，奶油，蛋。麵粉是小麥種子磨成的，而小麥是某種草，在地球上是碳水化合物的一大來源，不過月球上我們不常運用它，因為相較於它占用的空間和耗費的資源，它能提供的能量並不多。要一千五百公升的水才能種出一百公克的小麥。我們都靠馬鈴薯、地瓜、玉米攝取碳水化合物，因為它們將水轉換成食物的效率較高。那麼，要做麵粉就得特地種小麥，接著收割麥穗，磨成細粉。磨麵粉甚至比蓋蛋糕烤爐還要難——月球上也許只有五個人會。

「奶油是取自牛奶的固狀脂肪，我只用牛奶做的奶油。月球上有牛，主要是養來供給肉品給愛吃牛的人。妳如果以為養麥子很耗水，我告訴妳，每一公斤乳製品所耗的水可是一百倍。」

「蛋，不難弄到。蛋在我們的飲食當中占很高的比例。不過我們的蛋比地球上的小得多，因為我們繁殖的鳥比較小，因此得實驗幾次才能得到正確的量。

「糖很容易弄到，我們可以培養或製造，不過蛋糕烘焙師會用許多種類的糖。有原蔗糖、一般砂糖、糕點糖、幼糖、糖粉——有時候為了做一個蛋糕，這些全會用上。所以明白了吧，就算只是要做一個簡單的磅蛋糕，也得用上比珠寶還要珍貴的物資和技巧。品嘗蛋糕，就是在品嘗我們生命中的一切。

「在任何人都可以列印任何東西的年代，蛋糕為什麼是完美的禮物？答案就在此。」

「路卡。」露娜說。

「怎麼了，我的天使？」

「我們還沒到嗎？」

「不是這個隕石坑，但下一個就是了。」路卡辛侯說。

「你保證？」

「我保證。」

科艾利諾攀上梅西耶A的低矮坑牆。

「好，」露娜表達心聲：「不過不要再提蛋糕了。」

蛋糕，以及蛋糕論，是路卡辛侯．柯塔讓自己保持清醒與警覺的手段，也能對抗從裂縫溜進來的寒氣。他可以封住地表活動衣解決氣壓問題，但受損的保溫系統讓他束手無策。路卡辛侯接受奔月訓練時得知，人體在真空中會輻散些許熱度，不過他的感覺是寒冷之爪持續從他的血液和心臟中挖走溫度。他談論蛋糕時耗盡全身的力氣才阻止牙齒打顫。

科艾利諾翻越梅西耶A雙隕石坑的外坑壁，這時一輛六人座大探測車從內坑壁竄出，落地彈了兩次，飆向路卡辛侯，甩尾停到他面前。

一輛車，三名人員。防護桿拉起，三名人員從座位上跳到地面，地表活動衣上都印著馬肯齊氦氣的商標，每個人都從裝備架上抄起傢伙。那是路卡辛侯認得，但未真正見過的東西。槍。

一名羊夫湊近路卡辛侯和露娜，槍捧在懷中。繞科艾利諾一圈後走到路卡辛侯面前，面罩對面罩。

「發生什麼事了？」露娜說。

「不要緊的。」路卡辛侯說，接著在馬肯齊羊夫將面罩抵上來時吃了一驚，整個人在地表活動衣內一彈。

「打開你的通訊頻道，你他媽的蠢鳳頭鸚鵡。」悶住的吼叫，透過物理接觸傳來。

金吉打開公用頻道。

「抱歉，我電力不足。」路卡辛侯用地語說。

「電力不足的人不是只有你。」羊夫說。通訊連線建立後，每個羊夫的肩膀上都出現了電子名牌：馬爾康．哈欽森，夏琳．歐文—克拉克，艾弗隆．巴塔曼利。

「我們需要電力、水、食物。我非常、非常冷。」

「我要先問幾個小問題。」馬爾康將槍一甩，槍口指著路卡辛侯。那是匆促列印出來的武器，很長，抗壓材、安定裝置、彈匣、電磁彈匣架等各種玩意兒都是快速列印後組裝的。「我們住在人類史上性別流動最劇烈的社會，因此這位娜迪亞也許進行了性別重置手術，但我從來沒聽說過這種手術會讓人長高十公分。」

路卡辛侯驚覺，通訊頻道一啟動，地表活動衣就會亮出主人的名字。另外兩把槍也旋向他。

「路卡辛侯，我好怕。」露娜用私人頻道對他說。

「不要緊的，我的天使，我會讓我們脫困。」

「娜迪亞的地表活動衣，娜迪亞的探測車。根據太空衣上的膠帶數量來看，有人給了她致命一擊。」

「如果我是要搶她的地表活動衣，你覺得我會弄傷它嗎？」路卡辛侯說。

「你確定那是你要給我的答案嗎？」

路卡辛侯頭盔顯示系統上的生命跡象長條圖只比紅色區突出一小節。

「我沒殺她，我發誓。我們本來被困在拉巴克彈運站。我追蹤到她，就借走了探測車和地表活動衣，補起破洞。」

「你們在拉巴克彈運站搞屁？」

「我們原本在離開忒的路上。」

「搭彈運離開。」路卡辛侯討厭馬爾康．哈欽森，這傢伙把他的回答都變成了愚蠢的發言，超越他過去聽過的任何話。「老兄，彈運系統掛了，整個東北半球都掛了。天知道忒發生了什麼事。沃隆佐夫家關閉了鐵路，還把他們視線範圍內的所有電廠都炸成月壤上的洞。而我的半支小隊被手握長刀的噩夢機器人滅了，所以我有點焦躁，還請見諒。你們到底要去哪裡，又到底是誰？」

「讓我跟他說。」露娜說。

「露娜，閉嘴，讓我處理。」

「別叫我閉嘴，讓我跟他說話，拜託。」

馬肯齊的羊夫很急躁，路卡辛侯扯到最後可能會吃子彈。小孩子的嗓音也許會讓他們放下槍。

「好。」

露娜的副靈開啟公用頻道。

「我們打算前往神之若望。」露娜說。罩著地表活動衣的馬肯齊羊夫聽到她說話都打了個顫。

「那玩意兒裡裝著一個小孩。」馬爾康說。

「那是拉巴克唯一一件硬甲衣。」路卡辛侯說：「而我追蹤到這輛探測車，然後……對，我偷走了太空衣。」他想起主人的名字：「娜迪亞的太空衣。我沒殺她。」

「你把一個小孩塞在硬甲衣裡橫越豐饒海。」

「我不知道還能怎麼辦，我們非得離開拉巴克不可。」

「你們還得走一大段路才能到神之若望。」一名羊夫說，標牌指出她是夏琳。

「我們現在得前往梅西耶。」路卡辛侯說。

「我們才剛離開梅西耶。」羊夫艾弗隆說：「我們在那裡失去了三名同伴。你們要是過去就會被機器人切成碎片。」

「嘿，艾弗隆，有小孩子在。」夏琳說。

「隱瞞事實沒意義。」艾弗隆說。

「我們需要空氣和水。」路卡辛侯說：「探測車快要斷電了，我也不記得我們上次吃東西是什麼時候了。」

「我真的很餓。」露娜說。

路卡辛侯聽到馬爾康低聲咒罵了幾句。

「塞奇有一座舊柯塔氦氣的臨時營地，是離這裡最近的重新補給點。我們會帶你們過去。」

「它在折返塔倫修斯的半路上。」路卡辛侯說。

「好啦，看你要餓死還是窒息死嘍。」馬爾康說：「或者凍死，你看起來像是會先凍死。艾弗隆。」艾弗隆從包包中拆下一個小包，扔向路卡辛侯。是保溫包，玻璃容器中裝著緩慢釋出的放熱凝膠。「那可以保暖，不過有個問題。」他用槍口戳了一下路卡辛侯以壓力膠帶綑起來的身體：「保溫包得放進太空衣內才行。」

「什麼？」

「兄弟，你閉氣可以閉多久？」

路卡辛侯頭暈目眩，飢餓，疲倦，寒冷。如今他又得再次向月球夫人的冰冷地表袒露肌膚了。

「我拿過奔月別針。」他支支吾吾。

「嗯，祝你走狗屎運嘍，貴公子。奔月總長十到十五秒。我現在得拆掉舊膠帶，塞保溫包進去，再幫你重綑膠帶。要四十秒，甚至六十秒？」

他可能會死，寒冷會殺死他。可能會，會。月球夫人再度為他做出抉擇。

「我辦得到。」

「好孩子。強力呼吸一分鐘，然後幫頭盔解壓。我得和你的太空衣人工智慧連線。」

「我有膠帶。」露娜說，路卡辛侯則在同一時間扯開膠帶，離開她的硬甲衣。

「乖孩子。夏琳，艾弗隆。」

金吉將太空衣的氣體供給切換成純氧，它像斧頭般劈向路卡辛侯。他一陣踉蹌，許多雙手紛紛伸過去扶好他。他深吸一口氣，再吸更深的一口，讓大腦和血液充滿大量氧氣。他完成了奔月，一絲不掛地在地表上奔跑了十五公尺。這很簡單，簡單。不過奔月時，他們在低氣壓環境待了超過一小時。接下來他要面臨的是立即減壓。**人類肌膚是強健的內壓表面……**地表活動衣訓練第一課。你只要有夠緊的東西去維持壓力，留住水和熱就夠了。

太空衣減壓將於五秒內開始……

路卡辛侯淨空肺部。在真空中，要吐氣才能防止肺部破裂。

……二，一……

「準備好。」馬爾康下令。

排氣。金吉抽出太空衣內的空氣，空氣尖嘯，最後回歸安靜。突如其來的疼痛戳入兩耳之中，路卡辛侯發出無聲的尖叫。夏琳持刀湊上前去，小心翼翼地切開膠帶，往後撥開。

「抓穩這孩子，別讓他動。」

「好了。」

接著是熾熱的高溫，馬爾康將保溫包塞進密織布內。路卡辛侯得呼吸，得呼吸。他的大腦細胞一個接著一個停擺，他開始亂踢、亂揮。有個女性嗓音從高處發出微弱的喊叫，彷彿來自聖靈：**抓穩他**。路卡辛侯張開嘴，什麼也沒有。他擴張肺臟，什麼也沒有。人在真空中就是這麼死的——一切器官都失能、收縮、脈動著。聲音微小而遙遠，抓住他的手如鋼鐵般堅定。他全身上下都在燒。

微小而遙遠的聲音……

接著他回神了。他往前撲，結果被防護桿攔住。他坐在馬肯齊探測車的座位上，安全無虞。空氣，空氣太棒了，空氣是魔法。他做了十個深呼吸，快吸慢吐，慢吸快吐。嘴吸鼻吐，鼻吸嘴吐。只以鼻子呼吸，只有嘴巴呼吸。舒暢至極的呼吸。溫暖，熱度。他感覺到左肋骨底部痛痛的，是保溫包，被地表活動衣和壓力膠帶緊束著。之後會瘀青，但他很感謝這份疼痛。痛就代表他沒凍傷。

「露娜？」他嘶啞地說。

「看來你醒了。」馬爾康在公用頻道上說。

「我在這裡，」露娜說：「你還好嗎？」

「還能講話就代表沒事。」馬爾康說。路卡辛侯環顧四周，看著連結他和探測車的電纜與管線。他讓心中浮現「水」這個字，接著奶嘴就湧出冰涼、潔淨的液體了。路卡辛侯開心得倒抽一口氣，聲音透過公用頻道傳開，逗得羊夫們哈哈大笑。「那仍然是尿液回收濾成的，但至少是別人的尿。」馬爾康說：「我們甚至有些含營養成分的尿，我看你餓到會想吃。」艾弗隆用栓繩連結路卡辛侯徵用的單人座車和大探測車後方，然後盪到自己座位上。

「好啦，路卡辛侯．柯塔，如果你沒反對意見，」馬爾康說：「我們現在就要去塞奇了。」

臉前方有東西。出於幽閉空間式的驚慌，路卡辛侯大叫一聲醒來。他穿著太空衣，該死的同一件太空衣。睡夢中流下的口水已在臉頰乾涸，化為透明的痂。戴著頭盔，他聞得到自己臉的氣味。

「你醒了。」是馬爾康的聲音：「很好。我們碰上麻煩了。」

金吉叫出一張地圖：車隊和柯塔氦氣物資儲藏所的位置很顯著，橫亙在探測車與安全地點間的接觸線也一樣突出。

「那是……」

「我知道它們是什麼，孩子。」

「你們繞得過去嗎？」

「可以，不過它們一瞄到我們的瞬間就會追上了。我們又大又笨重，而我看過那些賤胚動起來的模樣。」

「該怎麼辦？」

「我們打算拋下你和女孩。你們搭另一輛探測車，衝向臨時營地，它的電力夠你們繼續前進。我們會試著把機器人引開。」

「但你說你們跑不贏它們。」

「你的信心跑到哪去了，孩子？沒了你們，我們也許甩得掉它們，也許甚至能打倒幾部。這些槍非常適合幹掉那些賤胚。我確定的是，如果我們黏在一起，就會一起死。」

背包內裝滿水和空氣，電池充電完畢。露娜到駕駛座上坐好，路卡辛侯仔細地把她和探測車黏好，接著把自己黏到她身上。路卡辛侯簡明、誠實地向她說明他們面臨的危險，而她立刻就知道自己該怎麼做了，不需要發問或接受指示。金吉觸碰單人座探測車，車子發動了。馬爾康以食指觸碰頭盔，這是上戰場前的行禮。他發動了大探測車，掉頭，不一會兒就翻過地平線了。路卡辛侯等到對方揚起的灰塵落定，才讓單人座探測車加速行駛。

別通訊了，馬爾康說，**塞奇見，或下一個臨時營地見**。

你知道我們是誰，路卡辛侯用私人頻道問，**為什麼還要幫我們？**

不管接下來局勢會如何演變，月球都不會是從前那個月球了，馬爾康說。

「露娜。」路卡辛侯說。他們身上的通訊纜線又接回去了，如此一來就沒有無線電波讓人偵測，也提升了親密性。

「怎麼了？」

「妳喝水了嗎？」

「我喝了。」

「我們很快就會到了。」

安妮麗絲．馬肯齊在內氣閥等著。門彷彿花了一百年才開啟，不過他們進來了。即使經過空氣刀的刮抹，身上還是帶有沙塵的黑，頭盔、背包勾在手中。靴子像石頭，太空衣像鉛。所有肌腱都灌滿冰冷的疲倦。戰士拖著腳步從她身旁經過，垂頭喪氣。他們在希帕提婭之門打了一場仗。逃過AKA弓箭隊強攻的三部機器人遭到炸藥爆破，不過有七名黑星小隊隊員因而折損。自殺任務。傳言說援軍已投放到東寧靜海，天空中布滿結巴的煞車火箭。援軍，她是怎麼學到這種語彙的？

他拖著腳步來了。

「華格納。」

他轉向呼喚他名字的聲音。他認得她，他忘不了她，處於黑暗人格時是不可能的。他的黑暗人格也是她唯一認識的華格納．柯塔。遲疑、節制，跨出頭幾步時的猶豫不是因為害怕錯認，而是出自罪惡感。他當初逃向梅利迪安了。她叫他不要回他們在提阿非羅的家，但他知道那麼做就是放她一個人面對自己的家族。馬肯齊一族從來不原諒叛徒，她付出了代價。當她的家族殲滅他家時，他倖存了下來。他低頭苟活。如今他看起來像個死人，像失敗者。

他望向他的隊友。一名英挺、五官深邃的女子向他點點頭。**老大，後續我會處理**。

「安妮麗絲。」

他不明白眼前畫面的意義。她家是在提阿非羅，她現在在希帕提婭做什麼？

「過來吧，小狼。」

床鋪填滿了那個小房間，華格納接著填滿床，躺成大字形，睡眠帶他來到比睡眠還要深沉的地方。安妮麗絲能找到這個小房間算是很幸運了。希帕提婭是東南半球最繁忙的運輸交會處，鐵路系統癱瘓後立刻就成了難民營，熾熱的地下堡壘。街上睡滿人，無依無靠的乘客躺在散熱管線吐出的暖氣中。

她倚靠走廊，看著月狼。他整個人一團糟，皮膚瘀青，磨損過久的地表活動衣在他身上留下印痕。她過去愛觸碰的柔軟棕色肌膚如今成了灰白色，身體勞累磨滅了光澤。他從來就不是肌肉男，但如今變得骨瘦如柴。他肯定有兩、三天沒吃東西。脫水嚴重得可怕，整個人散發惡臭。

她的目光溯記憶之流而上，從眼前的床鋪移動到他們初次見面的情景。遠端大學第十五屆倒錯邏輯研討會舉辦了論信念與其他思想邏輯的工作坊，他們在那裡首度對上眼。他先別開視線，而她湊向同學南艾吟，在前一夜喝酒宿醉未解的情況下問：**那是誰**？她的副靈可以在轉眼間從與會者名單中挑出對方的名字，但她想來陰的，她要他看見她問起他的模樣。

「他是華格納．柯塔。」南艾吟說。

「柯塔？就是那個？」

「柯塔家的柯塔。」

「他的睫毛迷死人了。」

「他很怪，就算在柯塔一族當中也算怪。」

「我喜歡怪人。」

「那恐怖的人呢？」

「我不怕柯塔家。」

「妳怕狼嗎？」

接著報告告一段落，所有人都準備去喝茶了，她還是緊盯著可怕的柯塔同學不放，以免錯過他回望她的那一刻。而他確實回望了，就在研討班大廳的雙開門邊。她從沒看過那麼深邃、悲傷的眼神。世界誕生時便存在的黑色冰塊，潛藏在永恆的陰影中。小時候，她毀損了手上所有的玩具，以便照料、治癒它們。三個聊著天、手中端著茶杯的小團體之間有個重力穩定點，她在那裡找到了他。

「我也從來就不喜歡茶。」她總是會精明地進行一些小觀察，之後拿來打開話匣子。他的嘴唇完全沒沾到半口飲料。「那不是合乎體統的飲料。」

「那妳認為什麼飲料合乎體統？」

「我可以帶你去見識。」

無酒精馬丁尼喝到第三杯，他告訴她月狼的事。

喝到第五杯，她說：**還不賴**。

小狼睡了兩夜一天才突然醒來，所有感官都敏銳無比。他的第一句話是：**我的隊員**。

他們沒事，安妮麗絲說，但他並不信服，打了一通電話到太陽企業的希帕提婭辦公室才放心。潔拉正在接受查問，叫幸運八號球玻璃小隊隊員休假去。太陽企業可以提供他基本連線版的副靈，不過完整修復的光博士和影子的備份在梅利迪安，而近端月面的通訊仍未恢復。身上沒副靈、數位世界裸體的華格納挑動了安妮麗絲的欲望。

戰爭期間，兩夜一天就像是一百年那麼久。資訊失靈，謠言滿天飛。忒城仍受到圍攻，埋在沙裡毫無動靜，農場於暮色中渴光而死。南后剩下五天食物存量，梅利迪安剩三天。大家不斷襲擊熱食店，駭進3D列印機。太陽企業的工程師成功反駭進幾部失控的推土機，但若嘗試將它們集結成反攻城小隊，敵人就會發動軌道攻擊。冰塊，VTO利用質量投射器發射冰塊。沃隆佐夫一族在上頭綁了一個彗首[4]，彈藥足夠他們再度發動一次晚期重轟炸[5]。列車閒置在車站內，彈運系統停擺，任何在地表上亂闖的探測車都會引來腳上長刀的機器人。有一整輛赤道特快車卡在史密斯海中央的鐵軌上，一天前就耗盡了儲水。乘客喝自己的尿，空氣供給系統失靈了，他們吞食彼此。

流言蜚語傳個不停。鄧肯・馬肯齊派出二十或五十或一百或五百名槍手（每個都是月光菜鳥軍人）去幫忒解圍，AKA弓箭手擔任後援，準備去襲擊忒的外氣閥，解放那座城市。有人說阿沙默與馬肯齊的聯軍已被切成碎片，屍體散落在寧靜海上。梅利迪安遇襲，電力系統停擺，整座城市陷入黑暗之中。有人說梅利迪安已被占領，梅利迪安已投降。

我得去梅利迪安，華格納說。

你得休息，小狼。

她在一家俄式三溫暖租了小房間，三小時應該就夠了。這裡有蒸氣浴、大塊石板、瀑布池。華格納俯躺在燒結石塊上，汗水晶亮。安妮麗絲用彎彎的刮身刀幫他刮下泥土、月塵、乾掉結塊的汗水。

「妳在那裡等我。」華格納說，臉頰貼在滑順、溫暖的石板上，頭轉向一旁。

「我在忒看完演唱會準備回去。」安妮麗絲說：「結果列車系統停擺，我就卡在這裡了。」

「妳幫助我逃命，我卻拋棄了妳。」

安妮麗絲跨坐到華格納背上，緩慢地從他的脖子刮下汗水沾黏的塵土。

「別說話。」安妮麗絲說：「手給我。」她突然撕下她以為結了很久的痂，還是會痛。鮮血冒了出來。

「抱歉。」華格納說。

安妮麗絲拍了他精瘦的小屁股一下。

「過來。」

在她的攙扶下，華格納滑入瀑布池的熱水中。他倒抽一口氣，皮膚刺痛。安妮麗絲滑到他身旁，兩人倚靠彼此。安妮麗絲撥開臉上潮溼的髮絲，華格納進一步將它們塞到她耳後，手指接著沿耳朵邊緣移動，來到左耳垂上仍未消失的蒼白疤痕組織。

「發生什麼事了？」他問。

「意外。」她說謊。

「我得去梅利迪安。」

「你在這裡很安全。」

「那裡有個男孩，十三歲，叫羅伯森。」

安妮麗絲聽過這名字。

4 彗星由彗首與彗尾組成。

5 指三十八至四十一億年前，月球遭受大量小行星撞擊的事件。

「小狼，你力氣恢復得還不夠。」

她無法說服他，從來就沒成功過。她對抗的是超乎人類的力量：光明與黑暗，華格納的兩個人格，狼幫。家族。帶著治癒力的溫水浸泡到她的脖子，助她熬過戰爭期，但她還是打了個冷顫。

塞奇是一個勉強能求生的小空間，一截燒結管，沒比兩側的氣閥寬多少，燒結月壤在上頭蓋成一個小堤。路卡辛侯和露娜就像橘子片，剛好可以嵌進去。路卡辛侯無法想像羊夫們也進來會是什麼狀況，不過這裡有空氣、水、食物，頭頂有月壤，因此露娜可以脫下硬甲衣。路卡辛侯身上纏了太多壓力膠帶，要脫下地表活動衣就只能割開它們。堅硬的保溫包為他左肋骨下側帶來悶而暖的疼痛，他只能右半身朝下側躺、面壁才會舒服一點。身體下方的軟墊仍有剛列印好的味道。他全身關節和肌肉都耗盡氣力了，卻還是無法放鬆入眠。在沾滿塵土又過小的地表活動衣包裹下，他瞪著弧形的燒結牆面，想像抹在上頭的土有多厚，想像後方的真空以及太空放射線的舔舐，土壤，燒結物。路卡辛侯．柯塔等待著氣閥加壓的聲音響起，那代表馬爾康的羊夫們或機器人回來了。他沒見過機器人，但在他想像中它們全身是刀刃、尖刺，戳啊戳的。它們通過氣閥，準備來殺吊床上的這對堂兄妹。

「路卡，你睡著了嗎？」

「沒，妳睡不著嗎？」

「睡不著。」

「我也是。」

「我可以跟你一起睡嗎？」

「我的天使，我真的很髒，而且臭。」

「可以嗎？」

「來吧。」

路卡辛侯感覺得到露娜縮成一團，貼住他的背部曲線，小範圍但緊迫的熱度傳了過來。

「嘿。」

「嘿。」

「我們不會有事的，對吧？」

「那餐很棒不是嗎？」

臨時營地預存的餐點有兩種：番茄口味和醬油口味的。**我要番茄**，露娜做出決定。她有點黃豆過敏，而路卡辛侯不希望六乘二公尺的避難所內有任何消化異常的狀況出現。他們一次只準備一份自動加熱餐，因為內容物加熱完成、容器打開時太令人口水直流了。路卡辛侯一聞到淋番茄醬的馬鈴薯餃，唾液腺體都發疼了。

「不，才不棒。」露娜在她堂哥耳邊說：「吃起來像沙。」接著她笑了，起初是自己偷笑，但偷雞摸狗讓笑聲越來越響，最後再也憋不住了。路卡辛侯受到傳染，兩人在吊床上笑個沒完，就像他們第一次搭乘彈運時那樣，笑到上氣不接下氣，肌肉疼痛，淚水滑過臉頰。

路卡辛侯。

路卡辛侯，起來。

你得起來了。

他從床上彈起來，頭撞到低矮的天花板。臨時營地，他在臨時營地內。他睡了兩個小時，兩個小時。身旁的人是露娜，她已經醒了。兩人的副靈都叫醒了他們，壞消息。

複數單位逼近中。

「靠，有多少？」

十五個。

那就不是馬肯齊金屬的羊夫了。

「能辨識對方身分嗎？」

他們在通訊頻道上保持沉默。

「它們多久會抵達？」

依照目前速率來看，十分鐘後會到。

他得穿上地表活動衣，幫露娜穿上硬甲衣，離營，發動探測車。天啊。

「露娜，妳得穿上太空衣。」

睡眠被打斷的她思緒遲鈍又暈頭轉向。他一把將她撈起來，放到硬甲衣內。內骨架包住她後，她就徹底醒了。

「路卡，怎麼了？」

「露娜，露娜，我們得離開這裡。」

他們得用最快速度離開，快又狠。他在電視劇看過一個花招，於是叫金吉查詢可行性。結果可行，這可省下氣閥減壓時間，寶貴的一分鐘。一分鐘可以救他們一命。

頭盔鎖定，太空衣檢測系統運轉，亮起綠燈。

「露娜，抓住我。」

她的硬甲衣手臂夠長，足以包裹路卡辛侯細瘦的骨架，手套喀一聲按住他的背包外框。

「三、二、一……」

金吉炸掉氣閥了，避難所產生爆炸性的減壓。路卡辛侯和露娜隨著被子、醬油和番茄口味的餐點、筷子、盥洗用品、冰晶一起噴射到塞奇之外。兩人重重落地，衝擊力擠出路卡辛侯肺中所有空氣，有東西破了。保溫包像是一記鐵拳。電視劇從來沒演到這些。兩人滾啊滾的，露娜撞上停定的探測車，路卡辛侯則撞上她。

「沒事吧？」他上氣不接下氣。

「沒事。」

「我們走吧。」

路卡辛侯把自己和露娜綁到科艾利諾上，痛得氣喘吁吁。他的身體出了問題，地表活動衣怎麼了？

「抓緊。」

露娜的手套緊抓住探測車的車架，路卡辛侯催出探測車的最高速。前輪翹起來了。他們要是在這裡翻車，就只有死路一條。露娜本能地前傾身體，路卡辛侯的肋骨與肌肉摩擦，痛得他又倒抽一口氣。科艾利諾急速駛離塞奇，揚起的灰塵在西豐饒海的各個角落幾乎都看得見。只要路卡辛侯不被那些機器人撞上就沒差。馬爾康是怎麼稱呼他們的？賤胚。它們是賤胚。只要那些賤胚的電力比他的車先耗完就沒差。他充了好幾個小時的電，那些賤胚可沒辦法，電力已經快沒了。這是他的推測。它們的電池電力跟馬肯齊金屬的單人座探測車差不多，這是他的推測，好多推測。賤胚。

「金吉，它們還在嗎？」

路卡辛侯，它們還在。

「近嗎？」

距離正在拉近。

「靠。」路卡辛侯小聲咒罵：「什麼時候會被追上？」

就我們現在的速度而言，雙方路徑會在五十三分鐘後交會。

路徑交會。副靈口中的刀與血。

「金吉，如果我們關掉感應器、外部通訊系統、燈號和電子標牌，電池可以多撐多久？」

就現在的速度而言，可以多撐三十八分鐘。

「多加這三十八分鐘可以帶我們到多遠的地方？」

金吉叫出一張地圖，探測車的最終落腳處以一面旗子標出，神之若望的二十公里外。

「如果我們用它們的速度跑呢？」

標示終點的旗子朝赤道南緣逼近了十公里。太遠了，不可能用走的。決定做好了。

「盡可能帶我們到神之若望附近，越近越好。」

科艾利諾加速奔馳於月壤之上，路卡辛侯試著別去想像後方追來的刀刃長什麼樣子。他已經怕到累了，累壞，累死了。

世界邊緣的黑線無盡延伸，突然間就冒了出來，害路卡辛侯差點煞住車。世界的一角消失了，黑色地面一秒又一秒、一公尺又一公尺地增長，吞噬世界。

「是玻璃地。」露娜說。他們已經來到赤道太陽能發電廠的邊界了，這是陽家為世界圍上的黑色腰帶。路卡辛侯一了解狀況，觀點也變了。這片黑比他的想像還近得多。這會減慢他的速度嗎？它會不會裂開？會不會被壓破、崩塌？去他的，有十五部殺戮機器人在後面追啊。

「耶！」他大喊，露娜也應聲。兩人在全速奔馳的車上吼叫，壓上玻璃。

路卡辛侯回過頭去，這次再也看不到科艾利諾了，連天線尖端都看不到。他已有整整二十分鐘沒接到追兵的相關情報。路卡辛侯和露娜孤伶伶地走在玻璃上，一個人穿柔韌的白色地表活動衣，另一個人穿笨重的紅金雙色硬甲衣。玻璃光滑，毫無特徵，完美的黑色朝四面八方延伸。頭上是黑的，腳下也是。天空倒映在黑色鏡面。低頭看著自己耐心邁進的倒影有可能會發瘋，你也可能永永遠遠在這裡兜圈。金吉靠離線地圖指引著他們。神之若望是玻璃內的飄忽形影，在地平線另一頭的遠方，距離似乎永遠不曾拉近。望向地平線，你也看不出天空與地面的交界。

路卡辛侯想像玻璃中儲存的能量釋放出溫暖，傳入他的鞋跟，想像反光的玻璃將機器人尖腳踩出的噠噠振動傳導過來。步伐連成公里，片刻匯集成小時。

「抵達神之若望後，我要做的第一件事就是做一個特製蛋糕，我們自己吃掉。」路卡辛侯說。

「不，不，你要做的第一件事情是洗澡。」露娜說：「我在塞奇聞過你身上的味道。」

「好吧，洗澡。」路卡辛侯想像自己滑入溫暖冒泡的溫水中，水泡到下巴。水，溫暖。「那妳要做什麼？」

「我要到科爾賀咖啡店喝杯芭樂汁。」露娜說：「愛麗絲教母以前都會帶我去，品質是頂級的。」

「我可以跟妳一起喝嗎？」

「當然了。」露娜說：「好冷。」路卡辛侯的頭盔內側跳出幾個紅色警報。

露娜的太空衣有破損，金吉的嗓音還是一貫地冷靜、理性。

「路卡！」

「我來了，我來了。」不過他看到了，硬甲衣左膝關節處有水蒸氣流激射而出，化為閃亮的冰晶。沙塵不斷的摩擦使波紋式接頭故障了，太空衣與真空連通。

「閉氣！」路卡辛侯大吼。膠帶，膠帶，膠帶，他堅持要露娜列印出來帶著走的膠帶，搞不好會派上用場的膠帶，現在有用處了。在哪在哪在哪？他閉上眼睛，回想露娜的手拿著它的模樣。她的手往哪去了？硬甲衣左大腿口袋。「我來了，我來了。」

露娜的空氣存量是百分之三，金吉說。

「金吉，他媽的閉嘴！」路卡辛侯怒吼，使勁從口袋中抽出膠帶，扯開，纏繞到露娜的膝關節上。灰塵從他指間揚起，不斷刮磨他物的危險月塵。他一直纏到膠帶用完為止。「還有多少存量，金吉？」

我以為你要我他媽的閉嘴，金吉說。

「告訴我，然後再他媽的閉嘴。」

內部氣壓已穩定，不過露娜靠目前的氧氣存量無法抵達神之若望。

「告訴我空氣該如何傳送。」路卡辛侯大吼。露娜的太空衣上浮現各種圖表。「妳還好嗎？」路卡辛侯將身上的傳送管鎖到露娜的後背包上，並說：「跟我說話。」

沉默。

「露娜？」

「路卡辛侯，你可以牽我的手嗎？」聲音微弱，充滿恐懼，但那是氧氣充足的嗓音。

「當然好。」他將手滑到硬甲衣的臂鎧內。「金吉，她的氧氣夠嗎？」

路卡辛侯，我有壞消息要報告。你們兩個人靠各自的氧氣存量都無法抵達神之若望。

「可以走了嗎，露娜？」硬甲衣內傳來微小的抖動。「妳又點頭了嗎？」

「對。」

「那我們就走吧，目的地不遠了。」兩人手牽手走在黑色玻璃上，踩踏星子。

你有沒有聽到我說的話，路卡辛侯？

「我聽到了。」路卡辛侯說。硬甲衣的步伐寬度比他的長半公尺，他得在玻璃地上半跑半走。他的肌肉疼痛，雙腳已經沒有任何力氣了。他現在最想要的就是直接仰躺在黑色玻璃上，以星星為被。

「我們非前進不可，所以前進。我有什麼選項？」

你沒有任何選項，路卡辛侯。我已經計算過了，你們的氧氣最慢會在抵達氣閥門的十分鐘前耗盡。

「調低我的呼吸量。」

意思是要我調低你的呼吸量。

「動手吧。」

兩分鐘前我就調整了。你可以從露娜的氧氣存量挪一些……

「我絕對不要。」那些字句在他肺中已變得像鉛一樣沉，每跨出一步肌肉就灼痛一次。「不要告訴露娜。」

我不會說的。

「她得前進，得抵達神之若望，你得替我幫她。」

她的副靈已經幫她規畫了。

「但世事難料。」路卡辛侯・柯塔說：「會有變數的。」

我向你保證，不會有，金吉說，**我真的不明白，面對如此確定、無疑義的事實，你為什麼還能表現出這種樂觀？我一定要建議你，別浪費你僅存的空氣來反駁我了。**

「反正是我的空氣不是嗎？」路卡辛侯說。

你會死，路卡辛侯・柯塔。

這份篤定重擊他，繞著他所有困惑和否定亂竄，將刀刃插入他的心臟。這裡就是路卡辛侯・艾弗斯・茂・迪・費洛・艾利娜・迪・柯塔的葬身之處，這件尺寸過小、貼了補靪又骯髒的地表活動衣。馬肯齊殺不到他，機器人也殺不到他，月球夫人為他保留了最親暱的死法：以吻將肺中最後一絲空氣帶走。他最後感受到的、觀看到的，將是紅金雙色的太空衣、星塵和遍布其倒影的玻璃、藍色的牙狀地球、過小的手套。最後聽到的，將是口罩的嘶聲，觸感隱約的噗通心跳。

還不賴。結局就在眼前了，無法避免。它一直都在。這是吾輩的千死夫人的教誨。唯一重要的是，該如何帶著意志與尊嚴迎向它、走向它？他的肺繃得好緊，吸不到足量的空氣。繼續走。他的腳石化了，跨不出去。頭盔裡的所有數字都是紅色的，視野變窄了。他看得到露娜的頭盔，看得到她牽住自己的手。圓形的視野變小了，他無法呼吸。他得出去，這樣到最後沒有尊嚴可言。他掙脫露娜的抓握，和頭盔、地表活動衣角力，試圖掙脫它們。大腦像是著火了，紅褪成了白。尖鳴占據他耳中，剝奪所有注意力。他看不見，聽不見，無法呼吸。活不下去了。路卡辛侯倒入月球夫人的蒼白懷中。

9　二〇五年獅子月至處女月

「妳現在上去，然後一年、兩年、三年過去，妳就再也不回來了。我知道事情會怎麼發展，莉。月球會削掉妳骨頭，之後不管妳多想回家都回不來了，妳會被困在那裡。」

給他任何承諾、安撫、提議都於事無補。

他們一家人用廚房椅子與兩根竹子組成的應急版擔架扛卡歐爬了八階樓梯，像迎接教宗，也像前來接受信仰療法的病人。他們扶他到屋頂按摩浴池邊，協助他坐下，腳泡入水中。接著他們就離開了，只留卡歐和艾莉西亞兩人。

她有三腳架，有螢幕，有冰淇淋。腰果口味，不是艾莉西亞的最愛，但你弄得到什麼就只能將就吃什麼了，再說主要是要讓卡歐吃。她坐在他身旁，腳泡在冰涼、嘩啦響的按摩浴池邊，餵彼此吃一匙又一匙的腰果冰淇淋。艾莉西亞吸出牙縫裡的腰果碎片。接著月亮出來了，在海面投下大片銀光。她從天空撈下它，放到自己的螢幕裡。

「黑色的部分叫月海，亮的部分是高地。」她說，並放大寧靜海。幾天內，她就成了海洋塔內的月球專家了。「叫『海』是因為以前的人以為裡頭有水，事實上那裡的只有成分不太一樣的岩石，火山裡的那種。熔岩也會流動，所以叫它們『海』也許是正確的。這是寧靜海，豐饒海，酒海，澄海，雨海。月球西邊甚至有個月海……」她查看螢幕，發現這台低價機的放大倍率相當好。「風暴洋。」

「但月球上沒有風暴。」卡歐說。

「月球上沒有天氣。」艾莉西亞說。

「我可以看大雞巴了嗎？」

「絕對不行。」金東是個傳奇——無聊的地表工人利用探測胎痕在雨海上畫出的大雞巴和睪丸，全長一百公里。時間和工業活動已模糊了它的輪廓，不過它依舊是月球上人類活動的代表性圖像。

「我要讓你看兔子。」艾莉西亞縮小比例尺，讓整個月球都納入螢幕中。她圈起酒海和豐饒海的輪廓，這是耳朵，接著圈起寧靜海，這是頭；大月兔的剪影就這麼完成了。

「不怎麼好。」卡歐說。

「嗯，人類觀察各種東西時都會看到臉。中國人認為玉兔偷走長生不老藥的配方，帶到月球，然後它的動作是在搗藥草。」艾莉西亞描出搗杵狀的雲海，在螢幕上扭動手指，令影像上下顛倒。「北美人則認為這是一張臉——月球人？看到了嗎？」

卡歐搖搖頭，皺眉。

「我現在看到了！這也不怎麼好。」

「有時候他們會看到背一束柴枝的老太太，但我自己也從未看出來過。」艾莉西亞說：「月球上穿地表活動衣的人會看到連指手套。」

「他們在月球上怎麼看得到東西？」

「他們有地圖。」

「喔，對。他們當然有。」

艾莉西亞描出連指手套：豐饒海是手指，酒海是拇指，寧靜海是手掌。

「挺無聊的。」卡歐說，艾莉西亞持相同看法。「就連兔子也比那好。」腳架隨著月亮高升自動調整角度，照在屋頂花園上的光線漫無邊際。今晚街道又陷入了黑暗，每一區都在燈火管制。**地球的燈火是我們點亮的**，這是柯塔氦氣過去的豪語。

「卡歐，我收到一個工作邀約。」艾莉西亞說：「很棒的工作，可以大撈一筆。賺到的錢可以讓我們搬離這裡，可以確保我們再也不用過擔心受怕的日子。問題是，我得上月球工作。」

「上月球？」

「這件事沒那麼瘋狂，我們的姑婆亞德里安娜就去了。她就是從這棟公寓出發的，一路跑到那裡去。」

「她的家人都被殺了。」

「並沒有全被殺。很多人都會上月球，卡歐。彌爾頓就去了月球。」

「彌爾頓被殺了。」

艾莉西亞將腳旋出冷水，抖水花到卡歐身上，但他沒要陪她鬧。

「妳已經下定決心了，對吧？」

「我會去，卡歐。但我保證，我保證我真的會請最棒的人來照顧你。我會幫你找醫生、物理治療師，還有你的專屬家教。我會照顧你。我有哪次說話不算話了？」話一出口，她立刻就後悔了。

「我能做的事情不多，對吧？」

「我想讓你知道這大概是怎麼回事，你就會有個概念。」

「有我們在還不夠嗎，莉？」

她心碎了。

「當然夠。你們是我的一切，你和媽和瑪莉莎。還有伊阿拉姑姑、瑪莉卡姑姑、法利那叔叔。但這個地方不夠，我想要更好的地方，卡歐。我們值得待在更好的地方。亞德里安娜姑婆在世的年代，我們是大家族。我面前有離開巴拉的路，我有一次機會。我得把握它。」

卡歐的臉頰抽了一下。他看著自己的腳，浴池中的水靜止了。

「我會回來的，」艾莉西亞說：「兩年後，兩年就是極限。兩年並不長對吧？」

卡歐踢起水，潑溼螢幕。艾莉西亞沒資格叫他打住。

「還有沒有冰淇淋？」

「都沒了，抱歉。」

「那我可以看大雞巴了嗎？」

塑膠攜物箱和儲物箱擋住了走廊，穿橘色工作衣（背後還有三個縮寫字母）的男人操作著推車。身穿邁可・寇斯設計款洋裝和卡門・史蒂芬斯設計款鞋的艾莉西亞在笨重的白色醫療器材與一堆瓦楞紙箱間穿梭，她的拇指指紋開啟了套房門。裡頭更令人一頭霧水：穿連身工作服的人正在打包、堆疊東西，飯店工作人員則站在一旁，臉上掛著無助的表情。

「發生什麼事了？」艾莉西亞逼問。

「三個月來，我累積的實體材料竟然有這麼多，真意外。」盧卡斯・柯塔推動輪椅，穿過一雙雙曳行的腿和位移的箱子。艾莉西亞給了他兩個吻。「我還滿喜歡擁有東西的感覺，真是奇特的經驗。我們在月球上會扔掉東西，再重新列印。沒人真正擁有什麼東西。你花在這疊紙上的碳點數不能花到別的東西上，都鎖死了。一板一眼的碳點數。我們住在租借者的星球上。我想我這陣子在收集實體物件上可能有點太貪婪了，如今它們都得離我而去，我發現我有些失落。我會想念這堆爛東西。」

「不，」艾莉西亞說：「到底發生什麼事了？」

「我在打包，艾莉西亞。我要回月球了。」

「等等，」艾莉西亞說：「這件事你應該要通知你的私人助理不是嗎？基於某種優先次序？」

「這是我的命令。」沃利科娃醫生說，又是她。艾莉西亞知道對方不會主動向她提起盧卡斯的身體狀況，沒什麼好指望的。第一次見面時，她就知道醫生不喜歡她，認為她是卑鄙的投機分子，巴拉來的騙徒。艾莉西亞於是明白地讓沃利科娃感受到：她也看她不順眼。獲得什麼就給予什麼——巴拉的鐵則。艾莉西亞也知道醫生不會主動告訴她原因，除非她開口問。

「會影響到盧卡斯工作的事情都該告知我。」

穿橘色衣服的搬運工人和打包工人定在原地，盧卡斯看他們一眼，要他們繼續工作。

「五大洲上至少有十幾個醫療人工智慧在監測我的健康狀況。」盧卡斯說：「其中四個一致認定我應該要在四個星期內離開地球，飛向軌道的過程中才有高於百分之五十的存活率。」

「柯塔先生的身體狀況在過去兩週持續惡化。」沃利科娃醫生說。

「地球是潑辣的情婦。」盧卡斯說。

「我們可以私下談談嗎？」艾莉西亞對盧卡斯說，他推著輪椅移動到臥室去，艾莉西亞關上門。副靈掃描器與監控器、呼吸輔助器材都摺疊起來，推到一旁了。只剩水床孤立在那，脆弱無援。

「盧卡斯，我是你的私人助理嗎？」

「妳是。」

「那就他媽不要把我當成你的姪輩。你不是雇我來當花瓶的，我不會穿短裙和高跟鞋去裝飾某個地方。你讓我在那些搬運工前出糗。再說，是誰雇他們的？那是我的工作。讓我做我的工作，盧卡斯。」

「我錯了，很抱歉。我不太會委派職權給別人。」

「我明白。但你回到月球後不會有太多朋友——如果我沒誤解你接下來的行動。我會站在你這邊，但你要先信任我。如果我說我要做什麼，我就會去做。」

「非常好，我需要妳跟我一起離開地球。」

你想出招難倒我，艾莉西亞心想。你看著我的眼睛、喉嚨、雙手、嘴巴、鼻孔，尋找我震驚的跡象。你策畫了這整齣戲，想看我會如何反應，想到我是不是正確的人選。看著我的眼睛，我不會別開視線的。

「我今晚要前往瑪瑙斯進行飛行前訓練，這是最小必要性行動。我可以在線上跟贊助人開會，不過有些工作必須在里約完成。」

「我需要做什麼？」

「我得在機器人設計圖上簽字，但我沒辦法。妳要親眼去看它們，了解它們有什麼能耐，催促他們交貨。VTO瑪瑙斯已經做好軌道運輸準備，但他們會需要二十一天前通知。」

「我會處理，盧卡斯。」

「我需要妳在發射五天前來到瑪瑙斯，醫療和身體檢測相當嚴苛。妳的機票已經訂好了。」

去他的，他揪住她了。艾莉西亞板著臉，沒露出微笑。

「還有一件事。」盧卡斯的手伸進博里奧利西裝外套內。艾莉西亞很佩服盧卡斯・柯塔穿西裝的方式，她從沒看過他一套西裝穿兩次，翻領上永遠別著花。總是粉紅色的，而且是鮮花，上頭永遠有露珠，即使是在大西洋大道的熱氣如鐵鎚打鐵砧的日子也不例外。銀色的墜鍊在他手中輕輕盪著。

「請收下。」艾莉西亞蹲下，前傾身體，盧卡斯將墜鍊掛到她脖子上，扣住釦環。這不是禮物，不是珠寶，是中古時代的騎士接受恩典。「這是一段程式碼。」盧卡斯說：「我家族已經保有它好幾代了，我媽傳給我，我現在再給妳。如果我出了什麼事……如果我無法向妳討回來，或再也無法批准妳操作它，妳就自己用它。」

「怎麼用……什麼時候用……」

「到時候妳就知道了。」

艾莉西亞舉高墜鍊，發現那是一把雙刃斧。

「贊果之斧。」艾莉西亞說。

「正義主宰。」盧卡斯．柯塔說：「我媽崇敬奧里莎。她不信他們，但對他們懷抱敬意。」

「我想我明白她的想法。」艾莉西亞說：「這是做什麼的？」

「它會召來閃電。」盧卡斯說。

艾莉西亞鬆手，墜鍊落到她的肌膚上。

「你怎麼可能無法向我討回去？」

「妳懂我的意思。」

艾莉西亞推盧卡斯回到套房。打包工人和搬運工人已將紙張裝箱，箱子疊成堆再排成好幾列。

「我有個問題。」

「問吧。」

「這東西，你之前到底收在哪？見鬼了。」

「喔，隔壁套房我也租下了。」盧卡斯・柯塔說。

「來吧。」艾莉西亞說，並放下皮卡車的車尾門。靠墊，塞滿保冷箱的南極洲啤酒，插在輔助插座上的防蟲劑。諾頓看到泡棉床墊，嘴角大大上揚。艾莉西亞將軟墊拉往車尾門，跳上去輕拍它。諾頓轉低電台音量，主持人的聲音化為深夜的絮語。他們將靠墊鋪在身旁，並肩而坐，腳垂在尾門那裡盪啊盪的，手持酒瓶俯瞰班德瑞特斯海灘和巴拉達蒂茹卡區燈火鑄成的燦亮巨刃。

艾莉西亞可說是意外發現這林蔭中的祕密景點。某次要去找客戶的路上，她自作聰明地轉彎，結果哪兒也沒去成，反而來到這片寬敞的土地上，白岩野生動物保護區工作人員通道的半途中。白岩是最後一片自古生長在海岸邊的雨林，受環境變遷重創，褪去色彩，緊偎班德瑞特斯海灘上方的山丘。她下皮卡車，豎耳傾聽，深呼吸，望向遠方，感受樹蔭下的陰涼空氣，以及林木的緩慢呼吸。她看到巨嘴鳥在高處枝幹一閃而過，叼著早產的雛鳥。她聽到昆蟲、遠方海浪、風的聲響。永不止息的車水馬龍退得很遠，僅是低沉的嗡嗡聲，眾聲之底。

艾莉西亞喜歡這個祕密景點，但她不忘在手邊擺把泰瑟槍。這一帶的男孩子很野，都在躲警察、幫派、軍隊、家人。上一回她來到白岩時，鞋尖就踢到一根人類脛骨，是食腐動物從森林深處拖出來的。

她老早就想帶諾頓過來了。

他今晚話很少。她希望這代表美景令他屏息，奪走了他的語言，希望這沉默跟這五天來的沉默不同——她告訴他上月球的事後，他就避不見面，不跟她說話，不接電話不應門。

艾莉西亞舉起啤酒瓶，諾頓也遞出自己的，敲出叮一聲。

「月球人喝啤酒嗎？」

「喝烈酒，上頭沒辦法種大麥，他們也不怎麼吃肉。沒咖啡。」

「妳活不久的。」

「我打算在出發前戒掉這些。」

她幾乎看不見諾頓的臉，但知道他又翻了個白眼，感覺到他倒回軟墊之中。

「這風景很美，」他說：「謝謝妳。」

這是給你的禮物，艾莉西亞心想，**我的特別景點**。不知道第一個被他那台准越野摩托車載上來的人會是誰？她思索，並且被自己的陰險嚇到。

「諾頓。」

「我還以為上來這裡會有什麼意外。」

「我知道我的發射窗口[6]了。」

「什麼時候？」

她給他一個日期，而他又沉默了好一段時間。

「我好怕，諾頓。」

他是陰影中一動也不動的沉默團塊。

「起碼抱抱我之類的。」

他單手環住她的身體，她倚著他。

6 航太用語，指發射載具最適合發射的時間。

「不過兩年罷了。」矮樹叢內有動靜。皮卡車亮起大燈，小腳受燈光驚嚇，一陣狂奔。

「關於生意的事，妳已經打定主意了嗎？」

又來了。諾頓相信自己是柯塔水力理所當然的繼承者，但艾莉西亞用各種創意十足的方式暗示他（沒直接道破）：他一個月內就會搞垮公司。

「我要交給蘇赫．奧斯瓦多。」

她感覺到諾頓因震驚和憤怒繃緊了身體。

「蘇赫．奧斯瓦多是男同志健身房的經營者，不是水工程師。」

「他經營的事業很成功。」

「莉，他是個該死的幫派分子。」

那你是什麼？艾莉西亞心想。

「他在社區內很有名，備受尊敬。」

「他殺人。」

「**他**從來不殺任何人。」

「這話真有道理啊，莉。」

「他知道該做什麼，也知道怎麼做，諾頓。你……」她把後半句話吞了回去。

「而我不知道。妳就是想說這句對吧？諾頓．迪．弗瑞塔斯沒能力經營妳的事業。」

「諾頓，我們的關係非結束不可了。」他們必須分得一乾二淨才行，不能有繩索或把柄或任何事物把她和地球綁在一起。

「只有兩年，妳剛剛也說了。」

「諾頓，別這樣。」

「妳現在上去，然後一年、兩年、三年過去，妳就再也不回來了。我知道事情會怎麼發展，莉。月球會削掉妳骨頭，之後不管妳多想回家都回不來了，妳會被困在那裡。」

給他任何承諾、安撫、提議都於事無補。

「我要去月球，該死的月球，諾頓。他們會把我塞進火箭，射到外太空，我怕死了。」

兩人並肩坐在皮卡車的車尾，透過樹林的葉隙俯瞰壯麗之城的燈火。兩人沒有接觸，沒有對話。艾莉西亞又開了一罐啤酒，不過喝起來噁心又帶有沙質。她把酒瓶甩進黑暗中。

「去他的，諾頓。」

「讓我訓練妳。」

「什麼？」

「我查過了。妳得接受體能訓練才能上太空，讓我訓練妳。」

諾頓的提議突兀、愚蠢又誠摯到了極點，艾莉西亞覺得心中彷彿開了一朵小花。能寬恕便寬恕。

「什麼樣的訓練？」

「核心肌力，耐久，重訓和阻力訓練，加一些跑步時程。」

「不要跑步，我很蹩腳，身上的肉會晃啊晃的。我要用走的，走得平穩又有尊嚴。」

她感覺諾頓笑了，低沉哼聲從皮卡車身傳出。

「時間不多，不過我肯定可以讓妳練到搭乘火箭時所需的精壯度。莉，妳會變強健，會像灌風一樣。」

艾莉西亞好愛那些詞彙召喚出的形象。她讓手指游移到肚子上方。它又小又精實，但它是瘦皮猴的肚子。在水桶腰姑媽、叔伯組成的家族中，她簡直像是一根旗杆。年紀小的卡歐是根繫船柱，就連瑪莉莎的骨架都很大。她像是豆莢，瘦皮猴，再下去就是肌肉了，腹肌。

「那會是最棒的送別禮物。」送別，她強調這個字，不希望諾頓還有任何虛妄的希望。

「會很辛苦。」

「我可是我啊，諾頓。」

「我明天去接妳，妳有適合的鞋子嗎？」

「我有工作靴。」

「那就先去買鞋子吧。」

「對我來說確實是一種飛行前訓練。」

諾頓往後倒到床墊上，受驅蟲藥劑的香茅油包圍。他雙手枕在頭後，仰望葉片形成的篷蓋。

「妳知道什麼樣的運動很棒嗎？」

房間還是同一個房間。盧卡斯多希望當初自己留下一些記號，一些刮痕，確切地將它標記為第一次落向地球時所住的隔離房。水塔，太陽能板，碟形天線，低劣楔子般嵌在黃色水泥間的景致，藍天，蒙塵的棕色樹木。過去十四天，天空升起煙霧。那煙受隔離房的空氣清淨器的過濾和滌淨後，他還是嘗得到其味道。

地球就是一個個彼此連通的套房，空氣經過調節，牆面是粉色系，燈光亮度受控制，無塵，有服務生，清潔用品的氣味，過度踩踏的地毯，客房服務送上來的餐點的味覺記憶。地球是一系列瑣碎的瞥視，框住的風景，遠遠落在機艙窗戶、玻璃、汽車擋風玻璃之外。受限制，受隔離。

有次他逃離套房，打破了那道窗戶，讓艾莉西亞帶他到巴拉達蒂茹卡區看他母親出生的公寓。原始的天空，悠長的遠景。沙跑進他鞋子裡，使他陷入恐慌——現在回想起來，他感到尷尬。車水馬龍，開闊的天空，海，滲入沙中的陽光氣味，汽車輪胎、電池、食物、尿液、精液、死亡。

盧卡斯．柯塔從輪椅上起身，蹣跚地走向窗邊，眺望那一小方的巴西。

他看到自己映在窗上的臉，疊在巴西幽魂上的幽魂。那不是老人的臉，也不是顯老的青年之臉，而是更可怕的事物：被重力拉垮的中年男子之臉。所有肉褶、五官、皺紋、毛孔，豐唇、朝天鼻、長而性感的耳垂、鬍子、脖子肉、下巴、臉頰都被拉垮、壓垮、下推，向下向外延展，變得細長。重力淡化了他所有生命力和精力，無盡、不歇息的重力，溶濾掉他體內所有生命的碎片、汁液、火焰。

他等不及要回月球了，他已經想不起它的模樣。

地球是地獄。

健身教練不是上次協助他為巴西之旅做好準備的那個，而是一個正經八百的年輕女子，只看到他拙劣的表現，她就會瞪死他，不過訓練內容就跟之前一樣令人沮喪，而且困難得多。火箭升空時，他得承受四倍地球重力，也就是二十四倍月球重力。

循環太空船內會有一個急救小隊待命，沃利科娃醫師說。

二十四倍重力。不管接受什麼樣的訓練，人都不可能為那種肉體凌遲做好準備。盧卡斯平靜地看著引擎燃燒分鐘數，機率顯示他會存活下來，這就夠了。

火箭發射前一天，他徹夜未眠。有電話要打、會議要開，有細節要審視和檢查。他的盟友並不牢靠，打從地球強權的謹慎代理人出現在他的虛擬會議空間的第一天，他就了然於心了。他們都見識過月球的財富和權力，都想占為己有。他們需要月球認得的面孔，需要了解那個世界、其法律和政治、其運作與事務的人。等到他們了解夠深，而他失去可利用之處時，他們就會反過來對付他。目前他只要設法在二十四倍重力中存活下來就行了。

當晚剩下的時間，他排了一份播放清單，準備讓喬安．吉巴托的歌聲陪他升上軌道。低喃的吉他和弦、低語般的歌聲、禱告文般溫和的曲子將與太空飛行震耳欲聾的引擎聲形成對位。

亞德里安娜很喜歡喬安．吉巴托。

他在火箭發射日早晨沒吃東西，只喝水，游了泳。當初推他下太空梭的爛西裝年輕男子又推著他穿越走廊，經過稍縱即逝、令人沮喪的破落世界風景，進入登機管道。

「亞比．奧利維拉—上村。」盧卡斯說：「我從來不會忘記別人的名字。」

他在登機管道與氣閥的交會處留下自己的銀製尖端枴杖。

沃利科娃醫師和艾莉西亞已綁上安全帶。火箭內坐滿人，除了盧卡斯身邊的工作人員外，他的政治夥伴也派了外交官和協商人員上月球。

「早安。」盧卡斯向艾莉西亞問好。她硬擠出一個笑容，裡頭有絕對的恐懼。「太空旅行如今已是家常便飯了。」

他叫出喬安．吉巴托主題播放清單。

太空梭脫離登機管道倒退時，他並沒有抓住扶手。滑上跑道時，微小的恐懼冒了出來，他沒望向左側的沃利科娃醫師和右側的艾莉西亞．柯塔。它在跑道盡頭轉彎，啟動噴射引擎時，他並沒有繃緊神經。單段式太空運輸機在起飛前加速奔馳，加速力將一整棟辦公大樓壓到他身上，但他沒有倒抽一口氣。太空梭離地，將機鼻一再、一再往上方抬，令他覺得自己好像看著某種太空槍械的槍管，接著巨大的噴射引擎啟動了，這整個過程中他都沒有叫出聲來。

單段式太空運輸機從高處掠過亞馬遜流域。在離地十五公里的高空，主引擎點燃了，火箭將單段式太空運輸機射向天際。一整顆行星的重量砸向盧卡斯．柯塔身上，肺中空氣被擠了出去，他發出小小的悶哼。他吸不到空氣，便圖望向沃利科娃醫師，想用一些小肢體語言求助，但他根本無法轉頭，她也沒什麼能幫他的。她同樣被好幾倍的重力加速度壓在座位上，眼睛和嘴巴周圍的皮膚往後掀。

救我，盧卡斯．柯塔用嘴型說。燒亮的鐵拳捏碎他的心臟，而且抓握力道隨著心跳拍數逐漸增強。他無法呼吸。他試圖把注意力放到音樂上，辨別和弦的變換。爵士樂曾帶他穿越訓練的苦楚，下達地球，現在他也想再次沉浸其中。但重力碾壓著他，骨頭快碎了，眼球肯定已陷入眼窩深處，頭骨即將失去保護作用。心臟垂死，一丁點、一丁點地被捏死，翻黑。在VTO瑪瑙斯單段式太空運輸機內的中央座位上，盧卡斯．柯塔就快內爆了，他承受的是前所未知的痛楚。根本不該稱之為痛楚，那是滅絕。而且它不斷延續著。

他看到艾莉西亞的頭轉向他，加速度抹糊了她的五官，構成其輪廓的朦朧黑色塊不斷將他的視野限縮成一條狹縫、一塊鑲框、驚鴻一瞥：微小的贊果雙斧。她正在呼喊。

醫生！醫生！

〈哀愁足矣〉的輕柔樂音在盧卡斯．柯塔耳邊繚繞，單段式太空運輸機「多明哥斯荷西維羅號」踩著火柱往上攀升，殘餘的亞馬遜雨林上空有陣風吹散煙幕。

荷西—瑪麗亞帶啤酒過來，而奧比森帶了冰塊。伊利亞姑媽帶了杯子蛋糕，而瑪莉卡姑媽帶了烤肉串。馬泰歐叔叔在陽台上架起烤肉架，還要了個大花招：評估風力和風向後，用最小限度的搧風點火便生起火焰。十二樓的吳胥帶來他成天愛放的音樂，撼動整棟建築。沒人要聽那種音樂，大家只是想借用他的一項能力：讓全公寓的每一個螢幕都播放同一個串流影像。但他還是照播他的音樂。

冰塊倒入淋浴盆，啤酒注入冰塊，肉串放上烤肉架，托著一整盤杯子蛋糕的瑪莉莎在賓客之間繞。賓客坐上沙發，吳胥的串流影像在大小螢幕播放。公寓內嘈雜到屋頂都要掀了。親友、下四樓到塔頂的鄰居都擠上來看管線女王離開地球的轉播了。

閉嘴閉嘴，來了。

火箭升空如今已稀鬆平常，因此轉播節目已被貶到小眾頻道，每十五分鐘就會被廣告打斷。全公寓陷入沉默，吳胥的音樂還在隔壁房間轟隆響。下兩樓的房客艾森拿菜刀進去會他，音量於是變小了，但並沒有止住，沒人能阻止他播放音樂。太空梭滑上跑道，攝影機隨之移動，直到它消融於跑道盡頭顫動的熱空氣中。之後過了好一段時間，什麼也沒發生，因此有人叫吳胥檢查串流是否停止播放了。這時，一支黑箭出現在銀色熾光，也就是顫動的熱空氣中。它射向攝影機，接著抬升。全公寓的人都發出歡呼。它拖著一大片火焰升空，接著轉播又被廣告打斷，全公寓的人都發出噓聲。

艾莉西亞的母親傷心欲絕地啜泣著。

吳胥切掉他的音樂，所有孩子都回到十二樓繼續跳舞，直到入夜後的電力管制時間。

太空梭繞過地球的弧面，進入早晨，探入光明，有如日光照耀下的銀針。時速兩萬八千公里，奔向黎明。地球燦藍而豐沛，結滿雲氣。軌道轉運飛船在寬闊的行星弧面對比下顯得渺小，散發科技感銀光。距離船尾一千公里處，繫鏈尖端從更高的軌道旋下來，隱匿在耀眼的陽光之中。太空梭駛入太陽全面直射的區域內，短命的陰影從窗戶、艙口照入太空梭內，迅速橫越飛行甲板，朝天頂移動並逐漸縮小，並在四十五分鐘後生成夜色。突來的夜。單段式太空運輸機橫越撒哈拉沙漠，暮光暗褐赤黃。下方綿延五百公里的太陽能田向西沉的太陽眨眼，然後陷入黑暗。前方的埃及之夜沿著尼羅河延燒，儼然是兩億盞燈火湊成的光蛇。沒有什麼比這更能明白顯示，埃及就是尼羅河。黑暗降臨裡海，光之網絡遍布中亞，那是城市、高速公路、工廠和電力管線。

再一百公里就要進行轉運了。單段式太空運輸機解開乘客艙的固定栓，無聲的靜電光中，太空梭點燃推進器，調整出與繫鏈一致的航線。機械手臂將乘客艙抬離太空梭貨艙，紅燈閃爍，機械手臂於是在繫鏈降下期間做了最後的小位移。在轉運站內，兩者的相對速度將會短暫維持在零。紅燈變成綠燈了，機械手臂鬆開的同時，繫鏈尖端以電磁鎖固定乘客艙。旋轉的繫鏈逐漸加速，將轉運乘客艙甩向單段式太空運輸機上方，後者逐漸遠去，火箭推進器泛著藍光。

繫鏈抵達最高繞行軌道後鬆開乘客艙，讓它自由高飛，飛掠地球表面，射向升起的太陽。太陽中心有一個黑點，是VTO地月循環太空船聖彼得與保羅號。繫鏈繼續繞著藍色行星旋轉。轉運乘客艙唯一的推進力來自一團入塢推進器。如果繫鏈甩的力道過大，乘客艙就會與循環太空船擦肩而過，無助地飛向外太空。力道若太小，乘客艙就會墜落，包覆在重返大氣層的火焰中劃過晨空。

從二十公里外望去，循環太空船的外型浮現出來了：一個中心紡錘體，四周疊著好幾個環，一端是環境槽和機動引擎，另一頭是錦簇的太陽能機翼。纖細的月球之花。加速度會折斷壁板和翼梁，如同折斷花莖似的。五公里，繫鏈的拋射很準確。環繞地球的六十年來，它從未失手半次。

游標推進器再度開開關關，使轉運乘客艙的航線契合循環太空船的氣閥。兩架太空梭有如婚禮上不情不願的舞者，一同飛出夜晚，航向嶄新黎明。曙光將太空艙側面的VTO商標鍍上耀眼的金色。雙方保持位置：維持正派的距離，進行最終檢測。火箭推進器再度開開關關，啵啵作響。雙方的相對速度是每秒十公分。在日本海上空，它們會合，完成入庫作業。夾鉗鎖定，密封處加壓。VTO

醫療團隊在循環太空船的氣閥內待命。

事情急不得。

艙門開啟了。

醫療人員湧入太空船。

VTO地月循環太空船聖彼得與保羅號繞過地球背側，朝月球駛去的三天後，柯塔水力寄了通知書給所有客戶。基於管理方式的變更，公司有必要雇用簽約工程師確保供水和水質純淨。很遺憾地，這代表水價將會上升。只會上升一丁點。

旋轉的星子令她頭暈。

觀測罩是聖彼得與保羅號旋轉軸末端的強化玻璃圓頂，空間足以容納兩人。兩名身穿亮色緊身飛行衣的VTO女子帶她到中心區，叫她等等。等等，艾莉西亞想叫住她們，但她們沿著中央拉索游走了，穿軟蛙鞋的腳踢呀踢的。**我應該要穩穩扶住船，還是應該要隨著星星旋轉？**如果她握住觀測罩的扶手，星星會以極快的速度從眼前掃過，令她頭暈目眩。如果她鬆開扶手，老鷹式地展開雙臂，令自己旋轉，她也無法配合星星旋轉的速度。而且四周船身的旋轉變得很顯著，她還是會暈眩，無法聚焦視線，再一次反胃就會嘔吐出來。

無重力和艾莉西亞·柯塔的親密關係維持得不好。諾頓煞費苦心為她核心肌群打造的肌肉形成鎧甲，抵禦火箭升空時的絕境，但她試圖在無重力環境下移動時，一下子動作太大，一下子又抽筋。她的腳、手還有臉（這是最可怕的）都變得鼓脹、緊繃。皮膚感覺被撐開，而且不潔淨。循環太空船的低氣壓害她身體不斷發癢。她無法控制頭髮，它們會跑進她的眼睛，會被她吸入鼻腔，遮蔽她的視線，後來有個太空人給了她髮網才解決問題。她動累了就會像小狗游泳那樣撥動手腳。

她抓住扶手一推，飄上圓頂。艾莉西亞．柯塔低調地倒抽一口氣。她飄浮在太空中，旋轉的星子為她加冕，低頭就會看到太陽能板如月球之花的花瓣繞著她轉，再下去是繁複的住居環。如果她去到觀景罩邊，就能看到通訊天線和操作艙的邊緣。她人在玻璃王座上，迴旋於太空中。

「我想是有幾分影子。」

眼前景象太過迷人，艾莉西亞沒注意到有人逼近。對方飄浮在引導索的一公尺上方，以鐵索和栓繩固定自己。

「什麼？」

「柯塔一族的影子，柯塔一族的傲慢。」

「互列里．沃隆佐夫。」

男人聳聳肩，獰笑。她心想，是男人。那道人影變形、細瘦、延展、拉長得誇張，身上全都是管線和栓繩，性別是最難辨識的。那些是人工肛門袋嗎？

「我是艾莉西亞．柯塔。」

男人再度賊笑，無視她伸出的手。他稍微改變方位，正面面對她。這是無重力狀態下的禮儀，艾莉西亞記住了。

「妳是水工程師，非常令人敬佩的職業。一切的根本。所有東西都始於水，終於水。」

「謝謝你，先生。」

「聽說他會活下來。」

「先生，他陷入臨床上的死亡狀態整整七分鐘，你的急救小隊即時地救了他一命。嚴重的心肌梗塞。」

「我告訴過他了，我說地球會壓碎他的心臟。那麼，妳就是柯塔一族的末裔了。」

「先生，盧卡斯正在康復。」

「妳懂我的意思。亞德里安娜．柯塔前往月球時，我就在駕駛這艘船了。花五十年才等到一個姓柯塔的，等待時間很長呢。」

「先生，在太空中待五十年也很長。」

瓦列里．沃隆佐夫的眼睛亮了起來。

「古怪又病態，近親繁殖的蠢蛋，全身上下都是輻射線開的洞，DNA內部都爛光了。跟我們不一樣，跟我們差多了。」

「不，先生……」

「他們就是這樣想的，他們總是看扁我們。阿沙默家認為我們是野蠻人，馬肯齊家認為我們是酒醉的小丑，陽家不把我們當人看。真可惜，原本我想當面告訴盧卡斯的，如今只能改說給妳聽了。」

「先生，我只是……」

「柯塔家的末裔，妳有妳的武器。」瓦列里．沃隆佐夫費勁地拉著引導索移動，人工肛門袋和尿袋在他身後晃呀晃的。

「先生！」

瓦列里．沃隆佐夫停在原地。

「盧卡斯給了我一樣東西，一段程式碼。」

「我太老了，已經給不了樓梯間的妙語。」瓦列里・沃隆佐夫說：「我實在受不了突如其來的轉折。有話直說吧。」

「那是一個命令碼，我不知道它的效果。」

「盧卡斯怎麼說？」

「他說它會召來閃電。」

「那就是了。」

「他說他要是無法向我討回它，或是點頭同意讓它啟動，我就該用它。」

瓦列里・沃隆佐夫嘆了一大口氣，完成了他的位移。他扯動引導索，滑翔了數公尺遠，然後從電梯氣閥呼喚。「妳認為地月兩界需要一點閃電嗎？」

星子在頭頂迴旋。艾莉西亞將正義聖靈贊果的斧頭拿到唇邊，親吻。

你要先信任我，如果我說我要做什麼，我就會去做，她曾對他說。茂・迪・費洛。

艾莉西亞輕聲念出盧卡斯告訴她的威能之語。

「降鐵。」

10 二一〇五年天蠍月

瑪莉娜起初以為那是真的煙，月球居民害怕至極的事物：煙，火災了！接著她目睹煙幕分裂成較小的群體，朝不同樓層飄去。她愣在原地，她剛離開返回地球訓練班的同學也愣在原地。全梅利迪安人都傻住了。

這是什麼玩意兒？

兩百四十。露娜．柯塔腦海中充斥著好多數字：八，一，二十五，八，三十，三。比這些小數字更有存在感的，是兩百四十。

兩百四十，是人類大腦缺氧時所能存活的秒數。

八，露娜．柯塔那件硬甲衣的電力剩下百分之八。

一，攝氏一度。金吉在路卡辛侯．柯塔地表活動衣空氣存量耗盡後，將環境控制系統調到這溫度。

二十五，攝氏二十五度。在這溫度下，人類的潛水反射和降溫機制都會啟動，大大延後腦部組織缺氧的發生。

八，神之若望最近的外氣閥在八公里外。

三十，馬克十二VTO硬甲衣安全奔跑的最高速度是時速三十公里。

「露娜，路卡辛侯給了我空氣，我要怎麼還給她？」露娜問她的副靈。

妳的空氣不足以讓你們兩人一起移動到神之若望，另一個露娜說。

「我沒要去神之若望。」露娜說。

三，露娜．柯塔頭盔顯示系統上的最後一個數字，他們距離博阿維斯塔外氣閥三公里。

妳的空氣不足以讓你們兩人一起移動到博阿維斯塔，另一個露娜說。

兩百四十，是人類大腦缺氧時所能存活的秒數。三除以三十。露娜不會算術，不過三除以三十所得的數字就是她全速跑到博阿維斯塔所需的時間，必須少於兩百四十秒才行。不過她的電力只有百分之八，身上還有額外負重。再說，硬甲衣會讓九歲女孩全速奔跑嗎？

算術交給我，露娜。

露娜命令硬甲衣跪下。硬甲衣的雙手又大又笨拙，露娜使用觸覺感應系統的經驗不足，也從未抬起如此親暱的人。

「快點。」她輕聲說，將手套滑向路卡辛侯身體下方時生怕會碰壞什麼。「喔，拜託，快點。」

她打直雙腿，將路卡辛侯一把撈到懷中。

「好，硬甲衣。」她下令：「跑。」

加速力差點害露娜往後摔。她感覺到關節的震動和撕扯，痛得叫出聲來。她的腳快脫臼了。它們沒辦法動得這麼快，沒有任何東西能動得這麼快。硬甲衣的迴轉儀穩住她，將她甩回平衡狀態。她差點鬆手讓路卡辛侯墜地。套著紅金雙色硬甲衣的露娜．柯塔奔跑在豐饒海上。她從黑色地面跑向灰色地面，跨過玻璃地與天然土壤的交界。雙腳揚起月壤，在她身後留下一條緩緩沉降的沙帶。

一百九十，那是副靈露娜在她頭盔內側亮出的新數字，抵達博阿維斯塔主氣閥的秒數。但她還得從那裡前往避難所。要開啟氣閥，氣閥還得認得她才行。這樣又會多耗幾秒？

「露娜。」她說，然後唱了自己從小就熟識的歌，老爸每晚都會到幼兒房唱給她聽的歌。**聽我唱，我的天使，然後跟著唱一次**。那首歌會啟動博阿維斯塔的緊急應變模式。

如果機器故障了怎麼辦？如果沒電怎麼辦？萬一上百種不同的差錯導致氣閥不開啟怎麼辦？如果博阿維斯塔不聽她的歌怎麼辦？

身穿硬甲衣、雙腳受箝制、關節又痛到不行的露娜．柯塔屏住呼吸。

我得到博阿維斯塔的認可了，副靈露娜說。

這時，她看到燈標重新亮起。塔門上的紅燈旋轉著，引導她走向失落的、遭月球摧毀的家。她抱著堂哥，衝向指引燈排成的V字。前方就是通往主氣閥的燒結坡道，一方黑暗在她眼前敞開。

好痛好痛好痛，她從來不曾感受過這種疼痛。她頭盔顯示器內的數字全變成了白色，白色代表死亡。黑暗線段一公分、一公分地敞開，變成了一個長方形。

「露娜，告訴我避難所位置。」

一張黃色地圖疊到眼前的灰色與黑色之上，那是博阿維斯塔的平面圖。避難所是一個綠色立方體，位於氣閥後方十公分處。露娜聚焦在上頭，她的副靈便在平面圖上填滿數字。根據她讀取到的情報，裡頭有一些空氣、一些水、一些醫療輔助。可以熬過一小段時間的避難所。

仍上升中的外氣閥門像是斷頭台。她從底下衝過去，深入黑暗。

我沒有開啟頭燈的電力，露娜道歉，不過硬甲衣根據它的記憶準確地前進著。有了，黑暗中的綠燈，緊急照明的柔和綠光從舷窗中透出。溫和、可愛的綠光。

兩百一十秒。

「芭樂汁，路卡。」露娜說：「科爾賀咖啡店的芭樂汁，冰到不行。」

頭盔燈光在隧道內舞動，掃過平整的牆面，掠過燒結的導向溝，隨著身體節奏上下搖晃。幾道人影在奔跑。環境危險，他們只敢跑這麼快。俯衝，每跨出一個騰空大步就移動好幾公尺。潔妮、莫、賈莫爾、索爾、卡力斯，他們的地表活動衣構成色彩與斑紋的嘉年華：黃、白色臂章，運動競技隊伍的布章與貼紙，紅色麥可筆手繪的卡通人物。吡濕奴漠然又帶有滑稽喜氣的臉孔。複數光點，其中一個在黑暗隧道中跳著倉皇、異質的舞蹈。簡要的指示在頭盔與頭盔間傳遞，這裡有殘礫，屋頂垮了，帶電電纜，廢棄的有軌電車。他們迅速在各種障礙物上標出人工智慧標牌，然後繼續前進。他們在跟時間賽跑。

十公尺。

收到標牌情報。

這裡。

穿吡濕奴地表活動衣的人影讓肩膀上千斤頂滑下來，插入氣閥門的門縫。上次過來時，他們貫徹不留下半點痕跡、不玷汙記憶、重新封好每道門和入口的原則。但這次他們在跟時間賽跑。門縫撐到足以通過後，他們就一個接一個衝了進去，潔妮、莫、賈莫爾、卡力斯。索爾用倒下的梁柱撐著氣閥門，然後將千斤頂甩回背上。探城人魚貫通過內氣閥，走下階梯，來到博阿維斯塔大廢墟。

只有神知道外頭的玩意兒是什麼了。

標牌被觸動了。

那些東西可能會過來。

莫，標牌被觸動了。

沉默數個月後，標牌被觸動了。這幾個月來，小隊的興趣已轉移到工業考古學上，也很在意馬肯齊與柯塔交戰的過程中，被彈運公然炸毀的氦-3精煉機殘骸，它們非常引人入勝，簡直像雕塑。這幾個月，他們也碰到路卡辛侯在酒吧內大發雷霆，心窩像是被插了一根針，不再確定自己有多愛探城。這時，有個標牌被觸動了。他們原本一致同意不要回去博阿維斯塔，因為那裡的毀滅規模大到產生壓迫，毀滅時間就在不久前，奧里莎的面孔充滿批判意味，僭越帶來的罪惡感太強。月球上沒有鬼魂，但石頭有記憶。離開前，他們在死滅的宮殿內布下動作感應標牌，假定會有掠奪者、歷史學家、其他探城者的褻瀆雙腿，或石頭的記憶在裡頭走動。

有東西在博阿維斯塔陵墓內移動。標牌閃動，傳送通知給潔妮。

如果是機器人呢？

潔妮將影像傳給隊友的副靈。標牌的電力剩下不多，影像顆粒很粗，播放時間很短，但已經夠了。那是穿硬甲衣的一道人影，手中捧著某樣東西。

那不是機器人。

地表活動衣頭盔燈的照射範圍不足，無法照亮博阿維斯塔這種巨大的生態系統，舊岩漿管內有許多掉落的石像、四散的殘骸和冰塊，危機四伏。瞬間結凍的河流內散布著不牢固的石塊，上頭還有倒塌的亭子。潔妮、莫、賈莫爾、索爾、卡力斯穿行其中，接受標牌網和鏡片上的擴增實境畫面的指引，不過最主要還是仰賴住居地北側的微弱綠光，光源在主外氣閥附近。

開一輛探測車過來，然後直接開進氣閥，跟撒尿一樣簡單。

不不不，還記得你提防的那些機器人嗎？

靠。

我們走老路，通過有軌電車隧道。

綠光是避難所的緊急照明，那裡的電力和資源都所剩無幾。探城人奔馳在博阿維斯塔的死亡花園內，閃避，彈跳，衝刺。潔妮、莫、賈莫爾、索爾、卡力斯湊向閃著綠光的避難所氣閥門舷窗，透過凝結水珠的玻璃勉強看見一道穿硬甲衣的人影坐在地上，背對入口。對方沒戴頭盔，是個小孩。該死的小孩穿著那玩意兒。

「卡力斯。」

這位中性人連結**也**的太空衣背包和氣體補充埠，送空氣進去。

另一道穿白色地表活動衣的人影躺在地上。

潔妮將公用頻道纜線插進插槽。

「嘿，嘿，聽得到嗎？我們是潔妮、莫、賈莫爾、索爾、卡力斯，我們很快就會把你們救出來。」

他們從世界的桅杆上俯衝而下，彈跳，墜落，翱翔，空翻。強烈的色彩，標語T恤，頭帶，護腕，顴骨、骨頭、嘴唇上的藍線。肉體瀑布傾瀉，有人奔跑在欄杆上，越過輸送管與水管，從支柱上飛躍，潛向纜線之間。羅伯森．柯塔做不出那些動作和伎倆，只有嫉妒的份。總有一天能學會的，只要有耐性。以及無止境的練習。他把他們的招牌動作當作魔術來拆解，每一個動作都是由簡單的語彙堆疊而成。學會那些語彙，就能學會魔術。他每看到一個花招，就一定會去分解、挪用，無一例外。

他們，梅利迪安跑酷玩家遠道而來，來自該城的三座方樓。他們在城市屋頂的建築探出路徑，在高處奔跑好幾公里，化為陽光線上稍縱即逝的剪影。

金環。

網路斷線，列車停駛，彈運停擺，忒遭到圍攻，機器人、推土機、從天而降的玩意兒，流言蜚語踩著喀噠響的鈦金屬腿行遍世界，不過天蠍座α星方樓的泰勒斯可娃大道屋頂上展開了金環。

金環是一項競賽，是將所有跑酷玩家召喚到高處的挑戰賽。

梅利迪安小隊降落在羅伯森．柯塔四周。他們年紀比他大，身材比他高大、壯碩。比他酷。他們認得他，他是從天空掉下來的男孩，第一次上陣就搞砸的十三歲小鬼。就是他拉出了金環。它立在他頭上，一百一十二樓側面管線交叉處上的螢光膠帶。

沒人說話，大家都盯著羅伯森。

「你們有沒有什麼吃的？」羅伯森結結巴巴地說。

有個穿紫色緊身褲的男孩丟了一條巧克力能量棒給羅伯森，他不得體也不知羞恥地狼吞下肚。逃離丹尼．馬肯齊來到城市高處後，兩天過去了。他什麼也沒吃，只能舔水缸外凝結的水喝。他從三公里高空掉到地上還能拍拍屁股就走，但逃亡技能蹩腳到了極點。這時他才想到，他不能躲在城市頂端等梅利迪安跑酷玩家來救他，得把他們召喚過來才行。

「你拉出了金環。」一個女人說，她穿著泥灰色緊身褲和藍色運動上衣，跟她的臉妝很搭。每個跑酷玩家都穿著不同樣式的藍色衣服，梅利迪安文化。他得學著去配合，得照規矩走。

「我知道，我大概不該……」他苦惱、忙亂了大半天，才鼓起勇氣偷走拉金環所需的螢光色膠帶。

「不是大概，你就是不該。」紫褲子男人說。

「你為什麼要把我們叫過來，羅伯森．柯塔？」藍衣女子問。

「我需要你們的幫助。」羅伯森說：「我無處可去。」

「你有錢，羅伯森・柯塔。」紫色緊身褲男說：「你是柯塔家的人。」

「我逃跑了。」羅伯森說，一個醒悟使他的內心逐漸癱瘓：事情也許不會按照他的想法發展。「丹尼・馬肯齊……」

紫色緊身褲男插嘴。

「他媽想都別想，哈赫娜。」

「想想你的小隊員，羅伯森・柯塔。」藍衣女子哈赫娜說：「南后跑酷玩家，帶你入門的那些人。你聯絡得上他們嗎？」

「我試過，但沒有得到回應……」

「羅伯森・柯塔，你知道你為什麼得不到回應嗎？因為他們都死了。」

羅伯森喘不過氣，心臟狂跳。他在極高處，墜落感無止境。他的嘴巴不受控制地發出自己也不明所以的悶哼。

「你知道他們是怎麼死的嗎，羅伯森・柯塔？馬肯齊刃衛將他們帶到蘭茨貝格，然後在氣閥裡撲殺他們，一個也沒放過。」

羅伯森搖頭，想說：不不不不不。但肺中沒有空氣。

「你是劇毒，羅伯森・柯塔。你還說丹尼・馬肯齊。丹尼・馬肯齊？我們幫不了你，就連跟你碰面都有點太過火了。我們幫不了你。」

哈赫娜點頭，跑酷玩家們便從羅伯森身旁彈開，有人躍起、奔跑，有人翻筋斗、跨過障礙，他們展現十多種不同的動作，循著十幾種不同的路徑向城市高處移動。

施洗者教他各種動作的形式和名字，聶桑聶不斷訓練他，直到那些動作成為他身體的一部分。他的身體能做出的動作，拉什米都向他展示了。利分給了他理解物理世界的新角度，查齊讓他成為跑酷玩家。

都死了。

羅伯特．馬肯齊曾向羅伯森保證，自己絕對不會去動他的隊友。但羅伯特．馬肯齊死了，那個充滿確定性、受鐵軌引導的世界也融化、粉碎、向真空四散了。

他殺了他們。施洗者，聶桑聶，拉什米，利分，查齊。

他完全沒有夥伴了。

第二天，潔拉來到維修區和華格納會合。探測車的損傷範圍很大，但都容易維修。拉掉一個組件，換新的就行了。工作內容固定、反覆，產生了自己的步調和節奏。華格納和潔拉不發一語地工作，完全不需要對話。華格納的專注力極強。安妮麗絲來到小工廠看他。也許他會想吃個午餐，休息一下。結果她見證了無比熟悉的黑暗期專注力——一種讓他連續好幾個小時不斷做同一件事的能力。她疑惑地想，不知道光明人格期的華格納會是什麼樣子，還會是她認識的人嗎？狼與他的陰影。她默默離開小工廠，華格納從頭到尾都不知道她來過。

希帕提婭太小了，無法採取三班制，也無法依循梅利迪安的標準時間。第三天午夜，維修工作完成了，華格納和潔拉停止勞動，開始歇息。探測車在聚光燈下閃閃發亮。對不專業的人來說，它仍是被拖進希帕提婭、由精疲力竭的工作人員推進維修間的那輛破爛六輪車。他們的眼睛看不到新組件與引擎之美，看不到剛牽好的線路和剛完成的路徑設定，也看不到華格納為車子特別設計、潔拉訂製列印並親手裝上的零件。

「你什麼時候要走?」潔拉問。

「電池充電完畢，檢查都做好就立刻走。」華格納繞著探測車走，右眼上閃著各種檢測數據。替代的鏡片很合身，但時間一分一秒過去，他對預設副靈的憎恨也越來越深，它的人格太沉悶、乏味了。它只是一個配件，卻頑強地卡在那，無法分割。

「我跟你一起去。」

「不行，天知道外頭有什麼。」

「沒有我，你出不了氣閥。」潔拉說。

「我是老大……」

「而我塞了一段程式碼到指揮鏈裡。」

華格納打從一開始就明白，他跟軍師的關係是以尊重為基礎，不是管理。他和她相遇時，她就是他領軍的第一支玻璃小隊的軍師了。駛出梅利迪安主氣閥前，她風涼地坐在探測車踏階上，看那些更老、更骯髒的手試圖驚嚇、威嚇、擾亂、霸凌俊俏的柯塔家男孩。等到他們彈藥用盡後，她盪到探測車另一邊的座位上，不發一語。老大和軍師若失和，隊員就會丟掉性命。探測車緩慢駛上斜坡，進入外氣閥的途中，潔拉透過私人頻道說：**你不懂的事情就是不懂，柯塔男孩，但你有我在。**

電池充飽電了，探測車完成了二十種檢測，都無異常。隊員已著裝、穿好鞋，背包裝滿各種資源。華格納設定好啟程計畫。座位下降、防護桿升起時，潔拉輕觸他的手。

「你還有十分鐘的空檔，去見她，說聲再見吧。」

華格納知道安妮麗絲人在分離艙內，不需要廉價、討人厭的副靈告知。他在檢修通道盡頭聽到西塔琴發出嗡嗡迴盪的和音，以及騷動的弦響。她正在即興演奏。他的黑暗人格隨著音符奔馳，尋找他自己的行徑與程序。他不喜歡音樂，從來就不感興趣，但畏懼它迷醉、引導心靈的力量，畏懼它主宰著時間與節奏。盧卡斯過去會沉浸在巴莎諾瓦的精妙複雜性中，每一個音轉一次調。華格納發現他哥的沉醉與狼幫的艾喀嗒有相似性，但前者是個人性、震驚式的喜悅。私密的交融。

音樂戛然而止，她的副靈通風報信了。

他喜歡她什麼也不管，總之先小心將西塔琴放回琴盒的模樣。

「你穿那件地表活動衣很合身，牛仔。」

「比我來的時候還舒服。」

「好多了。」

兩人結束擁抱後，她塞了一小包東西到他手中。

「我列印了你的藥。」

華格納準備將泡泡紙袋放進口袋時，安妮麗絲抓住了他的手。

「小狼，我看得出來。你現在就吃一點。」

藥效極強，完全衝著症狀而來，華格納差點往後翻倒。他把自己的鬱期症狀誤以為是戰鬥後的疲倦，以及強大專注力帶來的負荷——他一心想著得到梅利迪安找羅伯森。他已經好多年沒犯這種錯了。要是他人在地表上，這誤判可能會害死他和潔拉。

「謝謝妳。不對，這……這樣說太輕浮了。」

「事情結束後要回來——不管局勢怎麼演變。」

「我盡量。」

他走向停車場，再度聽到燦亮的西塔琴音。他還有三分鐘的彈性時間。

「我會需要那代碼的。」他對後方的潔拉說。他的位置與軍師席背對背設置。

「什麼代碼？」

頭二十公里，潔拉埋首聽音樂，華格納很高興能獨自體驗徹底投入冥想的狀態。他們要通過的是內戰區，物理世界不斷飄進又飄出他的注意力範圍。意識飛向一個主題，接著又轉到另一個吸睛的事物上。安妮麗絲殘缺的耳朵出現在他眼前。那不是意外，意外造成的傷口不會那麼平整。她為她的背叛付出了代價。握刀之人對她很寬容。根據慣例，背叛馬肯齊一族的代價是一根手指。那將會使彈奏西塔琴的歡快喜悅永遠噤聲。

潔拉對他說話說多久了？

「不好意思。」

「我說，你要是問我，我會很開心。」

前往梅利迪安很簡單，只要開在玻璃上，一直沿著赤道一移動就行了。探測車的雷達天線運作中，華格納的頭盔顯示，他和斯伯奇萊克儲藏所之間並沒有敵人存在。他們和希帕提婭之間的通訊訊號很好，太陽工程師正用東拼西湊的方式修復著網路。鐵路系統運作中，至少有個路段上有輛列車在跑：聖奧爾嘉到梅利迪安。戰爭結束了，戰敗了，戰勝了，戰爭持續著，戰爭演變成其他事件了——華格納和潔拉駕車穿過種種不確定性和謠言。華格納心想，人可以身在戰爭中而渾然不覺。他的注意力又飄走了，又得道歉了。

「問妳什麼？」

「你是為了羅伯森去梅利迪安。你有想過要問我跟著去的原因嗎？」

華格納以為潔拉是基於個人的忠心才跟他跑這趟，接著發現自己對這位軍師一無所知。

「不，我沒想到。這樣不對。」

「我也有親人在那裡。」

他從來就不知道，從來就沒想過。

「我媽。」潔拉說：「她老了，一個人住，而月球正在崩解。」

「喔。」華格納・柯塔說。

「對。」潔拉・亞斯蘭說。

車子行駛在純粹、完美的玻璃上，不斷遠去。

華格納打開節流閥，催出探測車最高速。太陽能帶就是他四周的地形：滑順、安全、穩健，而且無聊、無聊、無聊、無聊透頂。

無聊很好，無聊代表沒有衝擊和意外。無聊會將你送回你愛的人身邊。

無聊是適合找話聊的地景。華格納之前和他的軍師簽過十次約，但他在這一百五十公里路上得知的軍師個人情報遠比那幾段時間加起來還多。潔拉有第三個名字：艾爾泰。亞斯蘭是她的學名，簽約用的名字。艾爾泰是她的家族名，真正的家人與她共有的名字。來自約翰尼斯堡的月光菜鳥諾馬贊巴是她的養母。艾爾泰是一條天然溪流，但他們家所有人都不是在溪流中誕生的，都是透過領養、收養、伴侶關係進入家族。諾馬贊巴在潔拉三個月大時領養她，她有三個手足，兩名非生理母親。諾馬贊巴得了矽肺病，一年來都在緩慢的死亡，肺逐漸硬化，變成月球的岩石。潔拉正在辦理相關程序，準備在遠端月面領養一名小男孩：亞當・卡爾・傑斯伯森。她怕到屎都快噴出來了，但艾爾泰一族是很強韌的。潔拉得完成整個程序，在諾馬贊巴的呼吸石化前，把溪流中最新的氣泡帶到她面前。

華格納的頭盔顯示系統內響起一大堆警報，他煞住探測車。潔拉的聲音立刻在他耳畔響起。在離開希帕提婭往西行駛一個小時後，他停下了車子。他將異常警告傳到她的面罩上。兩人一起爬到探測車頂，抓住通訊天線，親自將衝擊與意外收入眼底。滑順的黑色地平線上有個凹陷。

「有東西擊中那裡。」華格納說。

「重擊。」潔拉持相同看法。

雖然雷達顯示衝擊地點沒有任何活動跡象，他們還是選擇緩慢逼近。華格納輕輕驅動探測車，在淚珠狀黑玻璃形成的碎片區內前進了三公里。淚珠狀碎片在他的輪胎與黑色太陽能陣列間爆裂開，最後十幾公尺，他們得開上碎玻璃形成的小丘才行。華格納認為玻璃碎片中攙雜著機器的殘骸。機械以及其他東西的碎片。探測車自小丘俯看著月球最新的隕石坑。華格納和潔拉往下走幾公尺，來到隕石坑的邊緣。地表活動衣面罩為他們標出尺寸：直徑兩百公尺，深二十公尺。弗拉馬利翁隕石坑最新的衛星地圖上並沒有它的存在。

「它給了我一大坨熱成像。」潔拉說：「地震學相關資料顯示，這地方仍像廟裡的鑼那樣震個不停。」

「VTO一定是基於某種重大原因才發動這次攻擊，這裡明明離赤道一那麼近。」華格納說：「會不會是意外？」

「完全不可能。」潔拉說。

「會不會是馬肯齊？阿沙默？」華格納問。

「有合約和負債的人下的手。」

他們死了，構成身體的元素與融化的矽熔接在一塊，紅外線攝影機顯示它們仍在發熱。不過最令華格納感到受辱的，是純粹、完美的玻璃上開的大洞，這深深冒犯了他。

他們繼續朝西方前進，五十公里後遇到第一輛翻覆的推土機。月球處理垃圾的方式很放蕩，淘汰或毀損的器材總是會找個適合的地方丟掉。豐饒海、危海的氦氣田，以及風暴洋的礦場（月壤上開出的坑洞深達兩百公尺）上散布著精煉機和燒結機，太陽能發電機和推土機。金屬到處都是，廉價至極。珍貴的是構成生命的元素。碰上廢棄推土機並非出乎意料之事，但它徹底毀壞的程度就叫人意外了，彷彿是某人從軌道上砸下來的。它側倒在地，嵌板內凹，碎裂的零件散布在殘骸四周，懸吊系統折斷，輪胎彎成瘋狂的角度。推土刀斷成兩截。

再前進五公里，華格納和潔拉又碰上兩輛推土機。完全靜止，稀巴爛，一輛翻覆，另一輛的推土刀深深插入前者的側面。

「有什麼可以搜括的嗎？」華格納問。

「有，但我不打算靠近它們。」潔拉說。

「有好多輪胎痕。」華格納說。

「全朝梅利迪安去了。」潔拉說。

翻過地平線，迎接他們的是大屠殺場面。推土機的廢棄場，墳墓。金屬車殼翻覆、倒置、彼此嵌合，有如正在做愛的機械巨獸。三十五輛推土機，華格納想像重金屬神靈的神聖審判。死去的機器有如雕像，悲慘得很有權威性。

「沒全死。」潔拉提出警告。一輛推土機的推土刀深深插在敵手的引擎上，此刻它使勁上抬，抽身。輪子在黑色玻璃上打滑。

另一輛推土機從一堆破銅爛鐵後方衝出來，那些廢料徹底變形，華格納根本認不出它們是上場工作過的機器。它停在幸運八號球探測車前方，放低推土刀。

「潔拉！」華格納大喊。她已經發動引擎，全速倒車了。不過玻璃叛徒不僅使垂死推土機受挫，也反將幸運八號球小隊一軍。輪胎打滑，探測車側移，尚有生氣的推土機撲了過來。

潔拉猛力轉向，車子在滑溜的玻璃上跳起華爾滋。推土刀只差幾公尺就揮中他們了。探測車急煞側滑，潔拉拚命想穩住車子。結果它掃中一輛靜止的推土機，摩擦力道相當大。

「又過來了。」華格納大叫。

「我知道！」潔拉吼著：「我他媽當然知道！」

推土機對準探測車，發動攻擊，然後停擺。華格納看到鋼骨上的警示燈熄滅了，電源用盡。不過它的衝力已形成：不受引導、不思考、不停止的空殼。它壓向幸運八號球小隊。潔拉駕車從推土刀和故障機械之間的狹窄縫隙鑽出去，將機械墳場拋到腦後，開上整潔而完美的玻璃。

「陽家肯定反駁了其中幾部推土機。」華格納說：「推土機內戰，肯定是見鬼的奇觀。」

「去賣你的場邊席吧。」潔拉說：「不過你知道嗎？那些姓陽的也許拯救了梅利迪安。」

「車子右邊很顛簸。」華格納說。

「右後方的輪胎和傳動裝置故障了。」潔拉說：「一定是剛剛滑進廢鐵堆時撞壞了。」

「會有什麼影響嗎？」

「除非我們又撞進廢鐵堆。反正我會切斷連線，讓它自由滾動。」

通過戰場後，駛向梅利迪安的路途就平順又無阻礙了，車子跑得很快。華格納用他便宜又低劣的通用副靈呼叫梅利迪安控制中心。

「我們是太陽企業幸運八號球玻璃小隊，幸運八號球，標牌TTC1128，要求立刻進入獵戶座方樓主氣閥。」

「幸運八號球，請停留在原地。」

「梅利迪安，我們的車子受損，空氣與水的存量都很少。」

掰得好啊，老大。潔拉用私人頻道說。

我只是稍微誇大事實，華格納說。不過他很火大。開了一千公里的路，通過大屠殺、圍城、戰爭現場，經歷攻擊與撤退、勝利與逃亡，面對死亡與恐懼，結果現在還得等梅利迪安交通管制。你不讓我跟我的狼幫、愛人、男孩會合。

「對準入口。」他命令潔拉。她將車開入燈標之間，來到斜坡外緣，面對巨大的灰色氣閥門。

「幸運八號球小隊，離開坡道區。」梅利迪安控制中心下令。

「要求緊急入境，重複，我們的氧氣存量極低。」

「我們否決你的緊急入境申請，幸運八號球，離開坡道區。」

「老大。」潔拉說，華格納在同一時間感覺到影子落在身上。他仰望，看到VTO月球飛船的機腹燈。它懸浮在幸運八號球上方五十公尺處，旁邊還有另外七架排成隊列，靠火箭推進器滯空。「我走。」

探測車竄向一旁，月球飛船停到坡道上。華格納注意飛船吊了一個人員載運艙，艙口開啟，樓梯展開，穿硬甲衣的人影走下樓梯，再下到氣閥門邊。月球飛船升空，另一輛又衝了過來，降落，放一批人登陸。其餘的飛船也重複同樣的步驟。

「那是一整支月球飛船艦隊。」潔拉說。

「那是七百個人。」華格納說。氣閥門升起，穿硬甲衣的人走入黑暗中，大門降下。
「幸運八號球小隊，離開坡道。」梅利迪安控制中心說。
「發生什麼事了？」潔拉問。
「我想我們不在的期間，我們已輸掉戰爭了。」華格納說。

最早來的是無人機。一整群，像是聖經中的瘟疫，以嗡鳴的黑色煙霧之姿自梅利迪安中心區湧上。瑪莉娜起初以為那是真的煙，月球居民害怕至極的事物：煙，火災了！接著她目睹煙幕分裂成較小的群體，朝不同樓層飄去。她愣在原地，她剛離開返回地球訓練班的同學也愣在原地。全梅利迪安人都傻住了。

這是什麼玩意兒？

小群體形成一朵朵小雲，分別朝方樓的不同樓層飛去。雲朵吞噬了瑪莉娜和她的同學。她發現一隻昆蟲大小的小巧無人機就停在她面前，肉眼對著鏡片。它靠肉眼可見的翅膀滯空。她看到雷射光刺入她的右眼，她的副靈遭到審問了。接著它咻地飛開，和其他同伴一起席捲二十七樓。

你沒事吧？訓練班同學詢問彼此。**你沒事吧？你沒事吧？**

無人機雲向方樓中心區翻騰而去，像是拉出一條新大道的鳥群。

訓練班成員困惑又緊張。新聞串流頻道和谷夏放出的詭異情報瓦解了他們的信條——參加者都能回到地球。失控的推土機，殺戮機器人，忒遭到圍城。有人說糧食短缺，有人說糧食不缺，有人說糧食施行定額配給，有人說不實施。因食物而起的暴動，抗議。前往會議的路上，瑪莉娜繞過舊月球開發法人會議室下方的小規模抗議示威，這批參與者都比較規矩。為尚未發生的事抗議，為不存在的東西抗議。列車停駛，彈運停駛，月環停止運作。月球與宇宙間的聯繫完全阻斷了。某些入境者受困於此，非常恐慌，擔心他們的生理簽證會過期，再也無法離開。差一、兩天不會有差別，輔導員普利達說。如果一、兩天變成一、兩週或一、兩個月怎麼辦？累積的乘客數又該怎麼消化？月環的乘客艙數量固定，循環太空船也只依照固定的軌道運行。

骨骼鐘不斷滴答走著。

無人機後是機器人。消息在網路上傳開的同時，瑪莉娜目睹一陣一陣的人流沿著二十六樓東區湧向她。市民試圖逃離街道，鑽入商店、酒吧，衝回家，尋找任何裂縫或可躲藏的破口，走樓梯或搭電梯遠離流言。**它們在城裡，它們在街上，待在室內就不會有事，進門，因為它們會對街上的任何人動刀**。孩童被一把撈起，抱在懷中，激動的父母試圖聯絡家中的少年少女。公寓關上通往街道的大門，緊閉窗戶。

我要回去，奧瑞利亞說。

我可以從這裡回家，瑪莉娜說。家在人流的反方向。她在二十五街樓層梯小跑步，結果樓梯底部就有機器人，她撞個正著。它正跳著緩慢、複雜的小步舞，沿著二十四樓右側前進。它是尖突的三角架，由彈簧刀腿與折刀手臂組成，每個零件都有尖銳的邊緣，每個部位都能化為刀刃。它的複眼認識外界，頭彈向前方凝視她。

震驚太過深沉了，身體唯一的反應就是癱瘓。不是恐懼，儘管恐懼是正確的。震驚是由對方的怪誕所激起。它跟她的本質實在太殊異了，醜惡，跟任何事物都沒有相似性。瑪莉娜從未見過這種東西，不了解自己看到了什麼。怪異帶來的震驚令她手足無措。它的每一個部分都冒犯人類的感官。她無法動彈、思考、行動，但它能動彈、思考、行動。瑪莉娜在它眼中看到智能與意圖，受到它從頭到腳的打量，接著它的意志暴衝了。它以匕首似的三條腿喀啦喀拉舞動。這時恐懼來了。瑪莉娜坐在二十四街樓層梯的底部發抖。死神看了她一眼，從她身旁經過。新的傳言在網路上流竄：**沒關係，它們不會碰你。**

那它們的用途是什麼？瑪莉娜心想。

最後一波是硬甲衣軍團。

獵戶座中心區的大部分居民站在陽台邊，或者扶著街道欄杆，艾芮兒和亞別娜也不例外。瑪莉娜找到她們了。硬甲衣部隊從車站往上移動，他們的盔甲以重金屬符號裝飾：著火的骷髏，尖牙，惡魔，巨乳女子，大屌男人，天使，鎖鏈。沃隆佐夫一族。另一支部隊從外氣閥踏上加格林大道，他們身穿黑色防衝擊甲，帶著小巧的黑色彈射武器。他們排成一列，跨出一致的步伐。在受驚的獵戶座方樓的沉默中，他們的靴子聲響亮又帶有威脅性。

「他們在行軍。」瑪莉娜說。

「他們是地球人。」艾芮兒說。

「那些槍是？」亞別娜說。

「他們要是試圖開槍一定會知道什麼叫驚喜。」瑪莉娜說。

「反作用力不是我最擔心的東西，很遺憾。」艾芮兒說。

第三批人馬從辦公室和列印商店中冒出來，他們沒穿鎧甲，沒武器也沒受過戰鬥訓練，就只是穿著日常便服和橘色背心的普通人——月球人。他們聚集成三組人，踏上獵戶座方樓的每條大道和街巷。瑪莉娜命令海蒂放大背心影像：上頭有個商標，是叼著樹枝的鳥飛在月球上方。瑪莉娜對這象徵感到陌生。商標上方有一行字，「月球受託管理機構」。

「和平，多產，繁榮。」瑪莉娜念出月世界與鳥圖案下方的標語。「我們被中階主管入侵了。」

兩包芭樂汁和一塊餡餅。它們在羅伯森．柯塔的腰包內晃呀晃的，隨他攀上五字頭的高樓層，來到西天蠍座α星方樓電源導管。他在下方十樓處就已經甩掉機器人了，它們能源有限，而且無法攀爬。它們只能走樓梯和街道試圖跟上他，將他標註為追緝對象。能在上城區找到食物，算他好運。危險之處在於它們會引人注意，而且如今小型機器遍布各處，守護著所有麵包屑和杯子。

羅伯森在每一個方樓的熱食店內行竊（畢竟梅利迪安隨時都有某地入夜），不過完全沒去偷第十一號大門。偷愛店的東西就等於是在自家門口拉屎。

大膽摸黑爬下西天蠍座α星方樓電源導管，只拿到兩包芭樂汁和一塊餡餅（吳郭魚內餡，他恨吳郭魚），收穫少得可憐。羅伯森花好幾天的時間摸索高壓電纜和繼電器之間的安全道路，並用螢光膠帶標示。膠帶是他去生意興隆的茶店，從下班的塵工背包內摸走的。他循著一系列閃亮的箭頭和破折號往上爬。箭頭：地面有孔洞，循箭頭方向跳躍。「大於」符號：穿牆管。「小於」符號：精準跳躍到狹窄地點。等號：使出跑酷中的貓跳。旋轉九十度的等號：踩牆。十字：坐推撐越或旋身撐越，依跳躍的長軸方向而定。反斜線：鑽槓。斜線：反身鑽槓。打叉：不要觸碰。星號：有致死危險。

羅伯森在七十樓穿廊喝完第一包果汁，然後將空盒放進行竊用包包中。垃圾有可能掉在地上，有可能落入機器中，有可能在你跳躍的落點等著背棄你。餡餅他要留到回賊窟再吃。羅伯森在高樓層找了好幾天，才發現一個溫暖、能提供庇護、能取得水源又不會潮溼或結露的入睡處，這裡也夠穩固，在睡夢中翻身不會摔死。他將偷來的食物排在那裡，然後下樓前往地表工人喝酒的地方偷保溫墊。

所有魔術師都是小偷，偷時間、注意力、信念、保溫墊。

羅伯森鑽入防撞泡棉和泡泡紙組成的巢穴，吃他的餡餅。最後一包果汁晚點再喝，他得學著分配糧食才行。果汁也會成為期待的對象。無聊是逃難者的黑暗仇敵，打手槍則是戴著不同面具的敵人朋友面具。

羅伯森傾向相信他的高樓層巢穴帶給他哲學上的猛禽觀點。他的位置比所有人類都高，因此可俯瞰眾生，並沉思一番。確保食物後，非得度過有價值的每一天才行。行竊時，他會聽到大家在茶店內的聊天內容。列車停駛了，彈運也是。沃隆佐夫負責管理那些交通工具，他們為什麼要中止服務？忒被埋在月壤裡，那會縮短作物培育期。糧食產量可能會減少，作物也許會歉收。阿沙默一族或許怪里怪氣……我認識的每一個成員都很怪，但他們不會對自己的首都採取那種行動。不過話說回來，如果下次饑荒何時爆發沒人能預料，也難怪每塊餡餅和便當盒都有機器人看守了。

接著最吸引人的故事來了。它們害他停留過久，偷東西時手指動作過慢。月海和高地上有怪東西，一支支人類小隊都被殲滅了。會殺人的玩意兒，手只是刀刃，腳是劍。殺戮機器人。會是誰造的？陽家辦得到，但他們為什麼要做？誰會製造以嚇唬、脅迫、威嚇、控制為唯一用途的玩意兒？月世界沒人會那麼做，羅伯森如此認定。他瑟縮在自己的巢穴內，讓熱交換器的嗡鳴和偷來的毯子溫暖身體，並做出結論：在沒有通知和宣告、無人知曉的情況下，月球已遭到入侵。遭地球入侵，高掛天空的藍色地球。但他們不可能靠自己辦到，需要某人運輸他們的機器、人員才行。只有沃隆佐夫家有這能耐，他們和地球結盟，打算控制月球。

「哇靠。」羅伯森．柯塔說。

接著他聽到喀哩一聲。是輕叩，喀哩喀哩的輕叩。一條手術工具似的腿優雅、精準地繞過熱交換器，鐵蹄在高空通道上拖出喀哩聲。羅伯森愣在原地。一條鋼鐵花朵似的尖銳手臂繞過羅伯森巢穴的轉角，接著頭也冒了出來。羅伯森認為那是它的頭，上頭有六隻眼睛，肢幹拼接方式是他從未見過的，不過他很確定那是它的頭，因為它不斷彈向各方位審視他。

喀哩。又一步，又一隻腿，又一隻手。

他推著地面緩慢後退。

機器人對他產生興趣了，喀哩喀哩喀哩。它跟著移動。羅伯森站了起來，機器人往前撲。天啊，它好快。喀哩，喀哩，啪。

機器人定在原地，低頭看。它其中一隻細蹄卡進羅伯森巢穴底部的寬鐵柵網眼了。它的頭側向各個角度檢視卡住的蹄，短時間內就會想出解決之道。不過羅伯森有這短時間就夠了。只有魔術戲法的實踐者有足夠的速度和技巧；只有跑酷玩家，曾經從南后頂端掉落到地面的城市跑者有那膽子。

羅伯森一把抓起保溫毯，綁出一個環扔到機器人下方。機器人轉身時，他鑽過它的刀刃手臂，繞到它後方，將保溫毯兩端丟到欄杆外，使勁拉。機器人失去平衡，踉蹌幾步。羅伯森蹲低身體，肩膀抵住對方雙腿與身體的交換處，往上一頂。剩下的部分由槓桿完成。機器人試圖拔出腿時跌倒在地，手腳亂揮，化為刀刃的暴行。重量和速度使它翻越低矮的欄杆，掉了下去，刀刃劈砍空氣。它掉到下方五樓的行人穿越道上，解體了。遠處下方的泰勒斯可娃大道下起垃圾雨。

羅伯森重重倒回安全的巢穴中。保溫毯裹著他，熱交換器散發的熱氣溫暖如血，但羅伯森顫抖著。他不敢相信自己做出了什麼，竟然有那膽子。那機器人原本會傷害他嗎？也許有可能放過他，但他不能碰運氣。他採取了必要的行動，熬過危機。他原本可能無法全身而退的。他沒辦法再想下去了。他身體發抖，感覺想吐。餡餅一定是壞了，吳郭魚都是些毒物。液體，他需要液體。他哭了，不該哭的。羅伯森將毯子抱得更緊，吸吮那包芭樂汁。

露娜在床邊放了更多小燈。擺在基本方位上的守護燈形成守護圈，然後她又再裡頭排更多圓圈。圓中圓環繞病床。她有了新的主意，想讓大圓輻散出扭動的線條，像陽光之類的。露娜喜歡對稱，因此她開始排六道扭動的陽光，夾角都是六十度。燈不夠她排完，她發出氣餒的噓聲。她得去找更多燈才行，姊妹會屋內多的是生化燈。

現在該幫它們澆水了。露娜蹲在地上，拿著水罐，搖搖擺擺地在生化燈圈中移動。一滴，再一滴。綠光變亮了。

那聲響是聖母奧敦拉進門時發出來的。她以為自己安靜、神祕得像是奇蹟，但對露娜來說，她沉重的腳步、厚重的鼻息、不自覺發出的喃喃自語就跟挖隧道機一樣響亮。

「露娜，我們得進來照顧他才行。」聖母奧敦拉．阿波賽．艾德科拉說。她是個身材圓滾滾的老約魯巴女子，穿著現主姊妹會的白衣，身上的念珠、護身符、聖人像讓她不斷發出喀啦、喀噠聲。她散發出一點異味。

「妳可以跨過那些燈。」露娜語帶挑戰意味。聖母撩起袍子底部，跨進守護燈排成的圓圈內，還打赤腳移動，沒碰到任何一盞燈。露娜從沒看過聖母的腳。

「我們聯絡上令堂了。」聖母奧敦拉說。

「媽！」露娜大喊起身，撞倒水壺。露娜叫出自己的副靈，儘管姊妹會屋規定不能使用。「露娜，聯絡我媽！」

「喔，別急別急。」聖母說：「網路還是斷斷續續的，我們有自己的聯絡管道。令堂知道你們在神之若望而且安全無恙，要我向你們問好，還說她會盡快來帶你們回家。」

露娜振奮的O字嘴型逐漸洩氣，副靈化為一陣像素霧解體。

「路卡辛侯呢？」她問。

「他還需要一些時間。」聖母奧敦拉說：「他傷得很重，重病的年輕人。」

她朝床上的病軀探出身子。好多管線進出他的身體，連接他的手腕、手臂、身體側面，一條大管子伸進他的喉嚨，露娜只能看著它，透過它的偏移確認他還在呼吸。一根細小的管子從他的尿道中伸出來，她看得渾身不自在。電線，針，袋子，感應臂。他裸體，沒有遮蔽，手掌像天主教聖人一樣朝上。他的意識位在比睡眠還要深沉的位置。**為進行醫療誘發的昏迷**，姊妹會的人員說。他不會動，不會做夢，不會醒來。他在萬分遙遠的地方，在死亡的邊界遊歷。

如果姊妹會沒有這麼好的醫療設備，如果探城人的好奇心沒那麼強，如果她打開博阿維斯塔避難所氣閥的時間慢了三十秒……

如果，如果，如果，如如果果。

聖母奧敦拉的氣味也許並不是她散發出來的，這點露娜還是不確定。太空衣的臭味會像刺青一樣深入皮膚。

床不斷充氣、消氣，讓路卡辛侯的身體各部位緩緩抬起、降下，以避免褥瘡形成。他會呼吸，但那是機器引導的。他的臉、肚子、下體冒出了一丁點毛髮。他的肚臍到卵蛋有一條細毛形成的黑線。

「妳們可以幫他刮毛嗎？」露娜問。他看起來迷人又可怕。

「我們會盡我們所能照料他。」聖母奧敦拉說。

「妳認為媽能不能來這邊，然後我們所有人都留在這？」

「令堂地位崇高又忙碌，親愛的。她有好多事得做。」

「我要他醒來。」

「我們都希望他醒來。」

現主姊妹會說路卡辛侯可能會在幾天後醒來，也可能要等上幾個禮拜或幾年。愛麗絲教母說過類似的床邊故事。可愛的王子受到詛咒，在深邃的祕密洞穴中永遠沉睡，通常靠一個吻就能喚醒他。她每天都會趁姊妹會的人不在時試這招。總有一天會奏效的。

聖母奧敦拉看著路卡辛侯頭部左右的螢幕，無聲地動著嘴唇。偶爾會有幾個字脫口而出，露娜才發現她不是在念數字，而是在念禱告文。

「喔！我差點忘了。」聖母奧敦拉翻找她的白袍內側，露娜很確定自己不該看那畫面。她拿出一個木頭盒子，又大又扁的盒子，上頭的花朵雕飾無比精細，連露娜看了都瞪大眼睛。

「這是什麼？」獲贈禮物的可能性總是讓露娜期待。

「打開它。」

盒子有絲質、閃亮的纖維內襯，露娜以手指觸摸，好喜歡它的質感。姊妹會屋沒有高級列印機，但足以印出可愛的女裝了。再見！她將痛恨、痛恨、痛恨至極的內襯衣塞入反列印機，不忘向它道別。她再也不想穿那種貼身的衣服了。

接著她注意到刀子。兩把刀，雙胞胎般地依偎著彼此。黝黑，堅硬，放著光。邊緣銳利，連拋向它們的視線都能切開。露娜以指尖觸碰刀刃，發現它就跟盒子的內襯一樣滑順如絲。

「月鋼鍛造刀。」聖母奧敦拉說：「材料取自朗倫隕石坑地底深處挖出來的，十幾億年前的鐵隕石。」

「又美又恐怖。」露娜說。

「那是柯塔家的戰刀，原本是妳叔叔卡林侯的。他在克拉維斯法庭用這對刀殺死了哈德利．馬肯齊，而丹尼·馬肯齊在神之若望淪陷時拿這對刀殺死卡林侯。後來刀子被交由我們保管。在這特別的地點持有刀讓我們不太自在，上頭沾染太多血了。不過我們敬愛妳的祖母，所以還是繼續保管它們，等待一個柯塔家的成員現身。這人英勇、無私、不貪婪也不懦弱，願意為家族而戰並英勇保衛它。這樣的人與這對刀是匹配的。」

「路卡辛侯應該要收下它們。」露娜斷言。

「不，親愛的。」聖母奧敦拉說：「它們是妳的。」

11　二一〇五年天蠍月

戰爭打完了，一方獲勝，一方落敗，而且一切都沒改變。孩子們還是會嗑到茫，還是會跟朋友混。男人閒聊，女人練瑜伽。長跑者朝會面點移動，有個女人用牽繩溜雪貂。瑪莉娜右眼的眼幕記錄著她帳戶內的四大元素花費與存量。換人管，就這樣罷了。可一旦這個念頭冒出來，戰爭中的死亡就失去了意義。

「幫我接幾通該死的電話！」艾芮兒大吼。

皺成一團的絲襪擊中瑪莉娜的臉頰。

公寓成了危機應變中心。艾芮兒在房間內，亞別娜在烹飪區，兩人都不斷透過副靈通話。瑪莉娜坐在客廳，望向敞開的門外，獵戶座方樓的陽光源源不絕地灑下。她腦袋裡什麼也沒裝，只剩三個字：**告訴她告訴她告訴她**。

「亞別娜在接了。」

「亞別娜在跟她姑姑說話，我在跟陽知遠談。」

「我可以做什麼？」

告訴她告訴她告訴她。

「說個笑話給他聽，問他祖母身體健康狀況，要求她解釋量子電腦原理。這樣應該就能撐上半小時了。」

月之鷹廢除月球開發法人時，她說不出口。列車停駛、天空遭封鎖時，她說不出口。忒遭月壤掩埋，在黑暗中受圍攻時，她說不出口。阿沙默—馬肯齊聯合作戰小隊在弗拉馬利翁全軍覆沒時，她說不出口。一把巨大的太空槍瞄準梅利迪安時，她說不出口。歷史性的片刻塞滿時間洪流，她遲遲等不到適當的開口時機。

「呃，妳在做什麼？」

「試圖找強納森．阿猶德談談。」

「妳沒用私人頻道嗎？」

「他不接，天才。再幫我接這通電話，瑪莉娜。天啊，真希望我還有酒可以喝。」

海蒂接起電話。

「知遠閣下嗎？晚安，我是瑪莉娜．卡爾札，艾芮兒．柯塔的私人助理。我知道您無法聯絡月之鷹辦公室尋求管理權轉移的相關指引。艾芮兒也試圖要聯絡月之鷹……」

如今管理權已轉移，月球城市遭到占領，軟戰爭結束了。列車恢復行駛，月環繼續將貨艙和乘客抬升至軌道，而VTO已批准她的預約，排了她的返航時間。升空時間已決定，但歷史性的片刻還是塞滿時間洪流。適當的時機遲遲沒來，她無法告訴艾芮兒她要走了。

阿德里安。

今晚傳來的嗓音，他已經等了五年。阿德里安．馬肯齊醒來，下床。

他們到了。

強納森在打呼，要喚醒這頭怪物不容易。他非醒不可，阿德里安著急地搖晃他。

「強。」

這大嘴地球人大大吸了口氣。他非醒不可。

他們抵達大廳了，鷹巢的保全正要封門。

阿德里安配合強納森的老鷹副靈的鬧鐘節奏，又搖了他一次。他醒了。

「幾點了？」

「有人攻過來了，穿衣服。」

卡利俄佩在阿德里安的鏡片上開了幾個視窗播放監視器畫面。三組人馬，一組在正面，另一組走車輛出入口，還有一組從上層陽台垂降下來。他們知道路怎麼走，知道該打什麼地方，也知道該怎麼打。錐形裝藥炸開的門扉像紙片般在減壓過程中撕裂。遙遠、扁平的裂縫令月之鷹傻在原地。

「我的保全……」

「他們就是你的保全。」所以才知道上方陽台出口。逃生路徑的規畫一直都是由阿德里安負責，他還有B計畫。

強納森．阿猶德正在穿鞋、穿短褲，試圖把自己塞進襯衫裡。

「別管衣服了！」阿德里安大吼：「走花園的維修通道梯，沒人從下面上來。」接著他對卡利俄佩念出排練已久的句子。嵌板從牆面上滑開，裡頭的架子擺著軀幹護甲，耀眼的白光打在上頭。強納森．阿猶德嚇了一大跳。

「什麼？」

「你並沒有完全掌握這個地方。」胸甲和背甲很緊，他變胖了，肉多又垮。沒時間戴護脛和前臂鎧了。他戴上頭盔。「卡利俄佩已經叫了一輛三輪摩托到五十樓的服務人員門，它會載你到馬肯齊金屬的梅利迪安辦公室去。羊夫們會和你碰面，保護你的人身安全，快去！」

最後，阿德里安．馬肯齊從磁場中抽出雙刀，讓光照亮它們的鎢材質鑲飾以及刀刃上錯綜複雜的花紋。莊嚴的武器。他將刀甩入腰間的刀鞘。

「快走！」

卡利俄佩向阿德里安播放三組武裝人員在臥室會合的畫面，他們駭入鷹巢的保全系統了。

「我會盡可能為你爭取時間。」

「阿德里安……」

「強，姓馬肯齊的從來不臨陣脫逃。」

兩人相吻，吻短暫得像驟雨。阿德里安．馬肯齊扳下頭盔面罩。

婚禮上，他爸在典禮進行到一半時帶著他離開人群，來到俯瞰天蠍座α星方樓的高處陽台。**這給你**。阿德里安打開盒子，發現裡頭的鈦金屬羊毛上安放著一對刀子。阿德里安在刀堆中成長，很熟刀子，但眼前的刀子他完全沒看過，像是完全外於馬肯齊金屬製刀史的產物。**試試**，鄧肯．馬肯齊說。刀刃安穩地握在阿德里安手中，宛如突出的一截骨骼。平衡極佳，非常穩固。他揮刀，虛晃一招，再劈出一擊。舞動的刀刃發出慟哭般的嗡鳴。**那是空氣流血的聲音**，鄧肯說，**我真的為你感到開心，開心到不能再開心了，兒子，但有一天你會需要用到刀。這就是為那天準備的**。

腳步聲，說話聲，門砰一聲往內甩。

阿德里安．馬肯齊的刀刃出鞘，吟唱音符。

月之鷹是個巨漢，身材走樣，當初的月光菜鳥肌肉已變成鬆垮肥肉。刃衛抓著氣喘吁吁、穿短褲和臥室拖鞋的他，站在通往五十樓的爬梯頂端。他是被拖過去的，途中不斷鬼吼尖叫。許多雙手逮住他，抬起他。他踢掉了一隻拖鞋，接著另一隻也掉了。一隻隻手運送著他，撕扯著他。如今他一絲不掛，恐懼地胡言亂語。手，更多手冒出來了。刃衛拖著他穿過修剪得一絲不苟的香檸檬樹，而他看出自己即將被帶到哪裡了，開始掙扎、尖叫。刃衛的手扎實、穩固地抓住他。他們將他帶到俯瞰天蠍座α星方樓的小亭子，天蠍座α星方樓的五大道形成光之圓頂。

刃衛以完全一致的動作抬起強納森‧阿猶德，遠遠拋向閃亮的空中。

月球住居地的大氣壓力是一千零六十千帕。

他墜落途中不斷翻滾。月之鷹不會飛，也不懂得墜落之道。

月球地表重力下的加速度是每秒一點六二五公尺平方。

他一面墜落一面尖叫，手腳不斷亂揮，彷彿有本事把空無的空氣當成繩子爬。最後他撞到三十三樓橋梁的護欄。一隻手粉碎，折成不自然的角度。他不再尖叫了。

空氣中墜落物體的終端速度是時速六十公里。

月之鷹若從鷹巢掉到天蠍座α星方樓中心的公園，會耗時一分鐘。

有個物理性質叫動能，公式是$\frac{1}{2}mv^2$。可稱之為**衝擊力**，**耐衝擊力**。緩慢移動的巨大物體可能會承受低衝擊力、會有較小的動能；高速移動的小物體會有較大的動能。比方說，部署在太空的質量彈射器發射的小冰塊有能耐在月球住居地的石蓋上砸出一個洞。

反之亦然。

比方說，十三歲的瘦皮猴男孩從一公里的空中落下，會有較小的動能。

過重、身材走樣的五十歲男子若從同樣的地方掉下去，會有較大的動能。花個一分鐘就足以計算出結果：十三歲的瘦皮猴男孩以時速六十公里墜落到天蠍座α星方樓中心有可能活命，過重、身材走樣的五十歲男子則無法。

海蒂叫醒了她。

瑪莉娜，啟航日到了。

她設了個鬧鐘，彷彿會忘記起床似的。彷彿她在預定離開月球的那一晚睡得著似的。

瑪莉娜的所有物很少，她猶豫不知該不該帶走的東西是：長跑的流蘇；綠色綁帶與聖喬治的緦帶。它們有幾克重，而她的行李重量上限是幾公斤。她將它們放在床上。流蘇在她穿衣服時不斷縈繞她的眼角，快一點，快一點，這是間擁擠的房子。它們是小小的指控：離開就該不留痕跡，但不能了無生氣。

瑪莉娜想到自己該留張紙條，就緊張了好幾天。非得留下紙條不可，毫無疑問。要到最後一刻才給，私人性的，而且不能給艾芮兒阻止自己的可能性。

手寫紙條，放在不可能漏看的地方。直接，專屬於她的，離別的禮物。

瑪莉娜從列印機拿出紙張時，亞別娜發出哼聲，睜開眼睛。月球遭占領後，她就成了沙發的永久居民。

「妳在做什麼？」

「我要去長跑。」瑪莉娜說謊。這是凌晨四點離開公寓的唯一合理藉口，現在她得將清白的證據穿戴到身上才行。瑪莉娜將會穿著慢跑鞋、運動上衣、短到有病的熱褲離開月球。

「好好玩啊。」亞別娜嘟囔，然後在沙發上翻身。艾芮兒在她的房間內打呼。瑪莉娜趴在床上，雙膝收攏，試圖寫字。字母顯得痛苦萬分，形狀惡劣。字詞承受著酷刑。她走向冰箱，想喝杯琴酒鎮定心神。蠢死了，自從月球淪陷後，裡頭就沒有任何琴酒、伏特加、烈酒了。不過她將紙條插在門上。

最後，瑪莉娜將綠色綁帶綁在手腕、二頭肌、膝蓋、大腿上。無關意願，她非得帶走流蘇了。瑪莉娜打開公寓門時，亞別娜再度醒來。

「妳那樣不冷嗎？」

瑪莉娜蒼白的肌膚上冒出雞皮疙瘩，但那不是寒冷所致。

「睡吧，妳早上還得拯救整個世界呢。」

偷偷摸摸著裝，匆忙留下紙條，無聲溜出門外，悶住關門聲響。

瑪莉娜，妳還有兩個小時。

瑪莉娜走向二十五街樓層梯，在路上遏止自己的哽咽。街道上幾乎無人，有幾張臉點頭向她致意（她也回禮），它們共有著天亮前偷雞摸狗的喜悅和罪惡感。有個女人在自家公寓前做瑜伽。兩個男人靠著護欄，低聲談話著。一群七嘴八舌的小鬼離開俱樂部或派對會場，正在返家途中；雙方點頭問好，不知道他們有沒有從中感受到她的特殊意圖、情感內涵？方樓盡頭黯淡的靛藍色光觸碰到牆面與陽台，陽光線逐漸亮起，迎來新的一天。

一部機器人和兩個穿重金屬風護甲的ＶＴＯ警衛在樓層梯頂端待命，瑪莉娜胸口緊縮，擔心和他們眼神交會就會被認出來，擔心他們會逮捕行徑可疑的自己。**妳是瑪莉娜．卡爾札，妳替艾芮兒．柯塔工作。我們得問妳幾個問題。妳是瑪莉娜．卡爾札，妳拋棄艾芮兒．柯塔，想跑哪兒去？**

她轉頭瞥了一眼，頭一點。ＶＴＯ警衛根本沒看她一眼，而其中一個青少年像是腦袋出了什麼問題，開始以兒童式的熱切細看機器人，大膽靠向幾乎沒入鞘的刀刃，近到不能再近。

戰爭打完了，一方獲勝，一方落敗，而且一切都沒改變。孩子們還是會嗑到茫，還是會跟朋友混。男人閒聊，女人練瑜伽。長跑者朝會面點移動，有個女人用牽繩溜雪貂。瑪莉娜右眼的眼幕記錄著她帳戶內的四大元素花費與存量。換人管，就這樣罷了。可一旦這個念頭冒出來，戰爭中的死亡就失去了意義。戰士們死在那孩子觸碰著的刀下，這些刀不是為股東權益奮鬥，也不是在展現他們對富有、遠在天邊的群龍的個人忠誠度。沒人能為那些東西而戰。他們是為自己的世界、人生、文化、不被外人牽著走的權利而戰。

瑪莉娜搭上樓層梯。每層樓都有警衛，她懷著好玩的心情做了心算：樓層數乘以大道兩側的樓層梯數乘以方樓數。一大堆機器人，而且沃隆佐夫的人馬還更多。

在三街樓層梯上，有個女人從上行手扶梯那裡瞄了她一眼。對方是個年輕女子，穿著暴露的小件跑步裝，黃色總帶綁在她的二頭肌上，手腕上戴著黃色手鐲，左膝綁的綠色細繩跟她黝黑膚色形成強烈對比。是個長跑者。她向瑪莉娜點頭致意，長跑姊妹。瑪莉娜心中產生了疑慮。她轉過身去，差點沿著下行樓層梯往回跑，追隨對方而去。她的心臟會爆炸，一定會爆炸。她想跟著這個跑者去跑步，想回頭，想回到艾芮兒身邊，這念頭比什麼都強烈。

電扶梯拉遠兩人距離，終結此刻。

她在獵戶座方樓中心找到大樹陰影中的一張長凳。陰影加深了，她將它們引了過來。早晨的公園內只有她和情侶。靛藍色變淡了，轉為深藍色，小樹林跟著幻化成樹幹柵欄。瑪莉娜坐在那裡，等她胸中虐心的啜泣減緩成可承受、終將退去的情緒，才不會一看到其他人的臉就崩潰。

月球上唯一美麗的事物是人——說這話的人不是艾芮兒，而是她哥拉法。美麗又可怕，例如熱情、善變、軟弱的拉法，例如愛慕虛榮、盡責、寂寞的艾芮兒，例如俊美、陰鬱、憤怒的卡林侯，例如陰沉、熱切、忠於家族的盧卡斯。**現在起，妳就是柯塔氦氣的員工了**，他對她說。如果她沒接受提案，如果他根本沒提議給她工作。如果她攔截蒼蠅無人機的動作慢了半秒，如果她沒去路卡辛侯．柯塔奔月派對當服務生……

她還是會坐在這樹下，走這段路，搭月環電梯回家。

這是個糟糕的世界。

梅利迪安中心區高處，三座方樓大道於三公里高空的交會處，有早起的飛人在空中俯衝、轉圈，以螺旋氣流包覆彼此。他們的翅膀一照到黎明的萬道光芒便閃閃發亮。他們展開奈米碳羽毛，乘著上升氣流扶搖直上，最後化為光點，消失在深藍色之中。

她從來沒飛過。接受太空飛行訓練前的派對上，她站上吧台向所有人保證，她將來一定會飛。**那裡的人可以飛**。她後來完全沒機會在月球上飛行，就跟過去一樣，她朋友爬上斯諾夸爾米的那學期，她在寫報告，沒踩上滑雪板。錯過雪的女孩，從頭到尾都沒飛的女孩。

月環站在梅利迪安中心區的西南扶壁那裡，不起眼也不張揚，但梅利迪安正是環繞這根柱子而立。電梯早就在這裡了，遠比深入中央灣的第一批豎井還早存在。月球上最靠近地球的一點。瑪莉娜兩年前才通過這道門，但對她來說已毫無熟悉感。新世界，新重力，新的移動方式、感受方式、呼吸方式，裝在眼睛上的眼幕向她索取每一口呼吸的費用。

車站永遠不關閉。月環不斷繞著世界旋轉，從來不停歇。工作人員正在等她到來，她還得做最終醫療測試，填一些文件。並不繁多。瑪莉娜坐在白色小房間的白色高椅上，工作人員要求她盯著牆上黑點。眼前一閃，短暫盲目，閃爍的紫色殘像彷彿在她的視網膜上亂竄。視力再度恢復後，她眼睛右下角的數字就不見了。

瑪莉娜取下了眼幕。

她呼吸著不受調節管理的空氣。

她深呼吸，肺部充滿空氣，害她差點氧氣中毒，從凳子上跌下來。帶她到白色小房間的女人微笑。

「每個人都會這樣。」

震驚過去後，疑心來了。如果她搞錯了怎麼辦？如果對方漏解釋什麼怎麼辦？如果她沒權利享用她血液中的氧氣該怎麼辦？她開始淺淺地呼吸，啜飲空氣，把它當成珍愛的小寶貝。

「大家也都會這樣。」女人說，並帶她前往離境大廳。「自在呼吸吧。」古老的月球祝福語。「妳付的票錢涵蓋此刻到妳跨出軌道轉運飛船的氧氣費用。」

那是她沒想到的部分。她一再、一再為離境飛行做準備，考慮到所有細節與排列，所有動作與時機。她無法想像抵達時的狀況。會下雨，就這樣。她無法望穿溫暖的灰色雨幕，直視後方的行星。

候機室內有五名乘客。這裡有茶、有酒，但所有人都只喝水。壽司擺在無人聞問的冰涼盤子上，引來細菌。

如她預期，遣返訓練班的阿馬朵、哈騰、奧瑞利亞都在。如今他們都不說話了，只點頭問好。沒人多看她的跑步裝一眼，沒人跟其他人四目相交。每個人都盡量坐在遠離他人的位置。**每個人都會這樣**，瑪莉娜猜那個工作人員會這樣評論。瑪莉娜叫海蒂翻找音樂，但她的音樂要不是對這情境來說太瑣碎，不然就是她太喜歡，不願讓它和這事件的決定性綁在一起，受到汙染。

「還有一個人會來。」工作人員在關上候機室門前說。

「抱歉，」瑪莉娜問：「我有時間嗎？」她朝廁所點了點頭。下次舒服地尿尿可能得等到穿越兩個世界後了。

上廁所的需求無言但絕對地傳遞到她大腦中，像打呵欠似的。她身後的隊伍排到了門外。最後一個登機者來了，不是瑪莉娜預料中的人：歐克沙娜是瑪莉娜所屬訓練班的最後一個同儕，是個矮小、瞇瞇眼、眉頭深鎖的烏克蘭人。來者是高大的奈及利亞裔男子。歐克沙娜肯定是改變主意了。最後一次團體會議後接納了自己的處境，重新打開門，回到家中。繞過樓層梯區的沃隆佐夫警衛，回頭往上走。在月環站的門前轉身離去，選擇月球。駭人的疑慮吞噬了瑪莉娜：她現在也可以那麼做。從白色長凳上起身，走出車站門，回家去。

回到艾芮兒身邊。

她無法動彈。在離去與留下兩個選項之間，她癱瘓在原地。

接著，候機室另一頭的門開了，另一個服務人員說：「準備好讓各位登機了。」瑪莉娜發現自己跟其他人一樣站起身來，一樣走出門外，通過氣閥，進入月環乘客艙。她從環繞中核的座位中挑了一個坐下，防護裝置往下壓，帶走所有疑慮。艙門封起，倒數計時相當敷衍。像這樣的乘客艙，每天都抵達、離開月球數百次。但她還是很害怕，運動上衣、跑步短褲、緞帶包裹下的倉皇。去時和來時一樣，沉浸在恐懼之中。

第一階段的上升帶來刺激的乘坐體驗，沿著梅利迪安中心直衝，幾秒鐘後就離地半公里了。月環乘客艙是加壓裝置，並沒有窗戶，不過外部攝影機會傳送影像給海蒂。梅利迪安中心在瑪莉娜看來像是巨大、空洞的豎井，充滿上萬道窗戶散發出的光，晨曦中呈現淡紫色。如今她甚至比扶搖直上的飛行人還要高了——他們從上升氣流的頂端滑下，劃著圈穿越灰塵瀰漫的晨曦。

她在早晨、在膨脹的光線中離開月球。

她瞥見城市高層的排氣管、電扇、電源導管、熱交換器，接著相機畫面消失，乘客艙進入氣閥當中。乘客艙晃動著，她感覺到機械移動，氣閥密封，聽到減壓的尖嘯漸弱、歸零。上升塔在她頭頂，繞著月球轉的月環將會一把撈走塔頂的她，拋向太空。

會很痛，遣返訓練班的普利達說，**你們這輩子從來沒承受過的痛**。

「艾芮兒。」

所有三輪摩托都有行車速限，但在獵戶座方樓初醒的淡紫色光芒中獨自奔馳於大道上，穿梭在加格林公園高大、黑暗的林木間，你會覺得自己像是用光速在移動。

「艾芮兒，這樣沒有意義。」

沙發上淺眠的亞別娜聽到門關上的喀噠聲以及反列印機的咻咻聲，再度翻身，而且想通它們合起來代表什麼意思了。她看到冰箱門上的紙條，明白剛剛發生了什麼事。她讀紙條，而且在讀完前就進了艾芮兒的房間。

「瑪莉娜回地球了。」

她扶艾芮兒著裝時，三輪摩托已抵達門口。**幫我化點妝**，艾芮兒用冰冷的聲音說，碧賈浮在同一時間試圖鎖定海蒂的所在位置，並撥電話過去。亞別娜跪在座位旁，小心地幫她塗上雙色眼影。三輪摩托咻咻咻穿過每一個占領軍的檢查點，未受刁難。

我聯絡不上她，艾芮兒不斷說同一句話，**我聯絡不上她**。

「我還是聯絡不上她。」艾芮兒說。

「艾芮兒，聽我說。」

亞別娜將紙條放在廚房地板上，但每個字都歷歷在目，彷彿是用熾熱的針寫在她的視網膜上。

我得離開月球，我得走了。

「艾芮兒，她的乘客艙在十五分鐘前離開了。」

三輪摩托抵達梅利迪安中心，車門敞開。

「艾芮兒，她已經走了。」

艾芮兒猛力抬頭，她蒼白的凝視燙得亞別娜一縮。「我知道，我知道，但我得親眼看到。」

返回月球的乘客艙沿著梅利迪安中心的牆面下降，自太空歸來。一個乘客艙下來，就有另一個上去。一上一下，無盡的旋轉木馬。

「我要妳走。」艾芮兒說。

「艾芮兒，我可以幫忙……」

「閉嘴！」艾芮兒尖叫：「閉嘴，又蠢又呆的小賤人。閉上妳的嘴，別再說那些好心、熱心、無意義、遲鈍、無知的油嘴屁話了。我不需要妳的幫忙，不要妳哄，不要妳的心理治療。我要妳滾，滾就是了，滾。」

亞別娜一面啜泣一面退離計程車，跑向一牆木槿旁的石椅。淡紫色的晨曦如今已衰退為金色，有飛行人在閃亮的空氣中墜落，亞別娜憎惡那畫面。可恨的女人，邪惡的女人，不知感恩的女人。但她還是忍不住抬起視線望穿自己的頭髮，望穿顫抖的淚水，看著三輪摩托內無助的女人。車門仍開著，有如花瓣。她一下子低頭，一下子又仰面。亞別娜試圖理解眼前的畫面，想起路卡辛侯跟其他男女勾搭時帶給她的感受。憤怒，遭背棄，需要任意傷害別人，讓他們承受一樣的痛。想要襲擊傷害自己的人，看著他受襲。但眼前的畫面不同，這是撕裂成兩半的生命。這是全面的、內裡被掏空般的失落。

她的副靈在她耳中低語。**艾芮兒**。

「亞別娜，對不起。我現在沒事了。」

亞別娜不知道自己有沒有辦法面對艾芮兒。她看到的是比肌膚還要深的赤裸狀態。對這女人來說沉著就是一切，她卻看到脆弱扒開這女人的場面。亞別娜起身，順了順匆忙穿上的衣服，深呼吸，直到呼吸再也不顫抖。

「我來了。」

下一刻，三輪摩托和摩托車圍住艾芮兒的出租車。

河豚般全副武裝的人跨出敞開的三輪摩托，跳下摩托車。是沃隆佐夫一族，穿著綴滿變音符號的防穿刺克維拉纖維，還有傭兵，穿著列印機印出來的便宜護具，以及蹩腳的地球戰士，穿著黑色戰鬥服。他們包圍艾芮兒的三輪摩托。

亞別娜定在原地。

艾芮兒需要她。

「離她遠一點！」她咆哮。

其中一個人轉身，是個矮小的女子，栗子色肌膚，穿著和她不搭的普拉達洋裝和四吋高的塞爾吉奧．羅西跟鞋。

「妳是？」

「我是亞別娜．曼努．阿沙默。」亞別娜說。

艾芮兒的嗓音從圍成一圈的武裝男子當中傳出來。

「讓她過來，」艾芮兒說：「她替我工作。」

穿普拉達洋裝的女人點頭，戰士們便讓出一條路。

「很抱歉讓妳看到我那副模樣。」艾芮兒低聲說：「我不該讓妳看的。」

亞別娜想到上百種回應方式，但全都是好心、熱心、無意義、遲鈍、無知的油嘴屁話。陳腐，天真，幼稚——她們在月人社相遇時，艾芮兒曾這麼形容她。亞別娜明白，自己只懂得回應，從來就只會回應。

「我們是來找艾芮兒．柯塔的。」穿普拉達洋裝的女人說。亞別娜聽不出那是哪裡的口音，不過她的臉、眼睛、顴骨眼熟得令人困惑。網路搜尋毫無結果。女人的副靈是顆白鑞球，上頭有波形花紋細工裝飾。**那我為什麼會覺得見過妳**？「月之鷹要求與妳見面。」年輕女子說，地語顯然不是她的母語。

「月之鷹通常不會派武裝白癡來傳達他的要求。」艾芮兒說，亞別娜聽了很想歡呼。

「領導權已經轉移了。」年輕女子說。

此時，艾芮兒望向那眼睛、顴骨、嘴巴位置，認出它們的來歷——不可能啊。亞別娜也發現她在什麼地方看過了，就在她身旁女子的臉上。

「妳到底是誰？」艾芮兒用葡萄牙語問。

年輕女子也用同樣的語言回答：「我是艾莉西亞．柯塔。」

維修機器人很勤奮，但艾芮兒法庭上訓練出來的銳利視線還是注意到門框四周有煙燻的痕跡，擦亮的燒結地面有骯髒的鞋印，牆面與地面的交會處卡著小玻璃碎片。一旁房間內有兩部機器人正努力不懈地清潔著地毯上的汙漬。

細節很棒，細節代表紀律。這是一座法庭，她準備去開庭。在這裡一切都可能受到審判，包括她的性命。

護衛受命留在停車場內。艾莉西亞的鞋跟敲在堅硬的地板上，發出行軍般的節奏。艾芮兒・柯塔從她的每一個步伐都感應到紀律與自制。月光菜鳥往往會跨出太大的步幅，過度運用肌力過強的雙腿。大家愛開玩笑說剛下月環的人會在加格林大道上彈來彈去、飛來飛去，笑話已逐漸變質為刻板印象。這年輕女子完全沒踩錯半步，就算穿著塞爾吉奧・羅西跟鞋也不例外。

又一個細節：一枚小硬幣被扔向坑洞中，閃呀閃的。

瑪莉娜的乘客艙進站了嗎？還是仍在往外飛？正在朝遠方的耀眼星球自由落體？她只要叫碧貫浮調出幾個飛行記錄就能推算出來。

艾芮兒將注意力拉回來。聚焦此地，聚焦在有用的情報上。艾莉西亞・柯塔自稱鐵手，那是亞德里安娜的舊頭銜。她以亞德里安娜為模範，她有野心，對自己的無情有很高的評價。

「請在這裡稍候。」艾莉西亞・柯塔對亞別娜說。

「別問我要不要讓妳推輪椅。」艾芮兒說。

「當然了，柯塔小姐。」

艾莉西亞報上名字的那一刻起，艾芮兒就知道雙開門後方的，裝飾性繁複得愚蠢又無意義的辦公桌後方會坐著**誰**了。她的**發現**將所有牽扯到瑪莉娜的念頭一併抹除，將瀰漫在當下的疼痛推遠，讓它變成持續、隱約的疼痛，最終弱化到她可以承受。

「你看起來像他媽的死人，盧卡斯。」艾芮兒用葡萄牙文說，這是親密與對峙的語言，家族與仇敵的語言。

他笑了，艾芮兒無法承受。他的笑聲像是塞了碎玻璃的精密機器發出的。

「我真的死過，他們說我死了七分鐘。我很失望。我並沒有從衣櫃頂端俯瞰房間，也沒看到白光，沒聽到水療心靈音樂。沒有祖先在發光的隧道頂端叫我。」他將一瓶琴酒挪到空盪盪的桌面中央。「根據我以前的訂作食譜列印的，網路永遠不會遺忘。」

「我不喝，謝謝你。」

她很想喝，她現在最想做的就是帶走酒瓶到隱祕的地點喝，喝到內心順暢、感覺模糊、疼痛消失為止。

「真的？」

「我只在特別的場合喝。」

「家人團聚不是特別場合？」

「別逼我阻止你。」

「哎呀，說到酒精，我的醫療團隊也跟妳採取相同立場。」

這空洞、褪色、裂開的空殼是她哥哥的傀儡。他過去美麗的肌膚變灰了，頭髮和鬍鬚斑白。眼睛陷入眼窩，肌膚上有直接受日光照射產生的痣和老人斑，東一塊西一塊。他的骨頭很脆弱，就算在月球重力下，他的肌肉也很難撐挺桌子後方的他。艾芮兒發現桌子旁倚著丁字枴杖，彷彿有什麼逆轉的相對性令他承受了三十年份的地球重力。

「月球人去不了地球，母星地球會殺死我們。大家都這樣說。我就去了，艾芮兒。它也真的試圖殺我。我從地球升空準備轉運時心臟病大發，但它沒殺死我。」

艾芮兒和艾莉西亞對上眼。

「讓我們獨處。」

盧卡斯點點頭。「麻煩妳，艾莉西亞。」

艾芮兒等待門關上才開口，不過艾莉西亞除非是個蠢蛋，不然她一定會監聽鷹巢內每一句話。

「她呢？」

「她很聰明，飢渴，上進心令人耳目一新。她也許是我見過最堅忍的人，連妳都被比下去了，小妹。她在下頭打造了一個商業帝國，提供並販售乾淨、可靠的水源給她的社區。他們都叫她管線女王。然而，我提議帶她上月球，她就來了。她是鐵手，體內流著亞德里安娜．柯塔的血。」

「她會殺了你，盧卡斯。」艾芮兒說：「你的影響力和權勢一產生動搖，她就會出手。」

「艾芮兒，家族優先，家人永遠在第一位。路卡辛侯現在在神之若望，狀況很糟。現主姊妹會在照料他。我過去一直以為老媽對她們的愛慕是衰敗的徵兆之一，但抵抗布萊斯．馬肯齊占領我城的勢力似乎以她們為核心。我遲早會處理那個問題。路卡辛侯帶著露娜在豐饒海上移動了四百公里。妳知道嗎？他把最後的空氣都給了他堂妹，讓她順利抵達博阿維斯塔。奔月時，他也回頭去救阿沙默家的男孩。他英勇又善良，我真希望他好好的，我也好想再見他一面。家族優先，家人永遠在第一位。」

這斥責已經很老套了，但很精準，每次都能傷害到她。今天它特別深入，穿透她早已瘀青的肉體。艾芮兒總是選擇家族外的世界，將來也不會改變選擇。但一如所有表面上顯見的事實，這件事的核心有更深層的真相，它熔融、旋轉著。月世界選擇了艾芮兒．柯塔，世界總是將自己推向她，固執、求援的手按住她全身。少有人具備足以滿足世界的人格特質與才華。它需索，她滿足它。它從不停止要求，她從不停止給予，儘管她因此被孤立在一切事物之外，無法接觸其他可能向她需索的人。

「我不會被你收編到你的歡樂小王朝裡的，盧卡斯。」

「妳沒有選擇。大家得知鷹巢內發號施令的人是誰後，姓柯塔的人能安全到哪裡？」

「我可以對月之鷹說『去你的』，這似乎可以當作我的工作。」艾芮兒說，但她看得到盧卡斯在她周遭設下的陷阱。

「妳是上一任月之鷹的法律顧問。」盧卡斯說：「我希望妳繼續待在這位置，把這事看作管理權轉移就好。」

「上一任月之鷹死在天蠍座α星方樓底部。」瑪莉娜．卡爾札離開她的同時，碧賈浮在她腦海中塞了一堆進行中的政治革命的消息。扔出窗外。艾芮兒想到就打了個冷顫，竟然有剛好可形容那起謀殺的詞彙，精準、薰香、有禮。

「那無關緊要。」盧卡斯說：「強納森從來就不構成威脅。他已經玩完了，艾芮兒。他原本會在遠端大學度過餘生，當當閒到不行的講師。我對強納森．阿猶德沒懷抱惡意。」

「但你坐在他的辦公桌前，接下他的頭銜、印鑑、委任證書，用他的列印機供應你設計的琴酒給我。」

「這工作不是我討來的。」

「你侮辱了我，盧卡斯。」

他舉起雙手表示懇求。

「月球受託管理機構需要懂月球的人為他們工作。」

「這不是換一個機構名稱而已，董事會不會在軌道磁軌炮的槍口下改組。」

「不會嗎？」盧卡斯湊向前，艾芮兒在他凹陷的雙眼中看到她已遺忘的光芒。它不會照亮事物，只會拉出陰影。「真的嗎？妳可以搭電梯到高樓層去，問那裡的人知不知道月球開發法人做過什麼，看他們說不說得出半個董事的名字。他們搞不好連月之鷹叫什麼都不知道。他們只在乎肺裡的空氣，舌頭上的水，肚子裡的食物，谷夏上誰又幹了誰，下一個合約的著落。我們不是一個國家，不是被奪走呼吸氧氣自由的民主政體。我們是一個企業體，我們是一個工業前哨基地。我們賺取利益。稍早發生的都只是管理權轉移，新的管理階層必須讓現金重新開始流動。」

「俄國、印度、巴西、美國、韓國、南非政府的代表人員，中華人民共和國的人馬坐在月球開發法人董事會議室內。你認為恆光宮會接受北京的指令？」

「月球受託管理機構是一個多部會組織，來自地球和月球的企業代表都包含在內。」

「VTO。」

「是。」

「盧卡斯，你給了他們什麼？」

「地球上的安全，太空中的帝國，來自月球的敬意。」

「這是入侵行動，盧卡斯。」

「當然是，但這也是健全的企業活動。」

「你毀了坩堝嗎？」

「沒有。」盧卡斯說。艾芮兒不說話，她的沉默要求他說更多：「我沒有摧毀坩堝。」

「駭入熔煉鏡的指令是柯塔家的舊程式碼，它已經存在三十年了，內建在控制系統當中。程式碼不會自己啟動，一定有某人喚醒了它，一定有某人送出指示。盧卡斯，是你嗎？」

「我沒下指令。」

「死了一百八十八個人，盧卡斯。」

「我並沒有下令摧毀坩堝。」

「我現在願意喝你一杯琴酒，盧卡斯。」

他以不怎麼穩定的手勢倒酒進馬丁尼杯，順便加幾滴苦艾酒進去，滑到月之鷹大辦公桌的另一頭。艾芮兒曾經拿起、品味許多飲料，純粹、絕對地享受它們的美味。強烈的、成人性且私密的性愛，裝在一只杯中。她沒碰那杯酒。

「你要求我代表你，盧卡斯。」

「對，而妳還沒給我答覆。」

琴酒冰涼，溼氣在杯子外凝結出水珠，永遠可靠，安定。家族或世界，這始終是她面臨的兩難。盧卡斯一刀劈開了它，家族與世界。接受他的提案，她就可以獲得兩者。艾芮兒盯著月之鷹桌上立著的杯子，看了好久好久。簡單，容易極了。答案一直都唾手可得。

「我還沒給答覆是吧？」艾芮兒說：「不，我不要。答案是不。」

一小時後，陽夫人的耐性磨光了。她嘆氣，舉起枴杖指著艾莉西亞。

「妳。」

「陽夫人。」

陽夫人已仔細打量過月之鷹辦公室入口旁小桌邊的年輕女子。她的每條肌肉都洩漏了她出身地球的事實。巴西人，家族成員。根據傳說，亞德里安娜沒找到半個值得上月球和她會合的族人。這女孩有野心，而且有教養，能夠朝目標前進。她並沒有用外人看得到的瑣碎事務來打發時間，讓自己分心。她坐得挺，懂得沉靜。現在懂得靜下來的年輕人可少了。陽夫人喚她，一方面是為了打斷她令人惱怒的自若，另一方面是想看她踩錯腳步，飛到房間另一頭。她的動作很流暢，看不太出來有沒有全身貫注在做這件事。

「我們等個沒完。」陽夫人說。太陽企業的董事在鷹巢舒適的接待室內表現出各種無聊的反應。

「月之鷹準備好就會見您。」艾莉西亞．柯塔說。

「我們等夠久了，我們不是簽約員工。」

「月之鷹非常忙碌。」

「他見了艾夫根尼．沃隆佐夫，看來沒忙到哪裡去。」那個醉醺醺的老笨蛋在三十分鐘前跟著他的裝甲蠢貨一起進軍梅利迪安。不懂情理，臉上連半點尷尬的神色都沒有。傳言說更硬派、更年輕的世代已實質掌握了VTO月球，陽夫人毫無疑慮地認定艾夫根尼的保鑣就是那個派系。他們表情堅定，肌肉發達，守紀律。他們的鎧甲設計很傷眼，強調裝飾性又幼稚。那些圖像的典故出自某種音樂，而達瑞斯也是那種音樂的迷。小男孩愛玩的電動遊戲裡跑出來的人物竟然在維安，陽夫人感覺受到嚴重羞辱。

維安，這種概念竟然跑到月球來了。

「沃隆佐夫先生是月球受託管理機構的成員之一。」艾莉西亞．柯塔說。就在這時，雙開門敞開了，壯得像熊似的艾夫根尼．沃隆佐夫走了出來。穿硬甲裝、板著一張臉的年輕男女環繞著他，差點把他擠到房間外。

「月之鷹現在要見您了。」艾莉西亞．柯塔宣布。陽家的人馬從漫長、無聊的等待中解脫了。艾莉西亞．柯塔站到陽夫人面前。

「您不是董事會成員，夫人。」

陽知遠愣在原地，陽家代表團倏地止步。陽夫人得第一個進門，那是規矩、習俗，是榮耀的位置。艾莉西亞．柯塔不肯退開。

「你們搞錯了。」陽夫人說。

「您和太陽企業董事會坐在一起，但您不是董事會成員。」

「妳讓我奶奶等這麼久，然後才說她不受歡迎。」陽知遠的嗓音充滿深沉、私密的暴力性。「我奶奶要是不能進去，我們所有人都不進去。」

艾莉西亞舉起兩根手指到耳邊，顯示她剛來到月球，還不習慣副靈的無意識密語。

「月之鷹樂意見陽夫人。」她說。粗框眼鏡藏住她的雙眼，陽夫人從她的臉部肌肉也讀不到尷尬或教養。這是一名自信滿滿又霸道的年輕女子。

陽知遠退開，讓陽夫人打頭陣。

「妳真是個傲慢的年輕人。」陽夫人經過時用氣音說，她從來沒被羞辱成這樣。憤怒即喜悅，即滾燙、狂熱又銷磨心志的疾病，她沒料到自己在這年紀還會遭逢它。

「而妳是委靡的老蠍子，就快死了。」艾莉西亞．柯塔用葡萄牙文低語。陽夫人與太陽董事會成員身後的門關上了。

賈米．赫南德茲—馬肯齊在豪華公寓的門邊止步，一手扶住門框，氣喘吁吁。一千根石針在他的肺中刮磨，過去吸入的月塵正在殺死他。你不該在天亮前用會議召集令喚醒老羊夫的。

老羊夫總是靠風聲掌握緊急狀況。

唯一的光源來自窗戶，布萊斯所站位置。康達科娃大道那帶有點彩畫筆觸的夜間燈火映襯著他的身影，一團黑色物質。賈米在黑暗中眨眼，他的副靈向他顯示與會者以及他們的位置。

「陽家要求收回貸款。」財務長阿馮索．佩瑞茲特喬說。

「靠。」賈米．赫南德茲—馬肯齊敬畏地說。

「利息很慷慨，但他們還是要把錢討回去。」羅文．佐法伊格—馬肯齊說。「豐饒海和危海目前的產量只有正常狀況的百分之四十，我們沒有存量。」

「盧卡斯．柯塔要求會面。」阿馮索．佩瑞茲特喬說。

「我才不要臣服於他。」窗邊的布萊斯轉身：「我不會把公司交給盧卡斯．柯塔。」

「VTO可以下禁運令。」羅文說。

「那地球就會昏暗無光。」布萊斯說：「我知道他在打什麼算盤。他會讓鄧肯把我們逼入荒野當中，儘管我們維持地球的燈火。這裡一小塊領地，那裡一小塊。新董事會……叫月球受託管理機構還是什麼來著的，他們只在乎氦氣運輸船。」

「我們似乎得和月球受託管理機構達成協議。」賈米沙啞地說。

「盧卡斯．柯塔是守門人。」羅文說。

「我知道盧卡斯．柯塔要什麼。」布萊斯氣急敗壞地說。「他要奪回他的城市。我要在他拿回去之前減壓那一整座該死的城和裡面所有人。」

「我有一個較不血腥的提案。」賈米說：「你聽過現主姊妹會嗎？」

「聽過。」布萊斯說：「敲敲鼓、煽動暴民的巴西邪教。」

「市民尊重他們。」賈米說：「而你聽完我下面這句話，或許也會多尊重他們一點：他們正在庇護路卡辛侯和露娜·柯塔。」

布萊斯·馬肯齊挺直身體，身體在街燈映襯下顯著地膨脹了一些。

「是嗎？」

他獨自移動，搭特許列車前往他仇敵的要塞。抵達後，他便在引導下前往其核心地帶，只有正確的門向他敞開。

盧卡斯·柯塔的枴杖在擦得發亮的哈德利鋪石地面敲出喀喀聲。

鄧肯當然會建造一座花園，難免的。羅伯特·馬肯齊的蕨溝曾是月球奇景之一。盧卡斯從未見過它，但他毀了它。羅伯特·馬肯齊以蕨類植物、葉片、飛翼、水造景，鄧肯·馬肯齊以石頭、沙子、風與低語建園。這空間寬一百公尺；在狹窄壓迫的哈德利，它的天花板可是高到會引發曠野恐懼。盧卡斯原本覺得石頭的重量都壓在肩上，此刻感覺獲得了解放。空氣乾燥、純淨，帶有細沙的螫刺感。鋪石路迂迴地繞過花園與假山水。光束從高處窗戶射向沙子與石頭排列出的簡樸幾何圖形。

喀，噠。

鄧肯·馬肯齊在石圈中等待，艾斯佩蘭斯在他肩膀上閃耀著。直立的石頭代表月球上發現的每一種石頭，還有許多是來自外地。有太陽系誕生時期的巨石柱，有巨大隕石炸飛到宇宙的地球與火星碎片，有十億年前埋入地底的隕星衝擊金屬核。

每塊石頭都比鄧肯·馬肯齊矮，盧卡斯沒漏看這細節。

「我真想挖出你的內臟，挖個十幾次都不會膩。」鄧肯・馬肯齊說。

盧卡斯倚著枴杖。

「你會變成月壤上的一個洞。」

「質量投射器真是好鄰居。」

「我跟你沒過節，鄧肯。」

「我當時在坩堝。熔煉鏡轉向我們時，我們跟所有人一起逃跑。我聽到許多手敲打逃生艙的聲音，我看到其他人活活燒死，我把我爸的副靈供到皇家堡壘的神龕上。」

「暴力史對現在的我們沒什麼幫助。」盧卡斯說：「布萊斯控制著神之若望，那是我的城市。你可以接管他的氦氣事業。」

「我不要你給我任何東西。」

「我沒要送你。你繼續跟布萊斯打地盤戰，月球受託管理機構會視而不見。」

「而我奪回熔融事業後，你又會接過去。柯塔氦氣重生。」

「不管我說什麼，都沒辦法讓你相信我對氦氣不感興趣。但我確實想要神之若望。」

「馬肯齊金屬無法從神之若望獲得戰略上的利益。」

盧卡斯・柯塔抑制住微笑，生意談成了。

「我們已經了解彼此的立場，我不會再占用你的時間。」

盧卡斯踏上蜿蜒的鋪石小徑，半路上拄著枴杖回頭。

「我有話忘了說。為避免你考慮跟你弟和好，我要告訴你：我手上還是有質量投射器，你說得沒錯。」

「是沃隆佐夫一族有質量投射器。」鄧肯・馬肯齊喊回去。

鄧肯・馬肯齊目送盧卡斯・柯塔喀噠喀噠地穿行於螺旋狀的石子與假山水之間。

去他媽的柯塔。去他媽的柯塔。

你有一把大槍，但你忘了確保安全的方法，就是在槍與自己之間擺個東西。

他等待門關上才打電話給丹尼・馬肯齊。

「把羅伯森・柯塔帶過來。」

去他媽的柯塔。

八十五樓起，就沒有電梯或樓層梯可以搭了。華格納靠樓梯、階梯、爬梯、梯級爬上城市頂端，朝上城區挺進。那裡有外推的建築物和壁架，狹小空隙和鋼索，無所依靠也沒有工作合約的居民。不斷往上，深入化外之境。排氣管咻咻吐出空氣，管線和通訊天線發出嘆息似的颯響，狹窄的鐵網通道隨著機器的脈動在他腳下顫抖，節奏要是改變，華格納就會抓住扶手，強迫自己望向正前方。俯瞰網柵下方一定會引起暈眩，下方絕壁整整有兩公里高，跌下去就會掉到泰勒斯可娃大道上。

高於一百樓後，連扶手都沒了。華格納沿著焊接縫緩緩移動，繞過接著冰冷露水的水槽。他坐了五分鐘，背靠熱交換器架的溫暖側邊，試圖鼓起勇氣，跨過兩部溼度控制器間的三公尺間隔。最後他雙手抓住垂下的電纜，盪到更遠處的壁架上。觸電會比墜樓死得更快。不過這裡還是有人類居住的跡象：水瓶，蛋白質和碳水化合物能量棒的包裝袋被梅利迪安最高處永不止息的人造風吹入縫隙與裂縫中。連查巴林都不敢爬這麼高——儘管它們回收碳分子的狂熱蔚為傳奇。只有陽光線比這裡高，華格納不斷感受到它刺眼的壓迫。世界的屋頂灼燒著，然而螢光符號——自由跑者的表意文字仍指向更高處的路徑。

他曾跨越月海與高地，曾與怪物、恐懼搏鬥，見證勇氣與絕望，也靠近足以穿破城市、使它歸為真空的巨大能量。他受過勞累、飢餓、脫水、失溫、機器人追殺、輻射之苦，然而，尋找羅伯森並帶他前往安全之地的旅程卻比上述所有事物都可怕，尤其是最後半公里路。在他眼中鋪出一千公里長的玻璃，把他扔到機器人戰爭的刀刃暴亂中，用猛烈加速的冰塊轟炸他——他都能拚出一條活路。但在他面前拉出三公尺寬的開口，然後在他腳下灌入範圍兩公里的呼嘯狂風，他就會癱在原地。華格納懼高。

心臟噗通狂跳，連續吸了幾小口空氣後，他盡可能將自己推入兩座氣體交換筒倉的縫隙間。這裡的空氣明顯比世界頂端還稀薄。華格納深呼吸，為身體大量補充氧氣。

「羅伯森．柯塔！」

華格納大喊三次，接著癱倒下來，氣喘吁吁。他的頭隨心跳抽痛著。要是那該死的孩子開著副靈就好了。但隱匿行蹤的第一條規則便是：關掉網路。華格納悉心辨識行為模式、分析被動足跡，結果也只能追到天蠍座α星方樓屋頂。

「羅伯森！是我，華格納。」他重新讓肺中充滿空氣，然後補了一句：「我一個人來的，羅伯森。只有我，我發誓。」

他的聲音迴盪在天蠍座α星方樓高處的巨大金屬柱之間。華格納總是很怕發出大音量的聲音，不願大吼、製造聲響。吵鬧者會引來不必要的注意，他自己是永不嚎叫的狼。

他是嚇得半死的狼，躲在金屬縫隙間閃避下方深淵。

「羅伯森！」他的聲音再度在製造回音的金屬平面間響了三次，聽了就不爽。

「華格納。」

聲音近到令華格納大吃一驚，身體一抖。他退離絕壁，回到凹陷處。

恐懼使華格納的心臟糾成一團。華格納站在十公分寬的凸緣上，沒扶手可握，沒東西可抓。他攀登鞋的拇指部位扳住凸緣，下方就是整整兩公里高的空氣。華格納與羅伯森之間是五公尺寬的間距。儘管華格納跨得過去，但它對他而來說無異於月球與地球間的虛空。

「你還好嗎？」

男孩的模樣糟透了，短褲上都是汙漬和破洞。過大尺寸T恤的其中一隻袖子裂開，懸在那裡。他的頭髮是結塊的草堆，就快變成雷鬼髮辮了。他的皮膚骯髒無比，上頭還有一塊塊瘀青和痊癒中的擦傷。他過去就不壯，但現在更骨瘦如柴。華格納望入T恤的寬領口，看到他的鎖骨。他目光炯炯，如獸。

「你呢？」

「還好。不，羅伯森，是我要聽你說你沒事。」

「我擊退了一部機器人。」羅伯森說，我想它只是在打量我，但它有刀刃。我把它甩了出去，它沒看出我在幹啥。感覺就像在變戲法。它撞上一百五十樓的檢修通道，解體了，碎片散布在二十到四十樓間。他們發佈了碎片警報，所以沒人受傷。」

「羅伯森，我是來帶你回家的。」

「我不打算回去。」

「我知道，我聽阿莫爾說了。伊很愛你，只是……嗯，我們愛人的方式不同。伊傷得很重，羅伯森，伊試圖保護你。」

「伊還好嗎？」

「伊會康復的。」脾臟破裂，腹部嚴重創傷。華格納到醫療中心探望伊時，伊說：**他們有鐵拳**。

「伊想保護你。」

「我知道，但我沒辦法變得像你，華格納。」

「我現在懂了。我們不會回幫屋，我保證。」

「你要怎麼辦？」

「我會陪你。」

「你需要狼幫。沒有他們，你就不是你了。」

華格納．柯塔高踞檢修通道上，嵌在勉強可讓他的瘦屁股通過的裂縫內，雙手環抱縮起的膝蓋，才能盡可能將他前方可怕、令人敬畏的光景遮住。聽到羅伯森這句話，他的心撕裂了些許。

「我有你的陪伴。」

羅伯森說：「你剛剛在地表對吧？」

「我看到了難以置信的事物，沒人見過、沒人該看見的事物。我絕對不會向別人提起。」

漫長的沉默再度降臨。

「羅伯森，我得把我看到的全都告訴你。我剛剛非常害怕，但沒比現在怕。我嚇壞了，羅伯森，我不能待在這裡。我覺得自己快死了，甚至不知道自己能不能動。你可以協助我下去嗎？」

華格納沒看到他用力，肌肉沒繃緊也沒準備動作，但羅伯森已飛過虛空，伸手抓住一根支柱，盪過氣體交換筒井側面，越過華格納瑟縮的縫隙，抓住第二根支柱，安穩又自若地降落到門架式維護通道上。

華格納手腳並用地爬過那通道，羅伯森伸出一隻手。

「握住我的手，看著我的眼睛，別看其他東西。」

華格納一點一點向前推進，他的雙腿肌肉痲木，關節極不可靠。

「抓住我的手。」

他伸手，一度往前倒，深淵在他面前敞開。接著羅伯森握住了他的手，他才發覺自己從未碰觸過這隻手，擁抱過這個人。對方的手蘊含力量，柔軟與溫暖。頑固的抵抗。華格納踉蹌起身。

「看著我。」

他在第二部氣體交換器附近，站在入口引道上。

「你還好嗎？」

「我搞不好會吐。」

「別對著空中吐。」

華格納倚靠扶手，氣喘吁吁，臉色慘白又流著冷汗。他三度感覺到暈眩感湧上，等它們過去了才起身，依舊氣喘吁吁。

「我們走吧。第一站是俄式三溫暖，你臭死了，小弟。」

羅伯森的微笑能讓地月兩界都在軌道上停止運行。

「你也沒清爽到哪去，小狼。」

華格納在熱氣瀰漫的房間內躺了好長一段時間，感受著朦朧的溫暖。滑順的石頭墊著他的背，出汗帶來愉快的刺痛感。汗珠越結越大，接著滾落，引出他肌肉當中的疲倦。頭上頂著星子，鑲嵌在圓頂上靜止的星叢內。藍色的滿盈地球，白色的馬賽克鑲嵌。

地球漸圓了，他感覺得到，儘管人在月球深處的洞窟內。他知道這是藥物所致，總是如此，還有他自己的生理與心理節奏。不過他感覺得到藍色牙狀的地球就掛在梅利迪安上空，儘管他並未親眼見到。他感覺得到地球正將他拉向狼幫的一體性，但他不能離開。他有個小孩要照顧。躺在溫暖的石板上，恐懼突然攫住他。不只這次，往後每次地球升起，他都得跟狼幫分離。他不知道自己該如何承受，但他會辦到的，非辦到不可。他有個小孩要照顧。

影子發出叮一聲。

嘿，我出來了。

羅伯森窩在三溫暖茶室的凳子上，他列印了一件平口泥灰色上衣，露肚臍剪裁，袖口摺起，還有一件三槓運動褲。他的頭髮像是一顆華麗的赤褐色馬勃菌。

「味道好一點了嗎？」羅伯森說。他魅力四射。

「桉葉油、薄荷腦、杜松、香檸檬，還有一些檀香。」他最後一聞：「還有一點乳香。」

「你怎麼知道？」

「我在黑暗期知道的事情可多了。」

「我想讓你看一招。」羅伯森宣布，並從運動褲口袋中取出他的半副牌，挑出一張甩向華格納。

轉眼間，牌不見了。

「他夾在手內側。」有個嗓音說：「拇指和手心之間。你從你坐的角度看不到，但我看得到。」

魔術是誤導的藝術。手會將注意力引到**那裡**，你就看不到魔術師對牌動的手腳了。或者，你也會漏看馬肯齊金屬第一刃衛的現身。

丹尼．馬肯齊倚靠著茶室吧台，看著華格納檢查大廳有無其他刃衛。

「我一個人來。你找那男孩的手法很值得讚許。」

「我的名字是羅伯森。」羅伯森突然暴怒：「我不是那個男孩，也不是小羅伯。我是羅伯森。」

「對，你說的是。」丹尼．馬肯齊說：「很抱歉。而你……」他對賣香料奶茶的茶販說：「別輕舉妄動，我可以解決你的每一個保全。但我不會惹事的。」

「你要做什麼？」華格納問。

「我聽說你是一路從忒過來的。我們在那失去了很多羊夫。」

「我確實是從那來的。你想說什麼？」

「我很想待在忒，但我是第一刃衛，只能困守在哈德利，只有鄧肯需要我跑腿時例外。他要羅伯森。」

華格納擋到羅伯森與丹尼．馬肯齊之間。

「華格納，你的行為值得欽佩，但你根本不是戰士。」丹尼說：「鄧肯想要一具溫暖的肉體擋在他和你哥之間。你的嘴巴張開了，華格納。你的眼睛瞪得真大。你真的不知道嗎？你先前都在哪？喔，對，當然了。你哥是月之鷹，盧卡斯．柯塔。」

「盧卡斯已經……」華格納開口。

「華格納，你應該會覺得他活蹦亂跳得很。鄧肯想要人質，而盧卡斯想要布萊斯的人頭。鄧肯這個人行事作風太馬肯齊了，看不出盧卡斯根本不是他的敵人。他要是與月之鷹為敵就太蠢了。也許現在不叫月之鷹，反正月球受託管理機構叫他什麼就是什麼。我不是政客，但就連我都看得出來。華格納·柯塔，有個方法可以擺脫僵局。」

「你還欠我人情，丹尼·馬肯齊，我現在要提出第三個，也是最後一個請求。」

「而我會兌現我的承諾，華格納·柯塔。」丹尼·馬肯齊從亞曼尼西裝外套內側的刀鞘抽刀，親吻刀刃。「我的債還清了。」他重新將刀子收好。「華格納·柯塔遠離這裡，現在就走。」

「謝謝你。」華格納說，並伸出手。

「我才不會跟姓柯塔的混帳握手。」丹尼·馬肯齊在門邊呼喊：「羅伯森，能用紙牌變戲法的人，也能耍刀。記住這句話。」

「盧卡斯叔叔是月之鷹？」羅伯森問。

「我也不清楚狀況。」華格納說：「但我會查個明白的。」**遠離這裡**，丹尼·馬肯齊剛剛說。遠離鄧肯·馬肯齊的刃衛，遠離盧卡斯·柯塔的陰謀，遠離狼幫夥伴的愛與溫暖。到另一個遙遠的地方，那裡有其他種類的愛情等著他。「走吧，小小狼。」

丹尼認為，熱中於假山水是非常荒謬的。這是陽家會浪費資源建造，讓自己顯得文明又高人一等的設施。軟弱又乏味。過去的蕨溝令他起雞皮疙瘩，潮溼、綠意、活物。每次進去，他都會覺得皮膚發癢。那是婕德·陽出的主意，老羅伯特就是從這時開始迷失的。馬肯齊苦幹，馬肯齊熔煉，工作就是我們的花園。

「我要你把一個十三歲男孩帶過來。」鄧肯說。

「我還清了人情。」

「我們需要對抗盧卡斯·柯塔的籌碼。」

「我還清了人情。」

「還給該死的姓柯塔的。」

「我還清了人情。」

「你他媽的辜負了家族。」

丹尼・馬肯齊舉起左手，小指不見了。截肢的部分短而利，但還能承受。他的副手迅速上前消毒、灼燒傷口，他不接受止痛藥。痛承受得了。主要令人不爽的部分是，神經被斬斷的地方失去了知覺。

「你認為這樣就夠了？」鄧肯說：「還清愚蠢的人情，然後就沒事了？所有優勢和門路都毀了，權利和許可都會被撤銷。我要把你掃地出門，你不再是馬肯齊家的人了。你沒有名字，沒有家，沒有父親。」

丹尼・馬肯齊的嘴角抽動了一下。

「那就照你說的吧。」

他走遠，鞋跟踏響鋪石。他大可踩過那些拘泥小節的圓圈和沙雕之海，狗屎禪機。那樣一定很棒。他在小徑旁滯留。這時，他眼幕上的金色數字變成了綠的。他呼吸著，現在還能呼吸。空氣只要夠讓他離開哈德利就行了。

羊夫在石花園外的走廊上排成隊列。地表活動衣，工作裝，運動裝，經典的內搭褲和兜帽上衣。不是走一九八〇年代復古風潮，就只是工人的衣著。丹尼・馬肯齊穿過一排排刃衛時並沒有望向他們。他走過，刃衛便以關節處碰眉毛行禮。後方的喝采越來越響亮，推著他前進。

他握緊左拳。

他在電梯內轉身，以小到不行的幅度點了一下頭。門關上了。

車站有人幫他保留車票，頭等艙。眼幕仍是綠色的，他知道是誰幫他支付這些錢。他的座位在觀景車廂。列車冒出隧道來到地表後，他轉頭面向哈德利。他望著雄偉的金字塔，逐漸遠去，最後只看得到一萬個太陽照耀的峰頂。它也消失到地平線後方了。

他左手的傷口還是沒有感覺。

如銀，如剪下的指甲，範圍只有針尖刮痕的地球光在列車窗外閃耀著。羅伯森瑟縮在座位上，嘴巴開開，流出一點口水，深陷睡眠之中。睡眠是巨大的療癒之車，朝萬里之外的復原與新生奔馳而去。華格納睡不著，但不是狼之光使他保持清醒。他已將最後一丁點黑暗人格期的專注力投到地月兩界的新聞上，時事評論、讀者投書、政論、歷史。他和潔拉展開寧靜海大逃亡期間，世局有一些動盪，此刻他才開始掌握那些狀況，也終於知道柯塔氦氣滅亡、博阿維斯塔毀於一旦、他展開逃亡（而地月兩界都認為盧卡斯・柯塔死了）後的這十八個月，他哥到底在做什麼。

他看得出來，柯塔家和沃隆佐夫家大獲全勝的戰役只不過是小規模的衝突，另外還會有足以撼動月球冰冷核心的戰爭。哲學、政治、家族、特權、權勢、王朝、法律、自由、過去、未來之戰。

聰明的狼會先躲好。

三十分鐘後就會抵達希帕提婭轉運站，轉搭地方接駁車到提阿非羅，到安妮麗絲身邊。

羅伯森在睡夢中翻身，發出小小的呻吟，靠向華格納。華格納攬住男孩。男孩的身體好瘦、骨架好凸，完全沒有柔軟和圓潤的觸感。羅伯森鑽向華格納溫暖的身體，而華格納放下座墊，往後倒，眺望纖細、背義的地球。他讓臉頰靠上羅伯森的頭髮。桉葉油、薄荷腦、杜松、香檸檬、檀香、乳香。

接著華格納．柯塔發現，入睡並不是那麼困難的事。

三輪摩托的夾鎖闔上了。陽夫人抓住安全握把，下一刻和達瑞斯就離地數十公尺了，車子快速沿著高塔側面攀升。森林茂密的南后地面逐漸遠去，一次呼吸的時間，他們便離地數百公尺了。攀升。達瑞斯望向透明觀景罩外的數百座南后高塔，它們的樓層與屋頂彼此相連。在嚴格水平移動的坩堝和恆光宮那明亮對比強烈的迷宮之後，建立一個垂直的世界是令人振奮的。他的雙手按住觀景罩。他們現在離地一公里高了，一點五公里。電梯減緩，並在第一百樓放出三輪摩托。小出租車自動繞過高塔邊緣的外推台子，這裡沒有欄杆。

「這裡？」三輪摩托停在一道不起眼的鐵捲門前面。工業風，沒有任何實體或虛擬的標牌。誰會在尖茂塔一百樓設置倉庫？

「就是這裡。」陽夫人說，並等待達瑞斯伸手讓她扶著下車。他也真的伸手了，迅速且自願地。一名膚色如橄欖、鬍子梳理整齊的矮個子男人走出大鐵捲門上的進出用小門。達瑞斯注意到對方的衣著，慎重、古典、剪裁漂亮。他只跨出三步就能來到訪客面前，但那三步經過熟慮，穩定、洗練如舞者。

「陽夫人。」他親吻老女人的手。

「馬里亞諾。」短小精悍的男人鞠躬。達瑞斯握住對方伸出的手，感受其抓握和肌肉調性。他微笑。

「這一位防心很重。」

「值得敬佩的馬肯齊特質。」陽夫人說：「你要下的工夫、形塑的部分可多了。」

「現在是什麼情況？」達瑞斯問。他在一百樓，這條路上沒有保全機制。他的逃跑選項有限。「這人是誰？」

「親愛的，現在的狀況，是緩慢、熟慮的惡意造成的。」陽夫人說：「柯塔一族羞辱了我，我無法忍受。反過來羞辱他們不是恰當的復仇方式，我需要能夠挖出他們活跳跳心臟的武器，要它燒灼他們、奪走他們的希望、斷絕他們的子嗣、從歷史上抹除他們。我要他們看著自己的小孩死去，見證血脈的斷絕。我要你當我的武器，達瑞斯。復仇需要時間，也許我有生之年看不到，但想到死後他們就得面臨我的復仇，我就感到欣慰。有些人認為這個字很難說出口：復仇。他們覺得它太戲劇化、太野了，肥皂劇似的。但根本不是那麼回事。他們的舌頭太軟了，承載不了它。你要擁有它、品味它。」

優雅的男人向陽夫人低頭行禮。

「我叫馬里亞諾．加百列．迪馬里亞，我是這設施的負責人，將會親自教育、訓練你，導正你的儀態。這裡是武器製造所，歡迎來到七鐘院。」

沒人想率先發言，但總是得有人開口，畢竟情況很古怪：五個陌生人一起關在加壓乘客艙內，飛離衝力轉運繫鏈末端。

首先是咯咯笑聲，倖存者的罪惡感。**我們熬過去了！**（雖然每個人都是經歷同樣的過程抵達月球的，雖然每天都有幾十個人會搭月環。）接著是問題：**你還好嗎？我還好，你呢？大家都還好嗎？是啊，可真顛簸。歐克沙娜呢？還好嗎？**

瑪莉娜？瑪莉娜？

「我沒事。」她輕聲說。她不好，而且永遠不會好起來。一切都永遠不會好轉了。她失去了自己唯一愛過的人，而且這人也只愛過她——乘客艙循著軌道飛向沃隆佐夫循環飛船會面點時，她篤定地想著。這確信如蒼穹般寬廣。

小隊進入主氣閥，走下斜坡。頭盔燈投出長而曲折的光線，並在殘骸後方拉出表現主義式的鋸齒狀陰影。範圍有限的燈光只使遠處的黑暗更加濃密

穿黃色硬甲衣的人舉起一隻手，小隊成員便停下腳步。五個人穿地表活動衣，還有一個人穿硬甲月鎧。

「照亮它。」盧卡斯．柯塔說。

機器人匆忙竄下斜坡，進入寬闊的黑暗中。燈亮起：傾倒的涼亭屋頂，碎裂的柱子，連強壯的心臟都凍結了的無葉之樹。一會兒過後，另一盞燈亮起：伊安莎的豐唇，冰晶的反光。然後又一盞：死河的岩石河道，瞬間凍結的草地。一分鐘內，整個熔岩管都被照亮了。一張張奧里莎的面孔在下方光源營造的戲劇性光線中俯瞰博阿維斯塔的廢墟。

盧卡斯．柯塔透過公用頻道聽到艾莉西亞倒抽一口氣。

「你以前住這？」

「這是我媽的宮殿。」盧卡斯說。

盧卡斯心想，就月光菜鳥而言，她操作硬甲衣的能力很好。又一個出色的才華。盧卡斯幫自己想的藉口是，內骨架系統可以支撐他半毀的肌肉。這是他兒時以來第一次在真空中行走，那次他母親帶他去看遙遠地球上的燈火。他發覺，這話不對。後來他還在豐饒海上走了五公尺，從探測車進月環站。沒太空衣，沒氧氣，沒加壓輔助。他私密的奔月。

他走下斜坡，經過避難所。露娜就是把路卡辛侯帶進這裡，救了他一命。而路卡辛侯帶著露娜離開忒。兩個愚蠢又優秀的孩子。

他走下坡道，踩上脫水草地，靴子將結霜的草磨成粉末，啪沙啪沙。毀滅的程度難以設想。他這才發現自己從未想像過博阿維斯塔之死，從馬肯齊刃衛炸掉主氣閥、讓真空掏盡宮殿的那天起，他都沒有讓自己的思緒飄到這裡過。毀滅，黑暗，凍結的死者比他預料的多很多，但沒到令他害怕的程度。

他從來就不愛博阿維斯塔，沒像拉法和露西卡、露娜和路卡辛侯、亞德里安娜那麼愛它。他比較喜歡神之若望，在那裡可以遠離家族的需索和戲劇性事件，他的公寓陽台俯瞰康達科娃大道，而且有地月兩界最優秀的音響室。如今這個無生命的空殼成了他的囊中物了，他會收下的。整個世界都在他的掌握中了。

他的小隊湊到他身旁。每個成員都是他悉心挑選的保全，個個都是舊柯塔氦氣的員工。

「柯塔先生？」

「我們可以多快開始？」

（第二部完）

詞彙表

月球居民使用多種語言，有些單字借自中文、葡萄牙文、俄文、約魯巴文、西班牙文、阿拉伯文、阿肯文。

黑星：AKA的地表工人。取自迦納國家足球隊的暱稱。

艾咯嗒：指合一，狼幫的集體心靈。

羊夫：馬肯齊金屬的黑話，指地表工人。原指牧羊場男性工人新手。

軍師：太陽企業小隊的第二指揮官。

老大：太陽企業地表小隊的隊長。

小聖者：神之若望居民的暱稱。

新月球帝國II：狼嚎時分

099 Luna: Wolf Moon

•原著書名：Luna: Wolf Moon•作者：伊恩．麥克唐諾（Ian McDonald）•翻譯：黃鴻硯•校對：呂佳真•美術設計：蕭旭芳•責任編輯：徐凡•國際版權：吳玲緯•行銷：巫維珍、蘇莞婷、何維民、林圃君•業務：李再星、陳紫晴、陳美燕、葉晉源•副總編輯：巫維珍•編輯總監：劉麗真•總經理：陳逸瑛•發行人：凃玉雲•出版社：麥田出版／城邦文化事業股份有限公司／104台北市中山區民生東路二段141號5樓／電話：(02) 25007696／傳真：(02) 25001966、發行：英屬蓋曼群島商家庭傳媒股份有限公司城邦分公司／台北市中山區民生東路二段141號11樓／書虫客戶服務專線：(02) 25007718；25007719／24小時傳真服務：(02) 25001990；25001991／讀者服務信箱：service@readingclub.com.tw／劃撥帳號：19863813／戶名：書虫股份有限公司•香港發行所：城邦（香港）出版集團有限公司／香港灣仔駱克道193號東超商業中心1樓／電話：(852) 25086231／傳真：(852) 25789337•馬新發行所／城邦（馬新）出版集團【Cite(M) Sdn. Bhd.】／41-3, Jalan Radin Anum, Bandar Baru Sri Petaling, 57000 Kuala Lumpur, Malaysia.／電話：+603-9056-3833／傳真：+603-9057-6622／讀者服務信箱：services@cite.my•印刷：前進彩藝有限公司•2020年10月初版一刷•定價420元

國家圖書館出版品預行編目資料

新月球帝國II：狼嚎時分／伊恩．麥克唐諾（Ian McDonald）著；黃鴻硯譯. -- 初版. -- 臺北市：麥田出版：家庭傳媒城邦分公司發行, 2020.10
面； 公分. --（Hit暢小說；RQ7099）
譯自：Luna: Wolf Moon
ISBN 978-986-344-817-4（平裝）
873.57 109012437